# Cynnwys

# Sut i ddefnyddio'r llyfr hwn

Cynlluniwyd y canllaw adolygu hwn i gyd-fynd â gwerslyfr Llyfr 1, ac mae'r cynnwys yn eich helpu chi i baratoi ar gyfer eich arholiadau terfynol.

Mae'r canllaw adolygu hwn yn ymdrin â'r canlynol:

- CBAC UG unedau 1 a 2
- CBAC U2 unedau 3 a 4.

Mae hefyd yn cynnwys nifer o nodweddion dysgu sy'n ymwneud â'r testunau:

**Yn y fanyleb:** mae hwn yn cysylltu pob testun â'r fanyleb er mwyn dod o hyd iddo'n hawdd

**Cyswllt:** mae hwn yn cyfeirio'n ôl at werslyfr Llyfr 1 er mwyn eich atgoffa am y testun mewn mwy o fanylder

**Gwella adolygu**: syniadau ac awgrymiadau er mwyn eich helpu chi i adolygu'n fwy effeithiol ac ennill marciau uwch

**Lluniwch eich nodiadau adolygu o amgylch y canlynol**: mae hwn yn crynhoi gwybodaeth berthnasol a dylech chi sicrhau eich bod yn gwybod hyn ymhob testun

**Gweithgaredd:** gweithgareddau amrywiol i gymhwyso eich gwybodaeth a datblygu eich dealltwriaeth

**Cwestiynau cyflym**: ar ddiwedd pob testun er mwyn profi gwybodaeth a dealltwriaeth

## Cymwysterau UG/U2

Bwriad y canllaw adolygu hwn yw eich helpu chi i astudio ar gyfer eich arholiadau UG a rhywfaint o arholiadau U2 CBAC. Mae'r cynnwys ychwanegol sy'n ofynnol ar gyfer manyleb Safon Uwch CBAC i'w gael yng Nghanllaw Adolygu Llyfr 2.

Mae'r adran gynnwys isod yn esbonio'n union beth sydd ym mhob llyfr.

| Canllaw Adolygu Llyfr 1 | Canllaw Adolygu Llyfr 2 |
|---|---|
| **Deddfu, Natur y Gyfraith a Systemau Cyfreithiol Cymru a Lloegr** | **Cyfraith Contract** |
| **1.1** Deddfu<br>Diwygio'r gyfraith | **3.8** Telerau datganedig ac ymhlyg |
| **1.2** Deddfwriaeth ddirprwyedig | **3.9** Camliwio a gorfodaeth economaidd |
| **1.3** Dehongli statudol | **Cyfraith Trosedd** |
| **1.4** Cynsail farnwrol | **3.14** Troseddau corfforol angheuol |
| **1.5** Y llysoedd sifil | **3.15** Troseddau eiddo |
| **1.6** Y broses droseddol<br>Rheithgorau | **3.16** Amddiffyniadau gallu ac amddiffyniadau rheidrwydd |
| **1.7** Personél cyfreithiol:<br>Bargyfreithwyr a chyfreithwyr<br>Y farnwriaeth<br>Ynadon | **3.17** Troseddau ymgais rhagarweiniol |
| **1.8** Mynediad at gyfiawnder a chyllid | |
| **Cyfraith Contract** | |
| **3.6** Rheolau contract | |
| **3.7** Gofynion hanfodol contract | |
| **3.10** Rhyddhau contract | |
| **3.11** Rhwymedïau: Contract | |
| **Cyfraith Camwedd** | |
| **2.1** Rheolau cyfraith camwedd | |
| **2.2** Atebolrwydd o ran esgeuluster | |
| **2.3** Atebolrwydd meddianwyr | |
| **2.4** Rhwymedïau: Camwedd | |
| **Cyfraith Trosedd** | |
| **3.12** Rheolau cyfraith trosedd | |
| **3.13** Elfennau cyffredinol atebolrwydd troseddol | |
| **3.14** Troseddau corfforol | |
| **Cyfraith hawliau dynol** | |
| **3.1** Rheolau, damcaniaeth a diogelu cyfraith hawliau dynol | |
| **3.2** Darpariaethau penodol yn y Confensiwn Ewropeaidd ar Hawliau Dynol | |
| **3.5** Diwygio hawliau dynol | |
| **3.3** Cyfyngiadau'r Confensiwn Ewropeaidd ar Hawliau Dynol | |

## Cynnwys arholiadau CBAC UG/U2

Bydd y rhan fwyaf o ymgeiswyr yn astudio ar gyfer UG CBAC yn eu blwyddyn gyntaf, ac yna U2 yn ystod eu hail flwyddyn. Yn y rhan fwyaf o achosion, bydd arholiadau UG yn cael eu sefyll ar ddiwedd y flwyddyn gyntaf a bydd y rhain yn cael eu cyfuno â'r arholiadau U2, sy'n cael eu sefyll ar ddiwedd yr ail flwyddyn i gael y cymhwyster Safon Uwch llawn. I weld cynnwys llawn manyleb CBAC ewch i www.cbac.co.uk.

Mae'r arholiad UG yn llai heriol ac yn werth 40% o'r cymhwyster Safon Uwch llawn.

Mae'r arholiad UG yn gam tuag at y cymhwyster Safon Uwch llawn, felly bydd syniadau sy'n cael eu cyflwyno ar lefel UG yn cael eu datblygu ar y papur U2 llawn.

Mae Safon Uwch llawn CBAC yn cynnwys pedair uned neu bedwar arholiad. Mae Canllawiau Adolygu Llyfr 1 a 2 yn ymdrin â'r holl gynnwys.

Mae cymhwyster UG CBAC yn cynnwys dwy uned neu ddau arholiad. Mae'r canllaw adolygu hwn yn cynnwys digon o destunau i'ch helpu chi i baratoi ar gyfer yr arholiadau.

<table>
<tr><th></th><th>Uned 1</th><th>Uned 2</th><th>Uned 3</th><th>Uned 4</th></tr>
<tr><th rowspan="3">CBAC UG</th><td>Natur y Gyfraith a Systemau Cyfreithiol Cymru a Lloegr</td><td>Cyfraith Camwedd</td><td>amh.</td><td>amh.</td></tr>
<tr><td>80 marc ar gael (25% o'r cymhwyster Safon Uwch llawn)</td><td>60 marc ar gael (15% o'r cymhwyster Safon Uwch llawn)</td><td>amh.</td><td>amh.</td></tr>
<tr><td>1 awr 45 munud</td><td>1 awr 30 munud</td><td>amh.</td><td>amh.</td></tr>
<tr><th rowspan="3">CBAC U2</th><td colspan="2" rowspan="3">Unedau 1 a 2, uchod, ynghyd ag unedau 3 a 4<br>100 marc ar gael (30% o'r cymhwyster Safon Uwch llawn)<br>1 awr 45 munud</td><td>Arfer Cyfraith Sylwedd/Y Gyfraith Gadarnhaol</td><td>Safbwyntiau Cyfraith Sylwedd/Y Gyfraith Gadarnhaol</td></tr>
<tr><td>100 marc ar gael (30% o'r cymhwyster Safon Uwch llawn)</td><td>100 marc ar gael (30% o'r cymhwyster Safon Uwch llawn)</td></tr>
<tr><td>2 awr</td><td>2 awr</td></tr>
</table>

Y pwysoliad cyffredinol yw 40% ar gyfer UG a 60% ar gyfer U2.

- **Uned 1:** Natur y Gyfraith a Systemau Cyfreithiol Cymru a Lloegr (25%).
- **Uned 2:** Cyfraith Camwedd (15%).
- **Uned 3:** Arfer Cyfraith Sylwedd/Y Gyfraith Gadarnhaol (30%).
- **Uned 4:** Safbwyntiau Cyfraith Sylwedd/Y Gyfraith Gadarnhaol (30%).

**Nodyn:** hen derm CBAC am 'Substantive Law' oedd 'Y Gyfraith Gadarnhaol'. Bellach mae'r term 'Cyfraith Sylwedd' wedi ennill ei blwyf, felly defnyddir y term hwn yn y gyfrol hon.

# Asesu CBAC Y Gyfraith

Wrth i chi ddechrau adolygu, mae'n syniad da eich atgoffa eich hun o'r Amcanion Asesu sy'n cael eu profi. Dyma nhw:

- **Amcan Asesu 1 (AA1):** Disgrifio beth rydych chi'n ei wybod.
- **Amcan Asesu 2 (AA2):** Cymhwyso eich gwybodaeth.
- **Amcan Asesu 3 (AA3):** Dadansoddi/gwerthuso'r wybodaeth hon.

Mae pob cynllun marcio yn cynnig marciau ar gyfer y sgiliau gwahanol, ac mae arholwyr yn cael eu hyfforddi i chwilio amdanyn nhw ac i'w hadnabod.

- **AA1**: Rhaid i chi ddangos gwybodaeth a dealltwriaeth o reolau ac egwyddorion cyfreithiol.
- **AA2:** Rhaid i chi gymhwyso rheolau ac egwyddorion cyfreithiol at senarios penodol er mwyn cyflwyno dadl gyfreithiol gan ddefnyddio terminoleg gyfreithiol briodol.
- **AA3:** Rhaid i chi ddadansoddi a gwerthuso rheolau, egwyddorion, cysyniadau a materion cyfreithiol.

Dyma rai canllawiau ar sut y gallwch chi gymhwyso, dadansoddi a gwerthuso eich gwybodaeth wrth ateb cwestiynau ar agweddau gwahanol ar y gyfraith.

## AA2: Cwestiynau 'cymhwyso':

### N: Nodwch pa faes o'r gyfraith sydd dan sylw

- Cyflwynwch y testun.
- Diffiniwch unrhyw dermau allweddol sydd yn y cwestiwn.
- Nodwch bwyntiau allweddol – er enghraifft, pa faes o'r gyfraith sydd yma?
- Pwy yw'r diffynnydd? Pwy yw'r hawlydd?

Ceisiwch osgoi cyflwyniad niwlog – cyfeiriwch yn uniongyrchol at y testun dan sylw yn eich brawddeg gyntaf un.

### D: Disgrifiwch pa faes o'r gyfraith sydd dan sylw

- Esboniwch y maes hwnnw o'r gyfraith, a defnyddiwch awdurdod cyfreithiol i'ch cefnogi ac i helpu eich esboniad.
- Does dim angen i chi wybod blynyddoedd yr achosion, dim ond y statudau.
- Mae'n arfer da tanlinellu awdurdod cyfreithiol os oes gennych chi amser.

Does dim angen ffeithiau manwl am yr achosion – bydd esboniad byr i nodi pam mae'n berthnasol yn ddigon, oni bai fod nodweddion arwyddocaol yn yr achos rydych chi'n ei ddyfynnu sy'n debyg i'r ffeithiau ym mhroblem y senario.

### C: Cymhwyswch y gyfraith at y senario

- Cymhwyswch y **D** at y partïon yn y senario – beth yw'r canlyniad?
- Gallwch ystyried mwy nag un posibilrwydd.
- Cyfeiriwch at enwau'r partïon mor aml ag y gallwch.
- Cyfeiriwch at **bopeth** yn y senario.

## AA3: Cwestiynau dadansoddi a gwerthuso

Mae rhai geiriau ac ymadroddion yn eich helpu chi i gyflwyno dadl resymegol, ac maen nhw'n dangos eich bod chi wedi ystyried yr holl elfennau a'r holl faterion perthnasol yn ofalus. Mae rhai enghreifftiau yn y tablau isod.

### Dechrau adeiladu pwyntiau a threfnu syniadau

Dechreuwch eich atebion drwy esbonio'r pwyntiau allweddol a'r prif syniadau cyfreithiol.

| Adeiladu pwyntiau yn eu trefn | Ychwanegu at bwyntiau | Defnyddio iaith betrus | Esbonio pwynt neu syniad |
|---|---|---|---|
| Yn gyntaf, Yn ail, Yn drydydd etc. ... | Un pwynt posibl yw ... | Mae'n bosibl dadlau ... | Yn fy marn i ... Er enghraifft ... |
| I ddechrau, gellir dweud ... | Yn ogystal, ... | Un posibilrwydd fyddai ... | Mae llawer o resymau bod ..., fel ... |
| Y pwynt nesaf fyddai ... | At hynny, ... | Mae'n bosibl dweud ... | Gallech ddadlau bod ... Er enghraifft ... |
| I ymhelaethu ar hyn, mae'n bosibl dweud ... | Hefyd, ... | Byddai rhai pobl yn dweud ... | Un enghraifft o ... fyddai ... |
| At hynny ... | Yn ogystal ... | Byddwn i'n awgrymu ... | Mae'r syniad bod ... yn cael ei ategu gan ... |
| Yn olaf, ... | Nesaf, ... | Efallai ei bod yn deg dadlau bod ... | |

### Gwneud pwyntiau a dadleuon cryfach, mwy grymus

Gwnewch yn siŵr eich bod chi'n cyfiawnhau'r hyn rydych chi'n ei ddweud. Dyma lle gallwch gynnwys awdurdod cyfreithiol allweddol, materion cyfoes a diwygiadau.

| Defnyddio ymadroddion gofynnol (yn ddefnyddiol ar gyfer diwygiadau) | Cyfiawnhau syniadau (mae hyn yn ddefnyddiol gyda diwygiadau) | Pwysleisio pwyntiau | Dechrau gydag adferfau |
|---|---|---|---|
| Efallai byddai'n bosibl awgrymu bod ... | Mae'r [achos] yn dweud wrthym ni bod ..., felly ... | Yn bennaf oll, rhaid dweud bod ... | Yn ddiddorol, ... |
| A fyddai'n bosibl dweud ...? | Mae'r [erthygl ddiweddar] yn dweud ... Felly, ... | Mae'n arbennig o wir bod ... | Ni ellir gwadu, ... |
| Oni fyddem ni'n gallu dadlau bod ... | Mae [diwygiadau diweddar] ... felly ... | Yn fwyaf arwyddocaol, ... | Yn amlwg, ... |
| Mae'n deg casglu bod ... | Mae'n bosibl gweld bod [ystadegau, awdurdod cyfreithiol] ... felly o ganlyniad ... | Yn fwyaf nodedig, mae ... | Yn amlwg, ... |
| Efallai ei bod yn wir bod ... | | Mae'n hynod o bwysig amlygu'r ffaith bod ... | Yn sicr, ... |
| | | | Yn wir, ... |
| | | | Yn amlwg, ... |
| | | | Heb os, ... |
| | | | Does bosibl ... |

**Gwneud pwyntiau a dadleuon cytbwys, ystyrlon**

Dyma lle byddwch chi'n cysylltu eich pwyntiau â'i gilydd, ac yn cyfeirio'n ôl at y cwestiwn. Defnyddiwch awdurdod cyfreithiol a damcaniaethwyr i'ch cefnogi pan allwch.

| Cymharu | Cyferbynnu | Cyflwyno dadl gytbwys |
|---|---|---|
| Felly hefyd, yn fy marn i ... | Yn wahanol i ..., mae'n bosibl dweud ... | Ar y naill law, gallech chi ddweud ... ond, ar y llaw arall, gallech chi ddadlau hefyd ... |
| Yn yr un modd, yn fy marn i ... | Neu, mae'n bosibl dweud ... | Un ddadl fyddai ... ond safbwynt arall fyddai ... |
| Yn fy marn i, yn yr un ffordd, byddai'n bosibl dweud ... | I'r gwrthwyneb, mae'n bosibl dadlau bod ... | Mae'n bosibl dweud ...; ond byddai'n bosibl dweud hefyd fod ... |
| Yn yr un modd, mae'n bosibl dadlau ... | Er bod rhai pobl yn credu bod ..., yn fy marn i ... | Gallai rhywun gredu bod ... ond ar y llaw arall byddai'n bosibl dadlau hefyd bod ... |
| Fel ..., mae'n wir dweud bod ... | Gallech chi ddweud ... ond yn fy marn i ... | Un ffordd o feddwl am y pwnc yw ... Ar y llaw arall, barn arall fyddai ... |

# Termau allweddol ac awdurdod cyfreithiol

Mae myfyrwyr yn aml yn dweud bod astudio Y Gyfraith yn teimlo fel dysgu iaith newydd. Mewn gwirionedd, bydd angen i chi ddod i adnabod rhai termau Lladin, fel *ratio decidendi*. Os ydych chi am gyrraedd y bandiau marcio uwch, bydd yn rhaid i chi ddefnyddio terminoleg gyfreithiol briodol. Mae termau allweddol wedi'u hamlygu mewn print bras drwy gydol y llyfr. Bydd llawer o'r cwestiynau arholiad byrrach yn gofyn i chi esbonio ystyr term, neu ddisgrifio cysyniad. Dylech chi ddechrau eich traethodau ateb estynedig bob amser drwy esbonio'r term allweddol yn y cwestiwn. Dylai gweddill eich ateb ganolbwyntio ar syniadau a dadleuon sy'n gysylltiedig â'r term allweddol hwnnw.

Er mwyn cefnogi'r pwyntiau rydych chi'n eu gwneud, dylech chi gynnwys awdurdod cyfreithiol. Gall hyn fod yn achos, yn statud neu'n ddeddfwriaeth, er enghraifft ***Donoghue v Stevenson (1932)*** neu ***adran 1 Deddf Dwyn 1968***.

# PENNOD 1 NATUR Y GYFRAITH A SYSTEMAU CYFREITHIOL CYMRU A LLOEGR

# Deddfu

| Yn y fanyleb | Yn yr adran hon bydd myfyrwyr yn datblygu eu gwybodaeth am y canlynol: |
|---|---|
| **CBAC UG/U2**<br>**1.1:** Deddfu | • Cyd-destun hanesyddol deddfu yng Nghymru a'r Deyrnas Unedig, gan gynnwys sofraniaeth seneddol, gwahaniad pwerau a rheolaeth cyfraith; Uchelfraint Frenhinol<br>• Deddfu Seneddol gan gynnwys Papurau Gwyrdd a Gwyn, y broses ddeddfwriaethol, cyfansoddiad a rôl y Senedd.<br>• Y broses ddeddfwriaethol yng Nghymru a'r DU; deddfu corff deddfwriaethol Cymru; cyfansoddiad a rôl y Senedd a chorff deddfwriaethol Cymru<br>• Y Setliad Datganoli yng Nghymru, gan gynnwys rôl y Goruchaf Lys<br>• Cyfansoddiad y DU, gan gynnwys sofraniaeth, gwahaniad pwerau a rheolaeth cyfraith; Uchelfraint Frenhinol<br>• Cyfraith yr Undeb Ewropeaidd; ffynonellau cyfraith Ewropeaidd<br>• Effaith cyfreithiau'r Undeb Ewropeaidd ar gyfreithiau Cymru a Lloegr |

**CYSWLLT**

I gael rhagor o wybodaeth am ddeddfu, gweler tudalennau 8–23 yn *CBAC Safon Uwch Y Gyfraith Llyfr 1*.

## Gwella adolygu

Ar gyfer cwestiynau marciau is ar y testun hwn sy'n profi **AA1 gwybodaeth a dealltwriaeth**, mae angen i chi gael dealltwriaeth dda o gyfansoddiad y Senedd a'r broses ddeddfwriaethol yn y DU a Chymru er mwyn gallu **esbonio**'r prif ddamcaniaethau cyfansoddiadol sy'n sail i'r system gyfreithiol.

Gallai'r testun hwn gael ei osod hefyd fel cwestiwn marc uwch, sy'n profi sgiliau **AA2 cymhwyso**. Ar gyfer y mathau hyn o gwestiynau, bydd angen i chi gynghori rhywun ar faterion yn ymwneud â'r testun. Er enghraifft, efallai bydd cwestiwn yn gofyn i chi roi cyngor i rywun ar ei hawliau yn nhermau Cyfarwyddeb gan yr UE sydd heb gael ei rhoi ar waith yng nghyfraith y DU. Ar gyfer yr atebion hirach hyn, fel yn achos pob cwestiwn cymhwyso, dylai eich ateb gynnig strwythur clir a fydd yn cynnwys y canlynol:

- **cyflwyniad** gyda diffiniad clir o faes y gyfraith sydd dan sylw, a'i dermau allweddol
- dilynwch hyn â **disgrifiad** o'r gyfraith berthnasol, gydag achosion i gefnogi
- yn olaf, rhaid i chi **gymhwyso**'r gyfraith honno at y senario yn y cwestiwn.

Gan mai sgiliau AA2 sy'n cael eu profi yn y mathau hyn o gwestiynau, mae'n hanfodol eich bod yn **cymhwyso**'r gyfraith.

# Lluniwch eich nodiadau adolygu o amgylch y canlynol...

- **Corff deddfwriaethol**: hwn sy'n llunio'r gyfraith
  - Cynulliad Cenedlaethol Cymru
  - Senedd y DU: Tŷ'r Cyffredin, Tŷ'r Arglwyddi, brenin/brenhines
- **Y weithrediaeth**: hon sy'n gorfodi'r gyfraith
  - Llywodraeth Cymru (o dan arweiniad Prif Weinidog Cymru)
  - Llywodraeth y DU (o dan arweiniad Prif Weinidog y DU)
- **Y farnwriaeth:** hon sy'n cymhwyso a dehongli'r gyfraith
- Mae **Deddfau Seneddol** yn dechrau fel Mesurau:
  - **Mesurau Cyhoeddus**: mae'r rhan fwyaf o Fesurau Cyhoeddus ar faterion yn ymwneud â pholisi cyhoeddus a fydd yn effeithio ar y wlad i gyd neu ran fawr ohoni
  - **Enghraifft**: ***Deddf Diwygio Cyfansoddiadol 2005***
  - **Mesurau Aelodau Preifat:** cael eu cyflwyno gan AS ar ôl i'w henw gael ei dynnu o het
    - **Enghraifft**: ***Deddf Erthylu 1967***
  - **Mesurau Preifat:** mae'r rhain yn effeithio ar unigolion neu gorfforaethau yn unig
    - **Enghraifft**: ***Deddf Coleg Prifysgol Llundain 1996***
  - **Y broses ddeddfwriaethol:**
    Darlleniad cyntaf, ail ddarlleniad, cyfnod pwyllgor, cyfnod adrodd, trydydd darlleniad: yn gyntaf yn Nhŷ'r Cyffredin ac yna yn Nhŷ'r Arglwyddi
    - mae ***Deddfau Seneddol 1911*** ac ***1949*** yn galluogi'r Mesur i fynd heibio i Dŷ'r Arglwyddi: ***Deddf Hela 2004***
    - **Sofraniaeth seneddol**: A. V. Dicey: Mae gan y Senedd bŵer absoliwt a diderfyn i ddeddfu neu ddirymu unrhyw ddeddf
    - **Bygythiadau i sofraniaeth seneddol**: Aelodaeth o'r UE, ***Deddf Hawliau Dynol 1998***, datganoli
- **Corff deddfwriaethol Cymru**
  - Ers 2011, mae gan **Gynulliad Cenedlaethol Cymru** bwerau deddfu cynradd mewn 21 o feysydd
    - **Enghreifftiau**: addysg, iechyd, trafnidiaeth, yr amgylchedd, yr iaith Gymraeg
  - Mae deddf sylfaenol sy'n cael ei phasio gan Gynulliad Cenedlaethol Cymru yn cael ei galw'n **Ddeddf y Cynulliad**
  - ***Deddf Cymru 2017***: roedd y ddeddf hon yn cynnig model 'cadw pwerau' sy'n rhoi mwy o annibyniaeth i Gymru
  - **Comisiwn ar Gyfiawnder yng Nghymru**: mae'n ystyried argymhellion ar gyfer system gyfiawnder unigryw i Gymru; bydd yn rhoi adroddiad yn 2019
  - ***Bil Deddfwriaeth Cymru 2020***:
    - Mae hwn yn rhoi arweiniad ar sut dylai cyfraith Cymru gael ei dehongli
    - Mae'n cydgyfnerthu (h.y. cyfuno) holl ddeddfwriaeth Cymru
- **Cyfraith yr Undeb Ewropeaidd**
  - **Ffynonellau sylfaenol: Cytuniadau**
    - Ffynhonnell uchaf cyfraith yr UE
    - Mae'r rhain yn nodi egwyddorion sylfaenol cyfraith yr UE a'i nodau cyffredinol
    - Yn cael effaith uniongyrchol fertigol: ***Van Gend en Loos (1963)***
    - Yn cael effaith uniongyrchol llorweddol: ***McCarthys Ltd v Smith (1980)***

- **Ffynonellau eilaidd: Rheoliadau**
  - Mae'r rhain yn cael eu pasio o dan ***Erthygl 288 Cytuniad ar Weithrediad yr Undeb Ewropeaidd***
  - Mae rheoliadau yn uniongyrchol gymwys: ***Re Tachographs: Commission v UK (1979)***
  - Yn cael effaith uniongyrchol fertigol: ***Leonosio v Italian Ministry of Agriculture (1972)***
  - Yn cael effaith uniongyrchol llorweddol: ***Antonio Munuz v Frumar Ltd (2002)***
- **Ffynonellau eilaidd: Cyfarwyddebau**
  - Y brif ffordd o sicrhau cysondeb o fewn yr UE
  - Nid yw cyfarwyddebau yn uniongyrchol gymwys: tacograffau
  - Yn cael effaith uniongyrchol fertigol: ***Van Duyn v Home Office (1974)***
  - **Dim** effaith uniongyrchol llorweddol: ***Duke v GEC Reliance (1982)***
  - Ffyrdd o oresgyn y broblem o fod heb effaith uniongyrchol llorweddol: **egwyddor Francovich:** siwio'r wladwriaeth am beidio â gweithredu; **egwyddor Von Colson**: dehongli'r gyfraith fel cafodd ei rhoi ar waith
  - Diffiniad eang o 'tarddu o'r Wladwriaeth': ***Foster v British Gas (1990)***

## Gweithgaredd 1.1 Pasio Mesur

Rhifwch y gosodiadau canlynol am Fesur ffuglennol yn y drefn gywir, er mwyn dangos sut mae Mesur yn pasio drwy'r Senedd i ddod yn Ddeddf.

| Rhif y cam | Beth sy'n digwydd ar y cam hwn |
|---|---|
| | Mae Deddf Ysmygu mewn Mannau Awyr Agored 2025 yn derbyn Cydsyniad Brenhinol. |
| | Mae enw Cerys Jones AS yn cael ei ddewis er mwyn cyflwyno'r Mesur Ysmygu mewn Mannau Awyr Agored fel Mesur Aelodau Preifat. |
| | Mae'r Mesur Ysmygu mewn Mannau Awyr Agored yn pasio drwy'r cyfnod adrodd yn Nhŷ'r Cyffredin. |
| | Mae'r Mesur Ysmygu mewn Mannau Awyr Agored yn pasio i Dŷ'r Arglwyddi, lle mae'n mynd drwy 5 cam. |
| | Mae Tŷ'r Cyffredin yn pleidleisio i basio'r Mesur Ysmygu mewn Mannau Awyr Agored. |
| | Mae Deddf Ysmygu mewn Mannau Awyr Agored 2025 yn dod i rym. |
| | Mae'r Mesur Ysmygu mewn Mannau Awyr Agored yn cael ei drydydd darlleniad yn Nhŷ'r Cyffredin. |
| | Mae carfan bwyso, Hyrwyddo Aer Glân (HAG), yn dechrau ymgyrch ar y cyfryngau cymdeithasol yn mynnu bod yr ardaloedd yn union y tu allan i bob adeilad yn cael eu cadw'n ddi-fwg. |
| | Mae'r Mesur Ysmygu mewn Mannau Awyr Agored yn cael ei ail ddarlleniad yn Nhŷ'r Cyffredin. |
| | Mae'r Mesur Ysmygu mewn Mannau Awyr Agored yn cael ei ddarlleniad cyntaf yn Nhŷ'r Cyffredin. |
| | Mae Cerys Jones AS yn dechrau cefnogi ymgyrch HAG. |
| | Mae'r Mesur Ysmygu mewn Mannau Awyr Agored yn pasio drwy'r cyfnod pwyllgor yn Nhŷ'r Cyffredin. |
| | Mae Tŷ'r Arglwyddi yn pleidleisio i basio'r Mesur Ysmygu mewn Mannau Awyr Agored. |

## Gweithgaredd 1.2 Mathau o Fesurau

Tynnwch linellau i gysylltu'r math o Fesur â'r esboniad cywir ac enghraifft berthnasol:

| Math o Fesur | Esboniad | Enghraifft |
|---|---|---|
| Mesur Cyhoeddus | Bydd yn effeithio ar unigolion neu gorfforaethau yn unig | Deddf Erthylu 1967 |
| Mesur Preifat | Mae hwn yn cael ei noddi gan ASau unigol sy'n cael eu dewis drwy dynnu enw o het i gyflwyno eu Mesur i'r Senedd | Deddf Rheithgorau 1974 |
| Mesur Aelodau Preifat | Mae hwn yn cynnwys materion yn ymwneud â pholisi cyhoeddus sydd fel arfer yn adlewyrchu maniffesto'r llywodraeth | Deddf Harbwr Whitehaven 2007 |

## Gweithgaredd 1.3 'Fakebook' Damcaniaethwyr

Ewch ati i greu proffil Facebook ffug ar gyfer y damcaniaethwyr cyfansoddiadol allweddol canlynol:

- A. V. Dicey (sofraniaeth seneddol)
- A. V. Dicey (rheolaeth cyfraith)
- Montesquieu (gwahaniad pwerau)

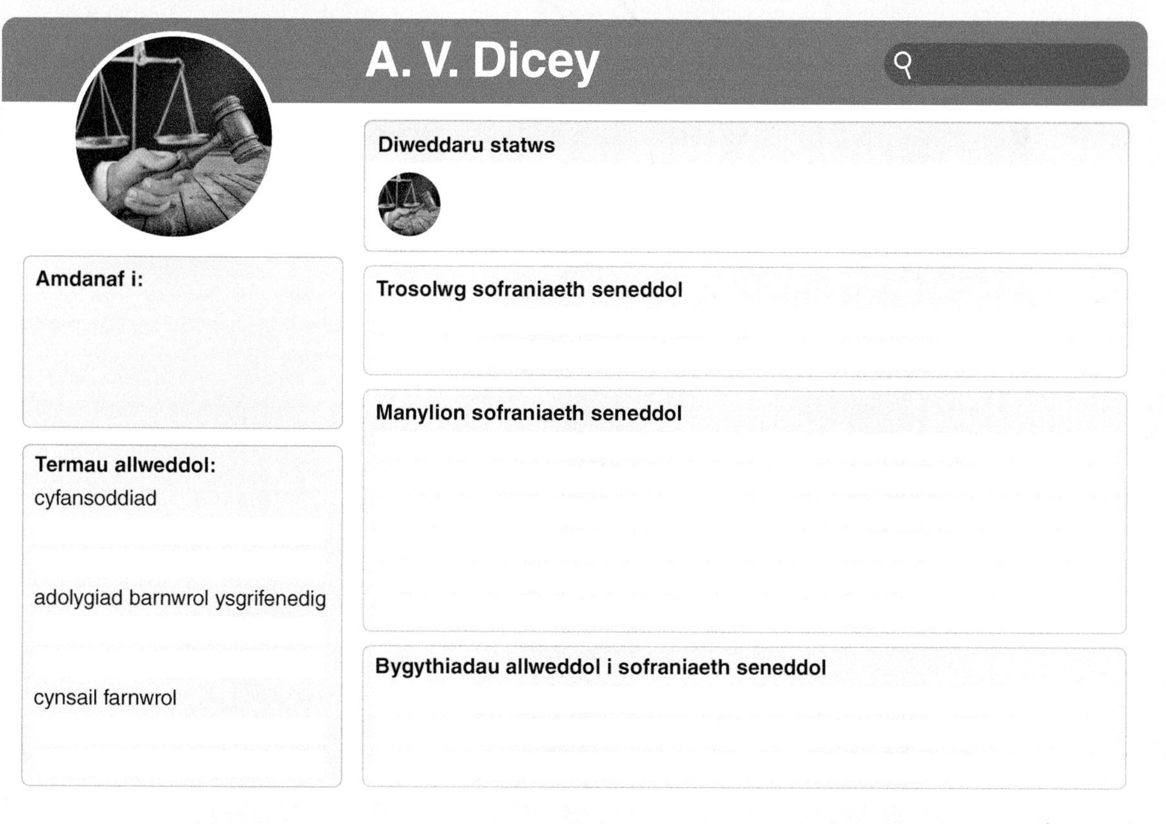


Parhad

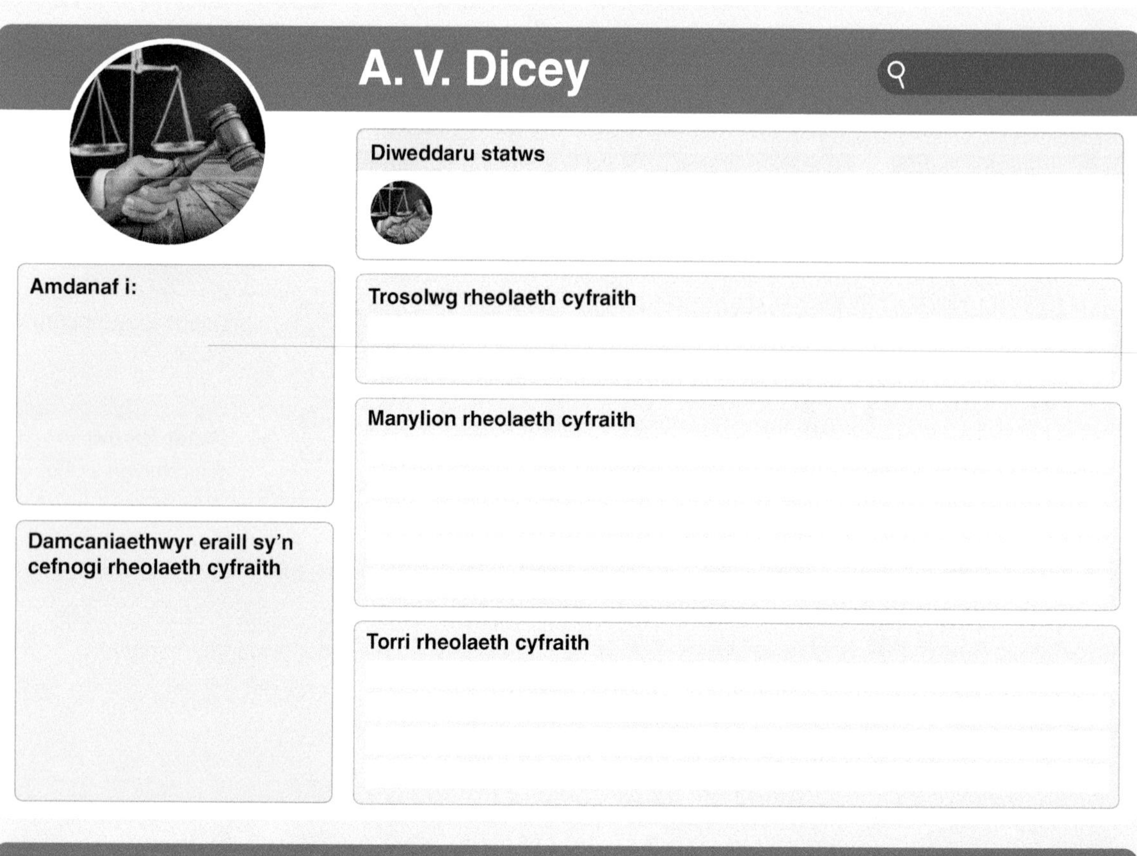
A. V. Dicey
Diweddaru statws
Amdanaf i:
Trosolwg rheolaeth cyfraith
Manylion rheolaeth cyfraith
Damcaniaethwyr eraill sy'n cefnogi rheolaeth cyfraith
Torri rheolaeth cyfraith

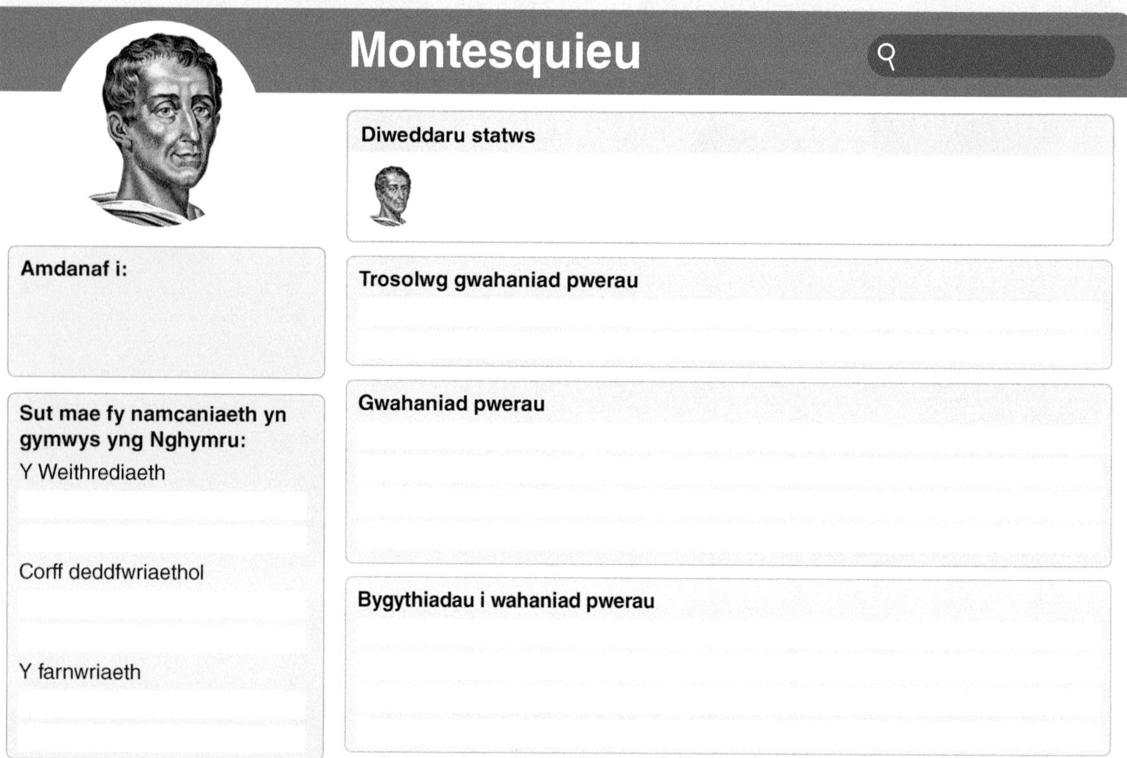
Montesquieu
Diweddaru statws
Amdanaf i:
Trosolwg gwahaniad pwerau
Gwahaniad pwerau
Sut mae fy namcaniaeth yn gymwys yng Nghymru:
Y Weithrediaeth
Corff deddfwriaethol
Y farnwriaeth
Bygythiadau i wahaniad pwerau

## Gweithgaredd 1.4 Cymhwysedd uniongyrchol Cyfarwyddebau yr UE

Nid yw Cyfarwyddebau Ewropeaidd yn gymwys yn uniongyrchol, sy'n golygu bod angen iddyn nhw gael eu rhoi ar waith gan yr aelod-wladwriaeth. Os na fydd y gyfarwyddeb yn cael ei rhoi ar waith gan yr aelod-wladwriaeth erbyn y terfyn amser sydd wedi'i benodi, yna gallai hyn achosi problem i unigolion sy'n ceisio dibynnu ar y gyfraith.

Edrychwch ar y senarios isod ac atebwch y cwestiynau, gan gofio defnyddio cyfraith achosion i gefnogi eich ateb.

**Nid yw Cyfarwyddeb yr UE sy'n ymwneud â gwahaniaethu ar sail rhyw wedi cael ei rhoi ar waith erbyn y terfyn amser. A oes rhwymedi ar gyfer yr hawlwyr canlynol?**

1. Gloria, sy'n dioddef o wahaniaethu ar sail rhyw wrth weithio i fasnachfraint (*franchise*) siop brechdanau genedlaethol.

2. Marcus, sy'n dioddef o wahaniaethu ar sail rhyw wrth weithio i gyngor lleol.

3. Edith, sy'n dioddef o wahaniaethu ar sail rhyw wrth weithio i fanwerthwr (*retailer*) ffasiwn mawr.

4. Sut byddai eich ateb yn wahanol pe bai:

   a. y gyfarwyddeb wedi cael ei rhoi ar waith?

   b. y gyfraith yn ymwneud â gwahaniaethu ar sail rhyw yn cael ei phasio fel rheoliad?

## Gweithgaredd 1.5 Effaith cyfraith yr UE

Cwblhewch y tabl ar effaith ffynonellau cyfraith yr UE ar gyfraith y DU.

| | Sylfaenol neu eilaidd? | Uniongyrchol gymwys? ✓/X | Effaith uniongyrchol llorweddol? ✓/X | Effaith uniongyrchol fertigol? ✓/X |
|---|---|---|---|---|
| Cytuniadau | | | | |
| Rheoliadau | | | | |
| Cyfarwyddebau | | | | |
| Penderfyniadau | | | | |

## Gweithgaredd 1.6 Pedwar sefydliad yr UE

Defnyddiwch y geiriau isod i lenwi'r bylchau.

**Senedd Ewrop**

Senedd Ewrop yw'r corff sydd wedi ei ______ yn uniongyrchol o fewn yr Undeb Ewropeaidd, ac sy'n gyfrifol am lunio'r rhan fwyaf o'r ______. Mae ei ______ yn cael eu hethol bob ______ mlynedd gan ddinasyddion yr aelod-wladwriaethau. Mae'r nifer yn adlewyrchu ______ yr aelod-wladwriaethau. Mae gan Senedd Ewrop dair prif swyddogaeth: deddfwriaeth, ______ a chyllideb.

**Y Comisiwn Ewropeaidd**

Y Comisiwn Ewropeaidd yw corff ______ yr UE a'i brif ddyletswydd yw rhedeg yr UE o ddydd i ddydd, yn ogystal â ______. Mae'r Comisiwn yn cael ei alw'n ______ y ______, ac mae'n sicrhau bod yr holl aelod-wladwriaethau'n cydymffurfio â'u ______ o fewn yr UE. Mae ______ aelod o'r Comisiwn, un ar gyfer pob aelod-wladwriaeth. Maen nhw'n cynrychioli buddiannau'r ______.

**Llys Cyfiawnder yr Undeb Ewropeaidd**

Mae Llys Cyfiawnder yr Undeb Ewropeaidd (CJEU) yn sicrhau bod y gyfraith yn cael ei ______ a'i ______ yn gyson ym mhob un o'r aelod-wladwriaethau. Mae ______ barnwr o bob aelod-wladwriaeth, ond anaml maen nhw'n eistedd fel llys llawn. Mae gan Lys Cyfiawnder yr Undeb Ewropeaidd ddwy brif swyddogaeth: ______ a goruchwyliol. Mae ei swyddogaeth oruchwyliol yn galluogi aelod-wladwriaethau i wneud cais am ______ o dan ______ y Cytuniad ar Weithrediad yr UE, sy'n rhoi cyngor ar ddehongliad a ______ cyfraith yr UE. Mae'r adegau pan fydd hyn yn gymwys wedi'u nodi yn ______, lle mae'r CJEU wedi datgan y dylai aelod-wladwriaethau gyrraedd pen draw eu prosesau apêl cenedlaethol eu hunain yn gyntaf.

**Cyngor yr Undeb Ewropeaidd**

Cyngor yr Undeb Ewropeaidd yw prif gorff yr Undeb Ewropeaidd o ran ______, a'i gorff ______ hefyd. Mae ei aelodaeth yn amrywio yn ôl y ______ sy'n cael ei drafod. Mae gweinidogion y Cyngor yn cymeradwyo'r ______ ar y cyd â Senedd Ewrop.

**Geiriau i'w defnyddio**

28
chymhwyso
Erthygl 267
gyllideb
Bulmer v Bollinger (1974)
gwneud penderfyniadau
ethol
Undeb Ewropeaidd
Gweithredol
pum
Warcheidwad
dehongli
barnwrol
gyfraith
deddfwriaethol
ASEau
rhwymedigaethau
un
poblogaeth
dyfarniad rhagarweiniol
chynnig deddfwriaeth
goruchwylio
testun
Cytuniadau
dilysrwydd

## Gweithgaredd 1.7 Croesair corff deddfwriaethol Cymru

Cwblhewch y pos geiriau gan ddefnyddio'r cliwiau. Cofiwch fod llythrennau fel Ch, Dd, Ll, Th etc. yn cyfrif fel un llythyren yn Gymraeg.

**I Lawr**

1. Mae darn o ddeddfwriaeth gynradd sy'n cael ei basio yng Nghymru yn cael ei alw'n Ddeddf gan y . [8]
2. Enw'r broses sy'n rhoi pwerau deddfu cynradd i sefydliad arall. [9]
3. Yn ôl damcaniaeth Montesquieu, y gangen o'r cyfansoddiad sy'n cael ei chynrychioli gan Lywodraeth Cymru. [12]
4. Roedd Bil Deddfwriaeth Cymru 2020 yn cynnig cynnal y math hwn o ymarferiad ar gyfer cyfraith Cymru. [8]
5. Deddf Cymru 2017 wnaeth greu'r model deddfu hwn. [4,6]
6. Cyfenw Prif Weinidog Cymru yn 2019. [9]
7. Nifer yr etholaethau yng Nghymru. [3,3]

**Ar draws**

8. Y blaid wleidyddol sydd yng ngofal y Senedd yn 2019. [5]
9. Maes datganoledig 'gwledig' – ThAYEMDdAEIThA. [11]
10. Math o bleidlais gafodd ei chynnal yn 2011 i roi pwerau deddfu cynradd i Gymru. [10]
11. Gallwn ni 'ddysgu' gan y maes datganoledig hwn o'r gyfraith. [5]

## 1.1 Cwestiynau cyflym

1. Beth yw tri sefydliad y Senedd a beth yw eu swyddogaethau?
2. Beth yw tair cangen cyfansoddiad y DU a beth yw eu swyddogaethau?
3. Beth yw ystyr sofraniaeth seneddol?
4. Beth yw arwyddocâd ***Deddfau Seneddol 1911*** ac ***1949***?
5. Rhestrwch y tair prif ffordd mae sofraniaeth seneddol yn cael ei herydu.
6. Beth yw arwyddocâd ***Deddf Llywodraeth Cymru 2006***?
7. Sut gall hawlydd ddatrys y broblem bod cyfarwyddebau heb effaith uniongyrchol llorweddol?
8. Beth yw ystyr cymhwysedd uniongyrchol?
9. Pa achosion sy'n dangos effaith uniongyrchol fertigol cyfarwyddebau?
10. Beth yw arwyddocâd achos *R (Miller)*?

# Diwygio'r gyfraith

| Yn y fanyleb | Yn yr adran hon bydd myfyrwyr yn datblygu eu gwybodaeth am y canlynol: |
|---|---|
| **CBAC UG/U2**<br>**1.1:** Deddfu | • Y dylanwadau ar Senedd y DU; manteision ac anfanteision y dylanwadau ar ddeddfu<br>• Diwygio'r gyfraith; rôl asiantaethau swyddogol diwygio'r gyfraith, gan gynnwys Comisiwn y Gyfraith a rôl carfanau pwyso a dylanwadau barnwrol |

**CYSWLLT**

I gael rhagor o wybodaeth am ddiwygio'r gyfraith, gweler tudalennau 24–31 yn *CBAC Safon Uwch Y Gyfraith Llyfr 1.*

## Gwella adolygu

Ar gyfer cwestiynau marciau is sy'n profi **AA1 gwybodaeth a dealltwriaeth**, mae angen i chi gael dealltwriaeth dda o'r gwahanol gyrff sy'n diwygio'r gyfraith er mwyn esbonio eu rôl wrth gyflwyno newidiadau i'r gyfraith. Mae hyn yn cynnwys rôl Comisiwn y Gyfraith, carfanau pwyso a'r barnwyr sy'n llunio'r gyfraith.

Gallai'r testun hwn ymddangos hefyd fel cwestiwn marc uwch, yn profi sgiliau **AA2 cymhwyso**. Ar gyfer y mathau hyn o gwestiwn, byddai'n rhaid i chi gynghori rhywun ar faterion yn ymwneud â'r testun. Er enghraifft, gallech chi gael cwestiwn yn gofyn i chi gynghori rhywun ynghylch sut gallai newid rhyw ddeddf. Ar gyfer yr atebion hirach hyn, fel yn achos pob cwestiwn cymhwyso, dylech chi greu strwythur clir a fydd yn cynnwys y canlynol:

- **cyflwyniad** gyda diffiniad clir o'r ddeddf dan sylw ac unrhyw dermau allweddol perthnasol
- yna **disgrifiad** o'r ddeddf berthnasol, gydag achosion ategol
- yn olaf, rhaid i chi **gymhwyso**'r ddeddf honno i'r senario yn y cwestiwn.

Mae'n hanfodol eich bod chi'n cymhwyso'r gyfraith ac yn meddwl am y dulliau fyddai'n fwyaf addas i unigolyn newid y gyfraith; er enghraifft, byddai cyflwyno cais yn gofyn i Gomisiwn y Gyfraith newid y gyfraith yn annhebygol o lwyddo.

## Lluniwch eich nodiadau adolygu o amgylch y canlynol...

- **Newid barnwrol**
  - Mae barnwyr yn llunio'r gyfraith drwy system cynsail farnwrol
  - Mae'n dibynnu ar unigolion i fynd ag achosion i'r llys, ond nid yw hyn bob amser yn llwyddo. **Enghraifft**: Roedd ***Tony Nicklinson*** eisiau newid y gyfraith ar hunanladdiad â chymorth

  - **Enghreifftiau**: ***R v R (1991)*** (trais mewn priodas); ***R Steinfield and Keiden v Secretary of State for International Development*** (partneriaethau sifil heterorywiol)
  - Nid yw deddfu drwy gyfraith farnwrol yn boblogaidd iawn: mae'n annemocrataidd, yn anghyfansoddiadol, nid yw barnwyr yn gynrychiadol, ac mae ganddyn nhw safbwynt cyfyng ar y gyfraith

- **Dylanwadu ar Senedd y DU: y cyfryngau**
  - Gall y cyfryngau dynnu sylw at faterion sy'n peri pryder i'r cyhoedd
  - Gall ymgyrchoedd gael eu cynnal drwy'r papurau tabloid i roi pwysau ar y cyfryngau
  - **Enghreifftiau**: ***Deddf Sarah*** (datgelu gwybodaeth am droseddwyr rhyw); ***Deddf Clare*** (datgelu hanes treisgar partner)

- **Dylanwadu ar Senedd y DU: Mesurau Aelodau Preifat**
  - Mae'r rhain yn gyfle i ASau fynegi pryderon eu hetholwyr
  - Os bydd yr AS yn ennill pleidlais, bydd ganddo 20 munud i gyflwyno ei gynnig yn Nhŷ'r Cyffredin, ond anaml y bydd hyn yn llwyddo.
  - **Enghreifftiau**: ***Deddf Cŵn Peryglus 1991***; ***Deddf (Troseddau) Voyeuriaeth 2019*** (Trosedd newydd '*upskirting*'); ***Deddf Erthylu 1965***

- **Dylanwadu ar Senedd Prydain: eDdeisebau**
  - Gall unrhyw un ddechrau deiseb ar wefan Senedd y DU
  - 10,000 o lofnodion = ymateb gan Dŷ'r Cyffredin; 100,000 o lofnodion = trafodaeth yn Nhŷ'r Cyffredin
  - Ystadegau (Mai 2019): 349 = wedi derbyn ymateb; 59 = yn destun trafodaeth yn Nhŷ'r Cyffredin
  - **Enghreifftiau**: diwygio dedfrydau ar gyfer troseddau cyllyll; gostwng oedran profion ceg y groth o 25 i 18 oed; llofnododd dros 6,000,000 o bobl ddeiseb yn galw am ddirymu Erthygl 50 i adael yr UE

- **Carfanau pwyso**
  - Mae dau fath o garfan bwyso:
    - **Grwpiau buddiant**: mae'r rhain yn cynrychioli buddiannau eu haelodau. Mae aelodaeth o'r rhain wedi'i chyfyngu i'r bobl maen nhw'n eu cynrychioli. **Enghreifftiau**: Cymdeithas y Cyfreithwyr, Cymdeithas Feddygol Prydain, Undeb Cenedlaethol yr Athrawon
    - **Grwpiau achos**: mae'r rhain yn cynrychioli achos cyffredin, ar sail buddiannau sy'n cael eu rhannu gan eu haelodau. **Enghreifftiau**: Greenpeace, Fathers4Justice, Age UK
  - Gallan nhw ddylanwadu ar y Senedd drwy ysgrifennu llythyrau, lobïo ASau, trefnu deisebau, a mynnu cyhoeddusrwydd a sylw yn y cyfryngau
  - Gallan nhw weithredu fel corff ymgynghorol drwy ymgynghori â nhw fel rhan o'r broses Papurau Gwyrdd a Gwyn
  - **Effeithiol:**
    - Hwyluso trafodaeth gyhoeddus ac addysgu pobl
    - Gall gwybodaeth arbenigol wella dealltwriaeth llywodraethau
    - Cryfhau democratiaeth ac annog pobl i gymryd rhan mewn gwleidyddiaeth
  - **Aneffeithiol:**
    - Cynnig safbwynt unochrog yn unig ar fater
    - Annemocrataidd yn yr ystyr nad ydyn nhw wedi'u hethol
    - Gallan nhw ddefnyddio tactegau anghyfreithlon i ddenu sylw. **Enghraifft**: Occupy London

- **Comisiwn y Gyfraith**
  - Cafodd ei sefydlu o dan ***adran 3 Deddf Comisiwn y Gyfraith 1965*** i 'adolygu y gyfraith gyfan'
  - **Proses**: Ymchwilio – Ymghynghori – Adrodd – Mesur Drafft – Y Senedd

- **Diddymu**: dileu hen ddeddfau a rhai sydd wedi dyddio. **Enghraifft:** ***Deddf Cyfraith Statud (Diddymiadau) 2013***
- **Llunio**: llunio deddfau newydd mewn ymateb i alw gan y cyhoedd, neu oherwydd pwysau gan grwpiau eraill. **Enghraifft**: ***Deddf Cyfiawnder Troseddol a'r Llysoedd 2015***
- **Cydgyfnerthu**: cyfuno statudau olynol ar yr un pwnc. **Enghraifft**: ***Deddf Gofal 2014***
- **Codeiddio**: dod â'r holl reolau at ei gilydd mewn un statud, gan gynnwys cyfraith achosion **Enghraifft**: Methiant ymgais i godeiddio cyfraith trosedd yn y DU; Nod ***Bil Deddfwriaeth (Cymru) 2020*** oedd codeiddio cyfraith Cymru
- ***Deddf Comisiwn y Gyfraith 2009***: adroddiad blynyddol, gweithdrefn seneddol newydd, gwarant gan weinidog perthnasol
- **Projectau cyfredol**: benthyg croth (*surrogacy*), llofnodion electronig, cerbydau wedi awtomateiddio

## Gweithgaredd 1.8 Carfanau pwyso

Mae carfanau pwyso yn cael effaith ymgynghorol a dylanwadol enfawr ar y Senedd. Ymchwiliwch i 5 grŵp achos gwahanol, a chopïwch a chwblhewch y tabl hwn. Mae templed i'w gael yn yr atebion ar y we i'r llyfr hwn.

| Enw'r garfan bwyso | Amcanion | Dulliau gweithredu | Llwyddiannau? |
|---|---|---|---|
| | | | |

## Gweithgaredd 1.9 Dulliau o ddiwygio'r gyfraith

Tynnwch linellau i gysylltu pob dull o ddiwygio'r gyfraith â'r esboniad cywir. Ychwanegwch enghraifft i gefnogi pob dull o ddiwygio'r gyfraith.

| Dull o ddiwygio'r gyfraith | Esboniad |
|---|---|
| **Llunio**<br>Enghraifft: | Pan fydd problemau wedi dod i'r amlwg dros amser, a bydd deddfwriaeth newydd yn cael ei llunio i'w diwygio.<br>Lle bydd statudau olynol ar yr un pwnc yn cael eu cyfuno. |
| **Cydgyfnerthu**<br>Enghraifft: | Mae hen ddeddfau a rhai sydd wedi dyddio yn cael eu dileu.<br>Mae statudau sydd wedi dyddio yn cael eu dileu o'r llyfrau statud ar ôl cyfnod hir o amser. |
| **Codeiddio**<br>Enghraifft: | Pan fydd maes penodol o'r gyfraith wedi datblygu dros amser, gall corff mawr o gyfraith achosion a statudau wneud y gyfraith yn ddryslyd.<br>Mae'r broses hon yn dod â'r holl reolau at ei gilydd mewn un statud i roi mwy o sicrwydd. |
| **Diddymu**<br>Enghraifft: | Mae deddfau hollol newydd yn cael eu llunio mewn ymateb i alw gan y cyhoedd, neu oherwydd pwysau gan grwpiau eraill.<br>Gall darpariaethau sy'n bodoli'n barod gael eu haddasu ar gyfer anghenion newydd hefyd. |

## Gweithgaredd 1.10 Ymchwilio i ymchwiliadau cyhoeddus

Ymchwiliwch i'r ymchwiliadau cyhoeddus isod, a gwnewch nodyn o'r canlynol:

- y rheswm dros sefydlu'r ymchwiliad
- a gafodd unrhyw newidiadau eu cyflwyno o ganlyniad, neu beidio. Mae templed i'w gael gyda'r atebion i'r llyfr hwn ar y we.

1. Ymchwiliad Bloody Sunday (2010)
2. Ymchwiliad Shipman (2002)
3. Ymchwiliad Laming (2003)
4. Ymchwiliad Leveson (2012)
5. Ymchwiliad Tŵr Grenfell (*cyhoeddwyd Rhan 1 yr adroddiad ym mis Hydref 2019*)

## Gweithgaredd 1.11 Comisiwn y Gyfraith

**a.** Darllenwch ateb y myfyriwr i'r cwestiwn canlynol a **rhowch farc** gan ddefnyddio grid marciau'r fanyleb.

**b.** Beth mae'r ymgeisydd wedi ei **wneud yn dda** yn ei ateb?

**c.** Sut gallai'r ymgeisydd **wella** ei ateb?

**Esboniwch rôl Comisiwn y Gyfraith.** [10]

Cafodd Comisiwn y Gyfraith ei sefydlu yn 1965 o dan Ddeddf Comisiwn y Gyfraith 1965. Comisiwn y Gyfraith yw'r unig gorff sy'n diwygio'r gyfraith yn llawn amser yn y Deyrnas Unedig. Mae Comisiwn y Gyfraith yn cynnwys pum aelod – cyn-farnwyr, myfyrwyr y gyfraith etc., sy'n cael eu penodi i'r rôl bob pum mlynedd. Dydy Comisiwn y Gyfraith ddim yn gallu newid y gyfraith, ond gall ddylanwadu ar y Senedd a'i chynghori ynghylch beth i'w wneud. Cafodd Comisiwn y Gyfraith ei sefydlu ac roedd ganddo'r prif ddyletswyddau canlynol: diddymu, llunio, codeiddio a chydgyfnerthu. Ei brif waith yw adolygu'r gyfraith. Gall y Senedd anwybyddu'r argymhellion, ac nid yw'r Comisiwn yn llwyddo'n aml. Un enghraifft o lwyddiant Comisiwn y Gyfraith yw Deddf Telerau Contract Annheg 1977.

Un o brif amcanion Comisiwn y Gyfraith yw diddymu. Mae hyn yn golygu bod unrhyw ddeddfau diangen yn cael eu diddymu. Rôl arall yw llunio. Hyn yw pan fydd deddf newydd yn cael ei llunio o ganlyniad i ddigwyddiad, neu oherwydd bod ar gymdeithas ei hangen – er enghraifft, priodasau o'r un rhyw.

Yn olaf, prif rôl Comisiwn y Gyfraith yw codeiddio. Hyn yw pan fydd llawer o statudau a chyfraith gwlad/cyfraith gyffredin yn cael eu cyfuno mewn un statud – er enghraifft, Deddf Gofal 2014.

I grynhoi, mae Comisiwn y Gyfraith yn gorff diwygio'r gyfraith sydd, ar ôl cael y dasg gan y Senedd, yn adolygu'r gyfraith ac yn cynghori'r Senedd a ddylid diddymu, llunio, cydgyfnerthu neu godeiddio'r gyfraith.

Parhad

| CBAC | |
|---|---|
| **Marciau** | **AA1: Dangos gwybodaeth a dealltwriaeth o reolau ac egwyddorion cyfreithiol** |
| 9–10 | Gwybodaeth a dealltwriaeth ragorol a manwl. |
| 6–8 | Gwybodaeth a dealltwriaeth dda. |
| 3–5 | Gwybodaeth a dealltwriaeth foddhaol. |
| 1–2 | Gwybodaeth a dealltwriaeth sylfaenol. |

## Gweithgaredd 1.12 Cymhwyso'r gyfraith

Gallai'r testun hwn ymddangos hefyd fel cwestiwn 'cymhwyswch y gyfraith at senario'. Gallai fod rhaid i chi gynghori cleient ynglŷn â sut i newid y gyfraith.

Ystyriwch y senario canlynol.

Mae Edna yn 80 oed, ac mae hi wastad wedi bod yn ymgyrchydd gweithgar dros faterion yn ymwneud â'r amgylchedd. Yn ddiweddar gwyliodd raglen ddogfen ar y teledu, *Blue Planet II* a gwylltiodd ar ôl gweld y difrod mae gwellt plastig a byds plastig yn ei achosi i'r amgylchedd a bywyd gwyllt y cefnfor.

Mae Edna yn poeni gymaint am yr effaith barhaus ar genedlaethau'r dyfodol nes ei bod eisiau ymgyrchu i ddiwygio'r gyfraith a gwahardd gwellt plastig a byds plastig defnydd untro.

**Cynghorwch Edna ynghylch sut gallai hi geisio hybu diwygio'r gyfraith ar y defnydd o blastig untro yng Nghymru a Lloegr.**

Defnyddiwch y strwythur canlynol i'ch helpu i ateb y cwestiwn.

### Cyflwyniad

- Nodwch beth yw ystyr **diwygio'r gyfraith** a pham mae ei angen.
- Nodwch **pwy** mae gofyn i chi ei gynghori.
- Dywedwch y bydd gan Edna **amryw o opsiynau** fel unigolyn sy'n ceisio newid y gyfraith. Ond nodwch hefyd fod sawl corff diwygio'r gyfraith sydd ddim ar agor i unigolion, er y gallai'r rhain gael gwell llwyddiant wrth ddiwygio'r gyfraith.

Parhad

### Disgrifiad

Mae'n rhaid i chi **ddisgrifio** pob maes yn ymwneud â diwygio'r gyfraith y gallai Edna ei ddefnyddio, a **rhoi enghraifft neu achos** – dychmygwch eich bod chi'n ysgrifennu 'traethawd byr' ar bob dull. Gallech gynnwys y canlynol:

- newid barnwrol
- eDdeisebau
- carfanau pwyso
- ymgyrchoedd yn y cyfryngau
- Mesurau Aelodau Preifat.

### Cymhwyso

Cymhwyswch bob un o'r dulliau o ddiwygio'r gyfraith a ddewisoch at achos Edna, a thrafodwch pa mor debygol yw hi o lwyddo gyda phob dull. Defnyddiwch eich gwybodaeth am **lwyddiannau** a **methiannau** blaenorol pan mae pobl wedi ceisio defnyddio'r dulliau hyn.

## 1.2 Cwestiynau cyflym

1. Beth yw'r pedair prif ffordd sydd gan y Senedd o newid y gyfraith?
2. Pam mae diwygio'r gyfraith drwy'r farnwriaeth yn fater mor ddadleuol?
3. Rhowch dair enghraifft o garfanau pwyso sy'n ceisio newid y gyfraith.
4. Pa Ddeddf Seneddol arweiniodd at sefydlu Comisiwn y Gyfraith?
5. Beth yw prif ddyletswyddau Comisiwn y Gyfraith?
6. Pa newidiadau gyflwynwyd gan ***Ddeddf Comisiwn y Gyfraith 2009***?
7. Pryd gallai'r llywodraeth sefydlu ymchwiliad cyhoeddus?
8. Rhowch enghraifft o ymchwiliad cyhoeddus.
9. Rhowch dri o anfanteision carfanau pwyso.
10. Rhowch dri o fanteision carfanau pwyso.

# Deddfwriaeth ddirprwyedig

| Yn y fanyleb | Yn yr adran hon bydd myfyrwyr yn datblygu eu gwybodaeth am y canlynol: |
|---|---|
| **CBAC UG/Safon Uwch**<br>1.2: Deddfwriaeth ddirprwyedig | • Ffynonellau deddfwriaeth ddirprwyedig, gan gynnwys mathau o ddeddfwriaeth ddirprwyedig yng Nghymru a'r DU: offerynnau statudol, is-ddeddfau, gorchmynion y Cyfrin Gyngor |
| | • Rheolaethau dros ddeddfwriaeth ddirprwyedig, gan gynnwys Adolygu Barnwrol, cadarnhad cadarnhaol a negyddol, a rôl y pwyllgorau seneddol sy'n craffu ar ddeddfwriaeth ddirprwyedig<br>• Rhesymau dros ddefnyddio deddfwriaeth ddirprwyedig, a manteision ac anfanteision deddfwriaeth ddirprwyedig<br>• Rôl cyrff deddfwriaethol datganoledig; y Setliad Datganoli yng Nghymru, gan gynnwys rôl y Goruchaf Lys |

**CYSWLLT**

I gael rhagor o wybodaeth am ddeddfwriaeth ddirprwyedig, gweler tudalennau 32–37 yn *CBAC Safon Uwch Y Gyfraith Llyfr 1*.

## Gwella adolygu

Ar gyfer cwestiynau marciau is sy'n profi **AA1 gwybodaeth a dealltwriaeth** am y testun hwn, byddai angen i chi wybod am y prif fathau neu ffynonellau o ddeddfwriaeth ddirprwyedig. Dylech chi roi eich ateb yn ei gyd-destun hefyd, drwy roi diffiniad o ddeddfwriaeth ddirprwyedig, ac esbonio arwyddocâd y Ddeddf alluogi. Dylech chi roi esboniad ar gyfer pob prif fath – gorchmynion y Cyfrin Gyngor, offerynnau statudol ac is-ddeddfau, ac enghraifft o bob un. Dylech chi sôn am fathau eraill o ddeddfwriaeth ddirprwyedig hefyd er mwyn gwella eich ateb – er enghraifft, Gorchmynion Diwygio Deddfwriaethol, a datganoli.

Ar gyfer cwestiwn marc is, efallai bydd rhaid i chi esbonio'r rheolaethau dros ddeddfwriaeth ddirprwyedig hefyd. Mae dau fath o reolaeth: barnwrol, a seneddol. Efallai byddwch chi'n cael cwestiwn sy'n gofyn i chi esbonio un math, neu'r ddau. Dylech chi ddangos enghreifftiau i gefnogi eich ateb.

Gallai'r testun hwn gael ei osod fel cwestiwn marc uwch hefyd, sef un sy'n profi sgiliau **AA2 cymhwyso**. Ar gyfer y mathau hyn o gwestiynau, bydd angen i chi gynghori rhywun ar y materion. Mae'r cyngor hwn yn debygol o fod ar y rheolaethau, felly byddai angen i chi esbonio'r rheolaethau barnwrol a seneddol, ac yna eu cymhwyso at senario cyn dod i gasgliad. Ar gyfer yr atebion hirach hyn, dylech chi strwythuro eich ateb a rhoi **cyflwyniad** hefyd, sy'n cynnig trosolwg o ddeddfwriaeth ddirprwyedig, a **chasgliad** sy'n clymu'r materion at ei gilydd ar sail eich **cymhwyso**. Gan mai'r sgìl sy'n cael ei brofi yw AA2, mae'n hanfodol eich bod chi'n cymhwyso'r gyfraith at y senario sy'n cael ei roi.

## Lluniwch eich nodiadau adolygu o amgylch y canlynol...

- Mae'r Senedd yn dirprwyo'r pŵer i lunio deddfau i unigolyn/corff arall
- Mae pŵer yn cael ei ddirprwyo gan **Ddeddf alluogi**
- Y prif fathau o ddeddfwriaeth ddirprwyedig:
  - **Offerynnau Statudol** sy'n cael eu gwneud naill ai drwy benderfyniad cadarnhaol neu benderfyniad negyddol
  - **Is-ddeddfau**
  - **Gorchmynion y Cyfrin Gyngor**
  - **Deddfau sy'n cael eu llunio gan gyrff deddfwriaethol datganoledig**
- **Datganoli**
  - **yng Nghymru:** ***Deddfau Llywodraeth Cymru 1998, 2006, Deddf Cymru 2014, Comisiwn Silk, Deddf Cymru 2017***
  - Rôl y Goruchaf Lys o ran datganoli: ***Bil Sector Amaethyddol (Cymru)***
- **Rheolaeth dros ddeddfwriaeth ddirprwyedig:**
  - Seneddol:
    - Penderfyniad cadarnhaol
    - Penderfyniad negyddol
    - Ymgynghori
    - Cydbwyllgor ar Offerynnau Statudol
  - Barnwrol:
    - *Ultra vires* gweithdrefnol
    - *Ultra vires* sylweddol
    - Afresymoldeb
- Manteision:
  - Hyblygrwydd
  - Amser
  - Cyflymder
  - Arbenigedd
  - Gwybodaeth leol
- Anfanteision:
  - Diffyg rheolaeth
  - Swm
  - Is-ddirprwyo
  - Annemocrataidd

## Gweithgaredd 1.13 Deddfwriaeth ddirprwyedig

**Cwblhewch y geiriau sydd ar goll gan ddefnyddio'r rhestr isod.**

*Gallai'r math hwn o gwestiwn ymddangos yn CBAC Uned 1 Adran A.*

**Geiriau i'w defnyddio**
3,000
cadarnhaol
Cynulliad
awdurdodau
reolaethau
corfforaethau
Cyfrin Gyngor
dirprwyo
adrannau
argyfwng
Deddf alluogi
offerynnau
Deddfwriaethol
anghenion
Gorchmynion
Senedd y DU
parcio
Pwerau
Cyfrin
y Frenhines
Rheoleiddiol
benderfyniad
yr Alban
eilaidd
offerynnau statudol

**Disgrifiwch beth yw ystyr deddfwriaeth ddirprwyedig.**

Deddfwriaeth ddirprwyedig, neu ddeddfwriaeth            , yw cyfraith sy'n cael ei gwneud gan gorff neu unigolyn heblaw            ond gyda'i awdurdod. Mae'r Senedd fel arfer yn pasio            sy'n            'r awdurdod i wneud cyfreithiau.

Mae sawl math o ddeddfwriaeth ddirprwyedig. Mae ***Deddf Diwygio Deddfwriaethol a***            2006 yn galluogi gweinidogion i gyhoeddi            i newid deddfwriaeth sylfaenol sy'n bodoli'n barod. Y term am y rhain yw            Diwygio            .

Mae pedwar prif fath o ddeddfwriaeth ddirprwyedig. Y mwyaf cyffredin yw            statudol. Mae'r rhain yn cael eu gwneud gan            'r llywodraeth ac maen nhw'n cyfrif am y rhan fwyaf o ddarnau o ddeddfwriaeth ddirprwyedig sy'n cael eu pasio bob blwyddyn (tua            ). Maen nhw'n cael eu gwneud naill ai drwy benderfyniad            neu            negyddol, sy'n rhan o            'r Senedd dros ddeddfwriaeth ddirprwyedig.

Mae is-ddeddfau yn cael eu llunio gan            lleol,            cyhoeddus a chwmnïau, ac maen nhw'n ymwneud â materion lleol neu faterion sy'n gysylltiedig â maes eu cyfrifoldeb fel arfer. Er enghraifft, mae cynghorau sir yn gwneud is-ddeddfau sy'n effeithio ar y sir gyfan, ond mae cynghorau dosbarth neu dref yn gwneud is-ddeddfau ar gyfer eu hardal eu hun yn unig. Mae'r deddfau yn cael eu gwneud gydag ymwybyddiaeth o            yr ardal. Maen nhw'n ymwneud fel arfer â materion fel            a rheoli traffig, neu ddarpariaeth llyfrgelloedd.

Mae Gorchmynion y            fel arfer yn cael eu gwneud ar adegau o            (o dan ***Ddeddf***            ***Argyfwng 1920*** a ***Deddf Argyfyngau Sifil Posibl 2004*** – y 'Ddeddf alluogi'), ac mae'n rhaid iddyn nhw gael eu cymeradwyo gan y            Gyngor a'u llofnodi gan            . Maen nhw hefyd yn gallu cael eu defnyddio i newid cyfreithiau ac i weithredu cyfraith yr UE. Er enghraifft, roedd ***Deddf Camddefnyddio Cyffuriau 1971 (Addasiad) (Rhif 2) Gorchymyn 2003*** yn israddio canabis o gyffur Dosbarth B i gyffur Dosbarth C.

Yn olaf, datganoli yw'r broses o drosglwyddo pŵer o'r llywodraeth ganolog i'r llywodraeth genedlaethol neu leol (e.e. Senedd            , Llywodraeth Cymru,            Gogledd Iwerddon).

## Cyd-destun

Mae'n bwysig arfer rheolaeth dros y swm enfawr o ddeddfwriaeth ddirprwyedig sy'n cael ei phasio bob blwyddyn gan unigolion a chyrff sydd heb eu hethol. Mae dau fath o reolaeth: **seneddol** a **barnwrol**.

Yn achos rheolaethau barnwrol, gall offeryn statudol gael ei herio gan rywun os yw'r gyfraith wedi effeithio'n uniongyrchol arno. **Adolygiad barnwrol** yw'r enw ar y broses hon, ac mae'n digwydd yn **Adran Mainc y Frenhines yn yr Uchel Lys**. Mae gofyn i'r barnwr adolygu'r ddeddfwriaeth a phenderfynu a yw *ultra vires* ('y tu hwnt i bwerau'). Os felly mae hi, bydd y ddeddfwriaeth ddirprwyedig yn cael ei hystyried yn **ddi-rym**.

## Gweithgaredd 1.14 Rheoli deddfwriaeth ddirprwyedig

Tynnwch linellau i gysylltu'r rheolaeth dros ddeddfwriaeth ddirprwyedig, ar y chwith, â'r esboniad cywir ar y dde. Mae'r enghreifftiau oren yn gamau rheoli'r Senedd, a'r enghreifftiau melyn yn gamau rheoli barnwrol.

| | |
|---|---|
| **Penderfyniad cadarnhaol** | Pan fydd y ddeddfwriaeth ddirprwyedig yn mynd y tu hwnt i'r hyn roedd y Senedd wedi'i fwriadu. |
| **Penderfyniad negyddol** | Lle mae'r person sy'n gwneud y ddeddfwriaeth wedi ystyried materion na ddylai fod wedi eu hystyried, neu heb ystyried materion y dylai fod wedi eu hystyried. Yna mae dal angen profi na fyddai unrhyw gorff rhesymol wedi gallu gwneud y penderfyniad hwnnw. |
| **Gweithdrefn uwchgadarnhaol** | Lle mae'n rhaid gosod yr offeryn statudol gerbron dau Dŷ'r Senedd, a rhaid iddyn nhw gymeradwyo'r mesur yn benodol. Os yw'n cael ei defnyddio, mae'n ffordd effeithiol o gadw rheolaeth. |
| **Ymgynghori** | Mae llawer o Ddeddfau galluogi yn gofyn am ymgynghori gyda'r sawl sydd â diddordeb neu'r rhai y bydd y ddeddfwriaeth ddirprwyedig yn effeithio arnyn nhw. Pan fydd angen ymgynghori, mae'n ffordd effeithiol o gadw rheolaeth. Ond does dim angen ymgynghori ar bob Deddf alluogi, felly nid yw mor ddefnyddiol bob amser. Mae'r Ddeddf alluogi ei hun yn ddull rheoli gan ei bod yn gosod ffiniau a gweithdrefnau ar gyfer y pŵer dirprwyedig. |
| **Cydbwyllgor ar Offerynnau Statudol** | Dyma pryd mae'r gweithdrefnau, a sefydlwyd yn y Ddeddf alluogi i wneud yr Offeryn Statudol, heb gael eu dilyn (e.e. roedd angen ymgynghori ond ni ddigwyddodd hynny). |
| ***Ultra vires* gweithdrefnol** | Mae hyn weithiau'n angenrheidiol er mwyn goruchwylio Gorchmynion Diwygio Deddfwriaethol a gyhoeddir o dan ***Ddeddf Diwygio Deddfwriaethol a Rheoleiddiol 2006***. Mae'n rhoi mwy o bwerau i'r Senedd graffu ar y ddeddfwriaeth ddirprwyedig arfaethedig. Rhaid llunio adroddiadau, a rhaid i ddau Dŷ'r Senedd gymeradwyo'r gorchymyn yn benodol cyn iddo allu cael ei wneud. |
| ***Ultra vires* sylweddol** | Mae'n adrodd i Dŷ'r Cyffredin neu Dŷ'r Arglwyddi ar unrhyw offeryn statudol sydd angen ystyriaeth arbennig ac a allai achosi problemau yn eu barn nhw. Dim ond argymhellion y gall eu gwneud, a does dim rhaid i Dŷ'r Cyffredin eu derbyn. |
| **Afresymoldeb** | Dyma pryd mae offeryn statudol yn cael ei gyhoeddi, ond does dim trafodaeth na phleidlais. Mae rhyw ddwy ran o dair o offerynnau statudol yn cael eu pasio trwy benderfyniad negyddol ac felly nid ydyn nhw wir yn cael eu hystyried gan y Senedd. Y cyfan sy'n digwydd yw eu bod yn dod yn gyfraith ar ddyddiad penodol yn y dyfodol, ac oherwydd hynny, ychydig o reolaeth sydd ganddyn nhw dros yr awdurdod dirprwyedig. Gallan nhw gael eu dirymu drwy benderfyniad gan un o ddau Dŷ'r Senedd. |

## Gweithgaredd 1.15 Manteision ac anfanteision deddfwriaeth ddirprwyedig

Tynnwch linellau i gysylltu'r fantais neu'r anfantais â'r esboniad cywir.

| MANTEISION | Esboniad |
|---|---|
| Hyblygrwydd | Caiff deddfwriaeth ddirprwyedig ei gwneud gan adrannau arbenigol y llywodraeth, sydd ag arbenigwyr ym maes perthnasol y ddeddfwriaeth. Ni fyddai gan ASau yr arbenigedd hwnnw. |
| Amser | Mae deddfwriaeth ddirprwyedig yn aml yn cael ei defnyddio i ddiwygio deddfwriaeth sy'n bod eisoes. Mae'n haws defnyddio deddfwriaeth ddirprwyedig na phasio Deddf Seneddol hollol newydd. |
| Cyflymder | Mae'n gynt o lawer cyflwyno darn o ddeddfwriaeth ddirprwyedig na Deddf Seneddol lawn. Mae modd defnyddio Gorchmynion y Cyfrin Gyngor mewn argyfwng os oes angen deddf ar frys. |
| Arbenigedd | Mae is-ddeddfau yn cael eu gwneud gan awdurdodau lleol i fodloni anghenion eu hardaloedd a'u cymunedau. Ni fyddai gan y Senedd yr un ymwybyddiaeth leol. |
| Gwybodaeth leol | Does dim amser gan y Senedd i drafod a phasio'r holl ddeddfau y mae eu hangen i redeg y wlad yn effeithiol. Prin fod ganddi amser i basio rhyw 70 Deddf Seneddol y flwyddyn, heb sôn am y 3,000 offeryn statudol mae eu hangen. |

| ANFANTEISION | Esboniad |
|---|---|
| Diffyg rheolaeth | Mae swm enfawr o ddeddfwriaeth ddirprwyedig yn cael ei wneud bob blwyddyn (tua 3,000 offeryn statudol). O ganlyniad, mae'n anodd dod o hyd i'r ddeddf gywir a chadw at yr un ddiweddaraf. |
| Annemocrataidd | Mae rhai pobl yn dadlau y dylai'r gyfraith gael ei llunio gan y sawl sydd wedi'i ethol i'w gwneud. Mae deddfwriaeth ddirprwyedig yn cael ei llunio gan gyrff/unigolion sydd heb eu hethol. |
| Is-ddirprwyo | Mae'r rhan fwyaf o offerynnau statudol yn cael eu pasio gan ddefnyddio gweithdrefn penderfyniad negyddol. Rheolaeth lac yw hyn ar ddeddfwriaeth ddirprwyedig. Hefyd, os nad oes angen ymgynghori, nid yw'n digwydd, ac felly mae hyn hefyd yn ddull cyfyngedig o reoli. |
| Swm | Mae'r pŵer i wneud y ddeddfwriaeth ddirprwyedig yn aml yn cael ei is-ddirprwyo i'r rhai sydd heb yr awdurdod gwreiddiol i basio deddfau. Er enghraifft, byddai'n bosibl dirprwyo o weinidog yn y llywodraeth i adran o'r llywodraeth, ac yna i grŵp o arbenigwyr. Mae hyn yn golygu bod yr holl beth yn symud ymhellach i ffwrdd o'r broses ddemocrataidd. |

## 1.3 Cwestiynau cyflym

1. Beth yw Deddf alluogi?
2. Beth yw'r tri phrif fath o ddeddfwriaeth ddirprwyedig?
3. Pam byddai'r Senedd yn dymuno trosglwyddo pŵer deddfu i rywle arall?
4. Beth yw'r enw arall ar ddeddfwriaeth ddirprwyedig?
5. Rhowch enghraifft o bob un o'r prif fathau o ddeddfwriaeth ddirprwyedig.
6. Beth yw Gorchymyn Diwygio Deddfwriaethol?
7. Beth yw'r weithdrefn penderfyniad cadarnhaol?

# Dehongli statudol

| Yn y fanyleb | Yn yr adran hon bydd myfyrwyr yn datblygu eu gwybodaeth am y canlynol: |
| --- | --- |
| **CBAC UG/U2**<br>**1.3:** Dehongli statudol | • Dehongli statudol, gan gynnwys amrywiol reolau dehongli statudol, gan gynnwys y rheol lythrennol, y rheol aur, rheol drygioni, a'r dull bwriadus<br>• Effaith Deddf Hawliau Dynol 1998 a chyfraith yr Undeb Ewropeaidd ar ddehongli statudol<br>• Defnyddio cymhorthion cynhenid<br>• Defnyddio cymhorthion anghynhenid |

## Gwella adolygu

Ar gyfer cwestiynau marciau is sy'n profi **AA1 gwybodaeth a dealltwriaeth** am y testun hwn, mae angen i chi wybod am brif reolau dehongli statudol: y rheol lythrennol, y rheol aur, rheol drygioni a'r dull bwriadus. Dylech chi gynnwys enghraifft o achos i ddangos pob rheol. Dylech chi roi eich ateb yn ei gyd-destun hefyd, drwy esbonio dehongli statudol a pham mae angen i farnwyr ddehongli statudau.

Ar gyfer cwestiwn marc is, efallai bydd raid i chi esbonio'r cymhorthion dehongli cynhenid a/neu anghynhenid, neu hyd yn oed y rheolau iaith. Dylech chi gynnwys enghreifftiau i gefnogi eich ateb yma hefyd.

Gallai'r testun hwn gael ei osod fel cwestiwn marc uwch hefyd, sy'n profi sgiliau **AA2 cymhwyso**. Ar gyfer y rhain, bydd angen i chi gynghori rhywun ar y materion. Mae'n bwysig nodi y gall barnwr ddefnyddio unrhyw un o'r pedair rheol, ac felly mae angen i chi gymhwyso pob un ohonynt. Mae hyn yn debygol o arwain at ganlyniadau gwahanol yn dibynnu ar y rheolau gwahanol, ond mae hyn i'w ddisgwyl ac mae'n dderbyniol. Bydd angen i chi esbonio pob rheol a rhoi achos ar ei chyfer, ac yna ei chymhwyso i'r senario. Gall y senario gynnwys rhai cymhorthion cynhenid, fel teitl, neu ddarn o adroddiad, a oedd yn rhagflaenu'r ddeddfwriaeth (cymorth allanol). Hyd yn oed os nad yw'r rhain ar gael, dylech chi ddal i gryfhau eich ateb drwy gymhwyso rhai o'r cymhorthion eraill hyn. Ar gyfer yr atebion hirach hyn, dylech chi hefyd strwythuro eich ateb drwy gynnwys y canlynol:

- **cyflwyniad** sy'n rhoi trosolwg o ystyr dehongli statudol a pham mae angen i farnwr ei ddefnyddio
- **casgliad** sy'n clymu'r materion at ei gilydd ac yn dod i gasgliad ar sail eich gwaith cymhwyso.

Gan mai'r sgìl sy'n cael ei brofi yw **AA2**, mae'n hanfodol eich bod chi'n cymhwyso'r gyfraith at y senario penodol.

**CYSWLLT**

I gael rhagor o wybodaeth am ddehongli statudol, gweler tudalennau 38–43 yn *CBAC Safon Uwch Y Gyfraith Llyfr 1*.

## Lluniwch eich nodiadau adolygu o amgylch y canlynol...

- Gall barnwyr **ddehongli** Deddfau Seneddol (statudau) am sawl rheswm:
  - Termau amwys
  - Termau eang eu hystyr
  - Newid yn y defnydd o iaith
  - Gwall
- Gall barnwyr ddefnyddio pedair **ymagwedd** at ddehongli:
  - **Y rheol lythrennol:** ***Whiteley v Chappell (1868)***
  - **Y rheol aur:** ***Adler v George (1964)***
  - **Rheol drygioni:** ***Elliot v Grey (1960)***
  - **Dull bwriadus:** ***Magor and St Mellon's RDC v Newport Corporation (1950)***
- Gall **'cymhorthion'** eraill helpu barnwyr i ddehongli statudau:
  - **Cymhorthion cynhenid:**
    - Teitl llawn y Ddeddf
    - Rhaglith: fel arfer yn dweud beth yw nod a chwmpas arfaethedig y Ddeddf
    - Penawdau
    - Atodlenni
    - Adrannau dehongli
  - **Cymhorthion anghynhenid:**
    - Geiriaduron a gwerslyfrau
    - Adroddiadau, gan Gomisiwn y Gyfraith er enghraifft
    - Cefndir hanesyddol
    - Cytuniadau
    - Cyfraith achosion blaenorol
    - Hansard: enghreifftiau: ***Pepper v Hart (1993)***, ***Three Rivers (1996)***, ***Wilson (2003)***
  - **Rheolau iaith:**
    - *Ejusdem generis*
    - *Noscitur a sociis*
    - *Expressio unius est exclusio alterius*
  - **Rhagdybiaethau**
- ***Deddf Hawliau Dynol 1998***
  - ***adran 3***: dehongli statudau i gyd-fynd â'r Confensiwn Ewropeaidd ar Hawliau Dynol (*ECHR*) 'cyhyd ag y mae hynny'n bosibl'
  - ***adran 4***: datganiad anghydnawsedd
  - ***adran 10***: gall y Senedd newid cyfraith anghydnaws gan ddefnyddio gweithdrefn llwybr cyflym os oes rheswm grymus
  - ***adran 2***: rhaid i farnwyr 'ystyried' cynseiliau'r ECHR (cynsail berswadiol yn unig)

### Gweithgaredd 1.16 Rheol iaith

Cysylltwch y rheol iaith â'r esboniad cywir ac â'r achos perthnasol.

| Rheol iaith | Esboniad | Achos enghreifftiol |
|---|---|---|
| *Expressio unius est exclusio alterius* | 'mae gair yn cael ei ddeall yng nghyd-destun y geiriau o'i gwmpas' | ***Powell v Kempton (1899)*** |
| *Noscitur a sociis* | 'mae crybwyll un peth yn benodol yn eithrio popeth arall' | ***R v Inhabitants of Sedgley (1831)*** |
| *Ejusdem generis* | 'pan fydd geiriau cyffredinol yn dilyn rhestr o eiriau penodol, mae'r geiriau cyffredinol yn cael eu cyfyngu i'r un math â'r geiriau penodol' | ***Muir v Keay (1875)*** |

## Gweithgaredd 1.17 Dulliau dehongli statudol

Cwblhewch y geiriau sydd ar goll gan ddefnyddio'r rhestr ar y dde.

*Gallai'r math hwn o gwestiwn ymddangos yn Uned 1 Adran A.*

**Esboniwch brif ddulliau dehongli statudol.**

Deddf sy'n cael ei llunio gan Senedd y DU yw statud; mae hefyd yn cael ei galw'n Seneddol. Mae'n ddeddfwriaeth a dyma ffynhonnell uchaf cyfraith. Dehongli statudol yw pan fydd barnwyr yn ceisio deall ystyr geiriau mewn Deddf Seneddol, ac yn eu cymhwyso i ffeithiau'r sydd o'u blaen. Yn y rhan fwyaf o achosion, mae ystyr statudau yn amlwg. Ond weithiau bydd angen dehongli rhai geiriau. Gall barnwyr ddefnyddio pedair rheol wahanol, neu ymagwedd, wrth ddelio â statud pan fydd angen ei ddehongli, ynghyd â chymhorthion dehongli eraill, fel cymhorthion allanol a chymhorthion .

Wrth gymhwyso'r rheol lythrennol, bydd y barnwr yn rhoi eu hystyr plaen a i'r geiriau yn y statud, hyd yn oed os yw'r canlyniad yn . Mae llawer o bobl o'r farn mai dyma'r rheol gyntaf y dylai barnwyr ei chymhwyso wrth ddehongli statud aneglur, gan ei bod yn parchu y Senedd.

Er enghraifft, yn ***Whiteley v*** *(1868)*, roedd yn drosedd ' unrhyw un sydd â'r hawl i bleidleisio' mewn etholiad. Ffugiodd y diffynnydd ei fod yn rhywun oedd wedi a chymerodd ei bleidlais. Cafodd y gair 'hawl' ei ddehongli'n llythrennol. Gan nad oes gan rywun marw 'hawl' i bleidleisio, doedd y diffynnydd ddim wedi troseddu.

Er mwyn osgoi canlyniad abswrd wrth ddehongli'r rheol lythrennol, gall y barnwr gymhwyso'r rheol a/neu ddefnyddio cymhorthion mewnol (cynhenid).

Un achos sy'n dangos y defnydd o'r rheol aur yw ***v George (1964)***. Dywed ***Adran 3 Deddf Cyfrinachau Swyddogol 1920*** ei bod yn drosedd rhwystro aelod o'r lluoedd arfog 'yng ' unrhyw 'le gwaharddedig'. Roedd y diffynnydd wedi rhwystro swyddog mewn canolfan ('lle gwaharddedig'). Dadleuodd ef mai ystyr 'yng nghyffiniau' yw'r ardal o gwmpas neu 'gerllaw' lle, nid yn union y tu mewn iddo. Gallai fod wedi osgoi cael ei erlyn drwy gymhwyso'r rheol lythrennol, ond defnyddiodd y barnwr y rheol aur i benderfynu bod y statud yn gymwys y tu mewn i'r lle gwaharddedig yn ogystal ag o'i gwmpas.

**Geiriau i'w defnyddio**
Ddeddf
Adler
achos
Chappell
marw
anghynhenid
aur
gramadegol
dynwared
chyffredin
filwrol
gynradd
sofraniaeth
nghyffiniau

Parhad

**Geiriau i'w defnyddio**
batri
Denning
Ewropeaidd
Grey
Heydon
dehongli
ddeddfwriaethol
bwrpas
bwriadus
datrys
Simonds
ysbryd
heb ei yswirio

Cafodd y rheol drygioni ei sefydlu yn achos ______, gan adael i'r barnwr chwilio i weld pa 'ddrygioni' neu broblem oedd angen ei ______ gan y statud. Mae'r barnwr yn defnyddio cymhorthion allanol (anghynhenid) ac yn chwilio am fwriad y Senedd wrth basio'r Ddeddf.

Mae'r rheol hon yn cael ei dangos yn achos ***Elliot v ______ (1960)***. Mae'n drosedd o dan ***Ddeddf Traffig y Ffyrdd 1930*** i 'ddefnyddio' car ______ ar y ffordd. Yn yr achos hwn, roedd car wedi torri i lawr ac wedi ei barcio ar y ffordd, ond doedd dim modd ei 'ddefnyddio' gan fod ei olwynion oddi ar y ddaear a'r ______ wedi ei dynnu ohono. Penderfynodd y barnwr fod ***Deddf Traffig y Ffyrdd 1930*** wedi ei phasio i osgoi'r math hwn o berygl, a bod y car yn berygl gwirioneddol i ddefnyddwyr eraill y ffordd.

Yn olaf, mae'r dull ______ yn debyg i reol drygioni, gan fod y dull hwn yn ceisio canfod bwriad neu ______ y Ddeddf. Daeth yn fwy poblogaidd ar ôl i'r DU ymuno â'r Undeb ______, yn rhannol oherwydd geiriad mwy amwys deddfau Ewropeaidd, oedd yn ei gwneud yn ofynnol i'r barnwr lunio ystyr. Fel mae teitl yr ymagwedd yn ei awgrymu, mae barnwyr yn chwilio am 'fwriad' y Ddeddf, neu fel y dywedodd yr Arglwydd ______, '______ y ddeddfwriaeth'. Un enghraifft o achos yw ***Magor and St. Mellons RDC v Newport Corporation (1950)***. Dywedodd yr Arglwydd Denning yn y Llys Apêl, 'rydym yn eistedd yma i ganfod bwriad y Senedd a gweinidogion, a'i weithredu. Gallwn ni wneud hyn yn well trwy lenwi'r bylchau a gwneud synnwyr o'r deddfu trwy ei ddadansoddi mewn modd dinistriol'. Ond beirniadodd yr Arglwydd ______ yr ymagwedd hon pan aeth yr achos ar apêl i Dŷ'r Arglwyddi, gan ddweud ei bod yn 'trawsfeddiannu'r swyddogaeth ______ yn llwyr yn enw ______'. Awgrymodd yntau: 'os oes bwlch yn cael ei ganfod, yr ateb yw llunio ______ arall i wella hynny'.

## Gweithgaredd 1.18 Cynhenid neu anghynhenid?

Nodwch a yw'r cymorth yn 'gynhenid' neu'n 'anghynhenid'.

| Cymorth | Cynhenid neu anghynhenid? |
|---|---|
| Cytuniadau | |
| Cyfraith achosion blaenorol | |
| Teitl llawn y Ddeddf | |
| Rhaglith y Ddeddf | |
| Geiriaduron a gwerslyfrau | |
| Penawdau | |
| Atodlenni | |
| Adroddiadau, e.e. gan Gomisiwn y Gyfraith | |
| Adrannau dehongli | |
| Cyd-destun hanesyddol | |

## Gweithgaredd 1.19 Cymhwyso'r gyfraith: ffrâm ysgrifennu

Gallai'r testun hwn gael ei osod hefyd fel cwestiwn 'cymhwyswch y gyfraith i senario'. Yn y rhain mae'n rhaid i chi esbonio ac yna cymhwyso pob rheol (a chymhorthion eraill) i senario ffuglennol, gan ddefnyddio adran o statud ffuglennol. Mae senario enghreifftiol a'r ymagwedd angenrheidiol yn cael eu nodi isod.

Lluniwch ateb ar sail yr ymagwedd isod.

**Gan ddefnyddio eich gwybodaeth am ddehongli statudol, cynghorwch Georgia ynghylch canlyniad tebygol yr achos.** [28 marc]

***Deddf Atal Partïon Nas Dymunir (Ffuglennol) 2008***

*Adran 1(1)*: Mae'r Ddeddf hon yn berthnasol i bobl sy'n ymgynnull ar dir at ddiben cymdeithasol, lle mae'n debygol y bydd alcohol yn cael ei yfed ac y bydd mwy na 100 o bobl yn bresennol.

*Adran 1(2)*: Yn amodol ar Adran 1(3), mae'n drosedd trefnu digwyddiad o'r fath heb ganiatâd ynad lleol, oni bai fod y trefnydd yn berson sydd wedi cael ei eithrio.

*Adran 1(3)*: At y diben hwn, mae person sydd wedi ei eithrio yn golygu y preswylydd, unrhyw aelod o'i deulu, neu ei gyflogai neu ei asiant.

**Senario:** Mae Lorella, ffrind gorau Georgia, ar ei gwyliau dramor. Anfonodd Georgia e-bost at rai o'i ffrindiau yn eu gwahodd i ddod i'w pharti pen-blwydd yn 18 oed mewn ysgubor wag ar dir fferm rhieni Lorella. Roedd Georgia'n disgwyl i tua 20 o bobl ddod. Ond cafodd yr e-bost ei gopïo a'i rannu ar y we, a daeth 1,000 o bobl mewn torf enfawr. Nawr mae Georgia wedi'i harestio am dorri'r Ddeddf. Cynghorwch Georgia.

**YR YMAGWEDD**

- Mae fformiwla i ateb cwestiynau 'cymhwyso' AA1 Adran A Cwestiwn 3/4 ar ddehongli statudol.
- Mae'n **rhaid** i chi esbonio'r rheol, rhoi achos, nodi cymorth cynhenid, nodi cymorth anghynhenid ac yna **cymhwyso'r rheol at y senario**.

**Cyflwyniad**

- Nodwch beth yw dehongliad statudol a rhowch rhai enghreifftiau i ddangos pam mae ei angen.
- Nodwch pwy sydd wedi gofyn am eich cyngor, a'r sefyllfa mae ef/hi ynddi.
- Nodwch fod gan farnwyr wahanol reolau a chymhorthion eraill i'w helpu i ddehongli statudau, a'u bod yn gallu dewis pa rai maen nhw'n eu defnyddio (oni bai fod cynsail rwymol).

**Prif gorff 1: Esboniwch/cymhwyswch y rheol LYTHRENNOL**

- Esboniwch y rheol.

Rhowch enghraifft o achos (e.e. ***Whiteley v Chappell (1868)***).

- Nodwch gymorth cynhenid (e.e. geiriadur i ddiffinio term allweddol yn y Ddeddf).
- Nodwch gymorth anghynhenid (e.e. Hansard i ddarganfod yr ystyr).
- **Cymhwyswch hyn at y senario**.

Gwnewch yr un peth gyda'r rheol nesaf...

Parhad

| **Prif gorff 2: Esboniwch/cymhwyswch y rheol AUR** |
|---|
| • Esboniwch y rheol.<br>• Rhowch enghraifft o achos (e.e. ***R v Allen (1872)***).<br>• Nodwch gymorth cynhenid (e.e. teitl byr i nodi beth yw pwyslais y Ddeddf).<br>• Nodwch gymorth anghynhenid (e.e. adroddiad i ddarganfod cyd-destun y gyfraith).<br>• **Cymhwyswch y rheol at y senario.**<br>Gwnewch yr un peth gyda'r rheol nesaf… |
| **Prif gorff 3: Esboniwch/cymhwyswch reol DRYGIONI** |
| • Esboniwch y rheol.<br>• Rhowch enghraifft o achos (e.e. ***Smith v Hughes (1871)***).<br>• Nodwch gymorth cynhenid (e.e. adran ddehongli'r Ddeddf, i ddiffinio termau allweddol yn y Ddeddf).<br>• Nodwch gymorth anghynhenid (e.e. cyd-destun hanesyddol, i ddarganfod pa ddrygioni roedd y Ddeddf yn ceisio ei ddatrys).<br>• **Cymhwyswch y rheol at y senario.**<br>Gwnewch yr un peth gyda'r rheol nesaf… |
| **Prif gorff 4: Esboniwch/cymhwyswch y DULL BWRIADUS** |
| • Esboniwch y rheol.<br>• Rhowch enghraifft o achos (e.e. ***Jones v Tower Boot (1997)***).<br>• Nodwch gymorth cynhenid (e.e. rhagdybiaeth).<br>• Nodwch gymorth anghynhenid (e.e. darpariaeth mewn cytuniad i ddarganfod yr ystyr).<br>• **Cymhwyswch y rheol at y senario.** |
| **Casgliad** |
| Penderfynwch pa reol rydych chi am ei chymhwyso, a beth fydd y casgliad yn sgil hynny. |

## 1.4 Cwestiynau cyflym

1. Beth yw **dehongli statudol** a pham mae ei angen?
2. Beth yw pedair prif reol dehongli statudol?
3. Beth yw ystyr ***ejusdem generis***?
4. Beth yw **cymorth cynhenid**? Rhowch enghraifft o'r math hwn o gymorth.
5. Ym mha ffyrdd mae ***Deddf Hawliau Dynol 1990*** wedi effeithio ar rôl barnwr mewn dehongli statudol?
6. Pa ddull sydd ei angen wrth ddelio â chwestiwn **cymhwyso** ar ddehongli statudol?
7. Allwch chi esbonio achos ar gyfer pob rheol dehongli statudol?
8. Pa reol sy'n rhoi'r mwyaf o barch i sofraniaeth seneddol?
9. Pa reol gafodd ei sefydlu yn achos *Heydon*?
10. Pa dri chwestiwn dylid eu cymhwyso wrth ddefnyddio rheol drygioni?

# Cynsail farnwrol

| Yn y fanyleb | Yn yr adran hon bydd myfyrwyr yn datblygu eu gwybodaeth am y canlynol: |
|---|---|
| **CBAC UG/U2**<br>**1.4:** Cynsail farnwrol | • Cynsail farnwrol, gan gynnwys athrawiaeth cynsail, nodi *ratio decidendi* ac *obiter dicta*<br>• Hierarchaeth y llysoedd yng Nghymru a Lloegr, gan gynnwys y Goruchaf Lys<br>• Technegau osgoi, gan gynnwys gwrthod/dirymu, gwrthdroi a gwahaniaethu<br>• Manteision ac anfanteision cynsail |

## Gwella adolygu

Fel yn achos pob testun arall yn Adran A manyleb UG ac U2 Y Gyfraith, gallech gael cwestiwn i brofi eich gwybodaeth a'ch dealltwriaeth. Os byddwch chi'n cael cwestiwn o'r fath, byddwch yn ymwybodol o natur benodol iawn y cyn-bapurau arholiad, oherwydd ni fydd ymwybyddiaeth a dealltwriaeth gyffredinol o gynsail yn ddigon.

Ar gyfer y cwestiynau marciau is sy'n profi **AA1 gwybodaeth a dealltwriaeth** ar y testun hwn, mae angen i chi wybod beth yw elfennau cynsail. Dylech chi bob amser roi eich ateb yn ei gyd-destun drwy roi diffiniad o gynsail farnwrol. Dylech chi roi esboniad o bob un o'r elfennau hefyd – hierarchaeth y llysoedd, yr elfennau rhwymol, y *ratio decidendi, obiter dicta*, a chynsail rwymol a pherswadiol.

Ar gyfer cwestiwn marc is, efallai bydd yn rhaid i chi esbonio'r dulliau gall barnwr eu defnyddio er mwyn osgoi cynseiliau lletchwith hefyd; dylech chi bob amser gynnwys enghreifftiau o achosion i gefnogi eich esboniad.

Gallai'r testun hwn gael ei osod fel cwestiwn marc uwch hefyd, yn profi sgiliau **AA2 cymhwyso**. Ar gyfer y math hwn o gwestiwn, byddai angen i chi gynghori rhywun ynghylch y materion. Mae hyn yn debygol o fod yn gwestiwn ar gymhwyso cynsail o fewn hierarchaeth y llysoedd.

Wrth gymhwyso gwybodaeth at senario, gwnewch yn siŵr eich bod yn meddwl am y llys cyfredol a llys y cynsail cyn i chi fynd ati i gymhwyso'r gynsail. Byddai'n ddefnyddiol dysgu rhywfaint am ***Ddatganiad Ymarfer Tŷ'r Arglwyddi 1966*** a'r eithriadau yn achos ***Young v Bristol Aeroplane (1944)***. Fel yn achos unrhyw gwestiwn ar gynsail, mae'n rhaid i chi gefnogi eich ateb gydag achosion perthnasol.

Gan mai'r sgìl sy'n cael ei brofi yw **AA2**, mae'n hanfodol eich bod chi'n cymhwyso'r gyfraith at y senario penodol.

Unwaith yn rhagor, gall y cwestiynau hyn fod yn benodol o ran eu natur, felly gwnewch yn siŵr fod gennych ddealltwriaeth drylwyr o holl elfennau cynsail.

**CYSWLLT**

I gael rhagor o wybodaeth am gynsail farnwrol, gweler tudalennau 44–49 yn *CBAC Safon Uwch Y Gyfraith Llyfr 1*.

## Lluniwch eich nodiadau adolygu o amgylch y canlynol...

- Mae cynsail yn seiliedig ar egwyddor *stare decisis* (glynu at y penderfyniad)
- Rhaid i lysoedd ddilyn cynseiliau a gafodd eu gosod gan lysoedd uwch na nhw yn yr hierarchaeth
- Mae'r Goruchaf Lys fel arfer wedi ei rwymo gan ei benderfyniadau ei hun, ond ers ***Datganiad Ymarfer 1966*** gall fynd yn groes i benderfyniad blaenorol
- Mae'r Llys Apêl (adran sifil) wedi ei rwymo gan ei benderfyniadau blaenorol, oni bai fod un o'r eithriadau yn ***Young v Bristol Aeroplane (1944)*** yn gymwys
- *Ratio decidendi* yw'r rheswm dros y penderfyniad ac mae'n creu cynsail rwymol ar gyfer achosion yn y dyfodol
- *Obiter dicta* ('pethau a ddywedir gyda llaw') yw gweddill y dyfarniad ac nid yw'n gosod cynsail rwymol
- Does dim rhaid i farnwyr mewn achosion diweddarach ddilyn cynsail os gallan nhw ddefnyddio un o'r **technegau osgoi**: gwahaniaethu, dirymu, gwrthdroi
- **Manteision** cynsail: mae'n creu sicrwydd, hyblygrwydd, cysondeb ac mae'n arbed amser
- **Anfanteision** cynsail: gall fod yn haearnaidd, yn gymhleth ac yn araf

## Gweithgaredd 1.20 Delio â chynseiliau

**Cwblhewch y geiriau sydd ar goll gan ddefnyddio'r rhestri ar yr ochr.**

*Gallai'r math hwn o gwestiwn ymddangos yn CBAC Uned 1 Adran 1.*

**Geiriau i'w defnyddio**
dilyn
ddilyn
haearnaidd
anghyfiawnder
*ratio*
anhyblyg
Goruchaf Lys

**Esboniwch sut mae barnwyr yn osgoi cynseiliau lletchwith.**

Mae damcaniaeth cynsail a'r syniad o fod yn rhwym i benderfyniadau blaenorol yn awgrymu bod y system yn ______ ac yn anhyblyg. Mae'n awgrymu mai'r ______ yw'r unig lys sydd ag unrhyw le i fod yn greadigol, a bod rhaid i bob un o'r llysoedd eraill ddilyn ei gynseiliau blaenorol yn gaeth.

Ond byddai hyn yn gwneud y system yn ______ iawn, a byddai bron yn sicr o arwain at ______. Felly mae'r system gyfreithiol yng Nghymru a Lloegr yn sicrhau cydbwysedd rhwng cysyniadau gwrthgyferbyniol hyblygrwydd a sicrwydd. O ganlyniad, gall barnwyr ddewis osgoi cynsail mewn achos lle maen nhw'n teimlo y byddai cadw'n gadarn at gynsail yn arwain at anghyfiawnder.

Felly mae gan farnwr bedwar dewis. Y cyntaf yw ______. Dyma lle bydd y barnwr yn cytuno â'r gynsail gafodd ei gosod yn yr achos cynharach, ac mae'n cymhwyso'r cynsail neu'r ______ *decidendi* at yr achos presennol. Gwelwyd hyn yn achos ***Jones v Secretary of State for Social Services (1972)*** lle cafodd y penderfyniad yn achos ***Re Dowling (1967)*** ei ______.

Parhad

Yn ail, yw lle cafodd y gynsail flaenorol ei gwneud mewn llys is, a gall y llys uwch 'r penderfyniad hwnnw os yw'n anghytuno â'r gynsail. Mae canlyniad y penderfyniad blaenorol yn aros yr un peth, ond ni fydd yn cael ei , er enghraifft yn achos ***Hedley Byrne & Co Ltd v Heller & Partners Ltd (1964)***.

Yn drydydd, os yw penderfyniad llys is yn cael ei i lys uwch, gall y llys uwch ei newid os yw'n teimlo bod y llys is wedi dehongli'r gyfraith yn anghywir. Yr enw ar hyn yw . Gwelwyd hyn hefyd yn achos ***Re Pinochet (1999)***.

Yn olaf, gall y barnwr benderfynu bod ffeithiau perthnasol y ddau achos yn ddigon gwahanol i osgoi dilyn y gynsail. Yr enw ar hyn yw . Gwelwyd hyn yn achos ***Merritt v Merritt (1971)*** a oedd yn rhwng yr achos a'r ffeithiau yn achos .

Mae'r Lys mewn sefyllfa unigryw oherwydd gall osgoi cynsail yn llwyr drwy newid y gyfraith a chreu cynsail . Mae hyn yn wir os yw'r gynsail wedi cael ei gosod gan lys is, neu gan y llys ei hun. Bydd y Goruchaf Lys yn defnyddio ***1966*** i wneud hyn 'lle '. Gwelwyd hyn yn achos lle penderfynodd arglwyddi'r gyfraith anwybyddu cynsail roedden nhw wedi'i gosod eu hunain, ynghylch y defnydd o Hansard mewn dehongli statudol.

Gall y Llys Apêl hefyd osgoi defnyddio cynsail gynharach os yw o'r farn bod un o'r eithriadau a nodwyd yn yn gymwys i'r achos presennol.

Yr eithriadau yw lle mae benderfyniad blaenorol yn gwrthdaro, a lle mae penderfyniad blaenorol wedi gael ei ddirymu gan benderfyniad diweddarach yn y Lys; lle cafodd y penderfyniad blaenorol ei wneud .

Mae o ***Ddeddf Hawliau Dynol*** yn ei gwneud yn ofynnol i bob barnwr cyfraith achosion . I bob pwrpas, mae hyn yn caniatáu i farnwyr osgoi cynsail gynharach lle mae'n amlwg y byddai ei dilyn yn achosi gwrthdaro gyda phenderfyniad Llys Cyfiawnder yr Undeb Ewropeaidd.

**Geiriau i'w defnyddio**
1998
apelio
Balfour v Balfour (1919)
gwahaniaethu x 2
Llys Hawliau Dynol Ewrop
mae'n ymddangos yn gywir i wneud hynny
wreiddiol
dirymu
Pepper v Hart (1993)
*per incuriam*
Datganiad Ymarfer
Adran 2
Goruchaf x 2
'ystyried'
dau
Young v Bristol Aeroplane Co (1944)
gwrthdroi
wrthdroi
ddilyn

## Cyd-destun

Mae'r system cynsail farnwrol yn system gyfreithiol Cymru a Lloegr yn seiliedig ar y dywediad Lladin *stare decisis*, sy'n golygu 'glynu wrth y penderfyniadau blaenorol'. Er mwyn i hyn weithio, mae'n rhaid i ni wybod beth yw'r rhesymau dros y penderfyniad yn yr achos, a fydd yn rhoi sail i farnwyr y dyfodol ei dilyn. Yr enw ar hyn yw *ratio decidendi* achos. Mae pethau eraill sy'n cael eu dweud yn y dyfarniad yn cael eu galw'n *obiter dicta*.

## Gweithgaredd 1.21 Cynseiliau barnwrol

Tynnwch linellau i gysylltu'r gosodiadau ac achosion â'r esboniad cywir.

Cynsail wreiddiol: cafodd y gyfraith ar esgeuluster ei llunio

'glynu at y penderfyniad': mae damcaniaeth cynsail farnwrol yn seiliedig ar y dywediad Lladin hwn

Y defnydd mwyaf adnabyddus o'r Datganiad Ymarfer, lle penderfynodd Tŷ'r Arglwyddi ddirymu gwaharddiad blaenorol ar Hansard wrth ddehongli statudau

'pethau eraill gafodd eu dweud gyda llaw': elfen o ddyfarniad sy'n berswadiol

Mae'n ofynnol i bob barnwr 'ystyried' cyfraith achosion Llys Hawliau Dynol Ewrop

Penderfynodd Llys Hawliau Dynol Ewrop fod gorchmynion bywyd cyfan, os nad oedden nhw'n gallu cael eu hadolygu, yn mynd yn groes i Erthygl 3, sef yr hawl i fod yn rhydd rhag triniaeth annynol a diraddiol

Y defnydd cyntaf o'r Datganiad Ymarfer mewn achos troseddol, a oedd yn mynd yn groes i ***Anderton v Ryan (1985)***

***Young v Bristol Aeroplane (1944)***

***Vinter v UK (2013)***

Gall y Llys Apêl fynd yn groes i'w benderfyniadau blaenorol ei hun mewn tair sefyllfa:

- pan fydd dau benderfyniad blaenorol sy'n gwrthdaro
- pan fydd penderfyniad blaenorol wedi cael ei ddirymu gan benderfyniad diweddarach yn Nhŷ'r Arglwyddi/y Goruchaf Lys
- lle roedd y penderfyniad blaenorol wedi'i wneud '*per incuriam*' (wedi'i wneud trwy gamgymeriad)

*obiter dicta*

*stare decisis*

***R v Shivpuri (1997)***

***Pepper v Hart (1993)***

***adran 2 Deddf Hawliau Dynol 1998***

***Donoghue v Stevenson (1932)***

## Gweithgaredd 1.22 Manteision ac anfanteision cynsail

Ychwanegwch fanylion i'r tabl sy'n cynnwys manteision ac anfanteision cynsail. Gallwch gopïo'r tabl neu defnyddiwch y templed sydd wedi'i roi yn yr atebion ar y we.

| MANTEISION | ANFANTEISION |
|---|---|
| **Sicrwydd** | **Anhyblygrwydd** |
| **Hyblygrwydd** | **Annemocrataidd/ddim yn gynrychiadol** |
| **Ymarferol** | **Cymhlethdod** |
| **Diduedd a theg** | **Anodd rhagweld** |
| | **Araf i newid** |

## Gweithgaredd 1.23 Senarios cynsail

Ystyriwch y cynseiliau canlynol, a meddyliwch am y cwestiynau isod.

**Sefyllfa 1**

Ar ddiwrnod heulog, braf, roedd gyrrwr 37 oed yn brysio i gyrraedd apwyntiad busnes. Gyrrodd hi i lawr stryd brysur yn llawn siopau ar gyflymder o 40 m.y.a, er mai 30 m.y.a. oedd y terfyn cyflymder. Roedd llawer o gerddwyr ar y stryd. Tarodd y gyrrwr gerddwr 17 oed oedd wedi camu oddi ar y palmant heb edrych. Roedd y cerddwr yn siarad ar ei ffôn symudol, ac ni chlywodd gar y gyrrwr yn agosáu.

Siwiodd y cerddwr y gyrrwr, gan hawlio iawndal am yr anafiadau roedd wedi eu dioddef.

Penderfynodd y llys fod y gyrrwr yn esgeulus, ond penderfynodd hefyd fod 30% o'r bai ar y cerddwr. Roedd hyn yn golygu bod cyfanswm yr iawndal a gafodd y cerddwr wedi cael ei ostwng 30%.

**Sefyllfa 2**

Ar ddiwrnod glawog, diflas, brysiodd modurwr 67 oed i godi ffrind o'r orsaf, gan yrru ar gyflymder o 40m.y.a. i lawr yr un stryd. Roedd yn bwrw glaw, felly doedd dim llawer o gerddwyr ar y stryd. Tarodd y modurwr ferch 14 oed oedd wedi camu oddi ar y palmant heb edrych. Roedd y ferch yn fyddar, a doedd hi ddim yn gallu clywed y car yn agosáu.

Mae'r ferch yn siwio'r modurwr am iawndal oherwydd ei hanafiadau.

1. Pa ffeithiau perthnasol yn Sefyllfa 1 ddylai gael eu hystyried wrth ystyried Sefyllfa 2?

2. A yw'r ffeithiau perthnasol hyn yn ddigon tebyg fel bod rhaid i lysoedd eraill ddilyn yr achos fel cynsail?

## Gweithgaredd 1.24 Nodwch y llysoedd a'r cynseiliau

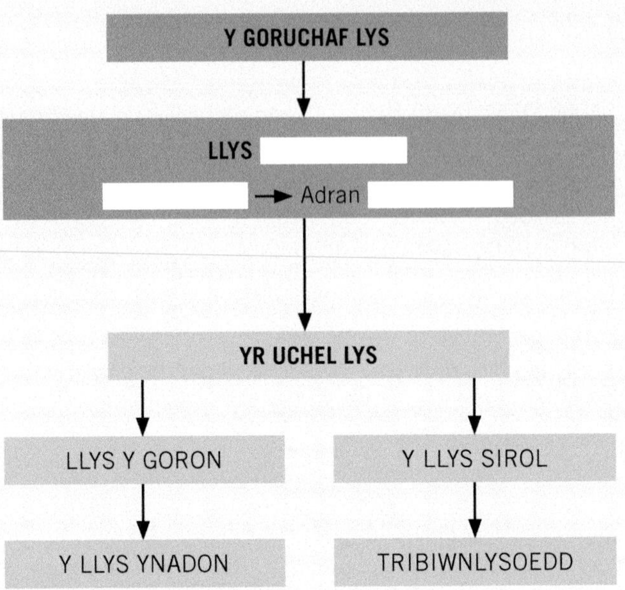


Nodwch y canlynol ar yr hierarchaeth uchod:

1. Llysoedd sy'n gallu creu cynsail.

2. Llysoedd sy'n gorfod dilyn cynsail.

3. Llysoedd sy'n gallu gwyro oddi wrth eu penderfyniadau eu hunain.

4. Llysoedd sy'n rhwym wrth eu penderfyniadau eu hunain.

## Gweithgaredd 1.25 Cynsail wreiddiol

Mae nifer o enghreifftiau eraill o gynsail wreiddiol. Cofiwch y gall cynsail wreiddiol gael ei chreu gan y Goruchaf Lys (Tŷ'r Arglwyddi) neu'r Llys Apêl yn unig.

Ymchwiliwch i'r achosion isod drwy geisio dod o hyd i'r wybodaeth ganlynol am bob achos:

- Beth oedd ffeithiau'r achos?
- Beth oedd y gyfraith cyn yr achos?
- Beth oedd y 'gyfraith newydd' a benderfynwyd yn yr achos?

1. ***R v R (1991)***
2. ***Gillick v West Norfolk and Wisbech AHA (1985)***
3. ***Fitzpatrick v Sterling Housing Association (1999)***

## Gweithgaredd 1.26 Technegau osgoi

*Addie v Dumbreck (1929)*
*Balfour v Balfour (1919)*
*Evans v Triplex Safety Glass Ltd (1936)*
*Merritt v Merritt (1971)*
*Donoghue v Stevenson (1932)*
*Gillick v West Norfolk & Wisbech Area Health Authority [1986]*
*Anderton v Ryan (1985)*
*R v Shivpuri (1987)*
*British Railways Board v Herrington (1972)*
*Fitzpatrick v Sterling House Association Ltd (2000)*

Dewiswch yr achosion priodol o'r rhestr, a rhowch nhw yn rhes gywir y tabl i gysylltu'r achosion â'r dechneg osgoi.

| Techneg osgoi | Diffiniad | Enghreifftiau o achosion |
|---|---|---|
| **Dilyn** | Mae'r barnwr yn cytuno â'r cynsail gafodd ei gosod mewn achos cynharach, ac mae'n cymhwyso'r cynsail neu'r *ratio decidendi* at yr achos presennol. | |
| **Dirymu** | Os cafodd y gynsail gynharach ei gosod mewn llys is, gall yr uwch farnwyr ddirymu'r penderfyniad cynharach hwnnw os ydyn nhw'n anghytuno ag ef. Mae canlyniad y penderfyniad cynharach yn aros yr un peth, ond ni fydd yn cael ei ddilyn. | |
| **Gwrthdroi** | Ar apêl i lys uwch, gall penderfyniad llys is gael ei newid gan y llys uwch os yw'n teimlo bod y llys is wedi dehongli'r gyfraith yn anghywir. | |
| **Gwahaniaethu** | Mae'r barnwr yn penderfynu bod achosion perthnasol y ddau achos yn ddigon gwahanol i osgoi dilyn y cynsail. | |

## Cyd-destun

Mae damcaniaeth cynsail yn awgrymu bod y system yn haearnaidd ac yn anhyblyg, oherwydd mai'r Goruchaf Lys yn unig sydd ag unrhyw gwmpas creadigol, a bod rhaid i'r llysoedd eraill i gyd ddilyn cynseiliau blaenorol yn gaeth. Mae hyn yn amlwg yn gyson â rôl cyfansoddiadol barnwyr: sef cymhwyso'r gyfraith fel cafodd ei datgan gan y Senedd.

Ond pe bai'r system yn gweithio felly yn ymarferol, byddai'n bosibl ei beirniadu gan fod y fath anhyblygrwydd a phwyslais ar sicrwydd yn arwain at anghyfiawnder.

Mae system gyfreithiol Cymru a Lloegr wedi esblygu i gydbwyso dau gysyniad gwrthwynebus i'w gilydd, sef sicrwydd a hyblygrwydd. Mewn gwirionedd, mae gan farnwyr ddewis, ac maen nhw wedi dyfeisio dulliau ar gyfer osgoi cynsail gyfyngol mewn achos os ydyn nhw'n teimlo y byddai glynu'n haearnaidd at gynsail yn arwain at anghyfiawnder. Felly, hyd yn oed os yw cynsail yn ymddangos yn rhwymol, gall barnwr ei hosgoi drwy ddefnyddio technegau o'r fath.

## Gweithgaredd 1.27 Cwestiwn cymhwyso cynsail farnwrol

Gall y crynodeb hwn gael ei addasu i ateb cwestiynau cyn-bapurau sy'n rhoi senario i chi, ac yn gofyn i chi ystyried a ddylid dilyn y cynsail.

| | |
|---|---|
| **Nodwch** | • Nodwch y llys **presennol**.<br>• Nodwch lys y **cynsail**. |
| **Disgrifiwch** | • Disgrifiwch sut byddai damcaniaeth cynsail yn cael ei chymhwyso i'r senario hwn fel arfer.<br>• Disgrifiwch yr opsiynau sydd ar gael, sef y rhain fel arfer:<br>**Datganiad Ymarfer NEU** ***Young v Bristol Aeroplane Co (1944)***<br>**A'R technegau osgoi.**<br>• Dylech chi ddisgrifio pob un ohonyn nhw yn fanwl (cyfeiriwch at grynodebau blaenorol i gael gwybodaeth fanwl). |
| **Cymhwyswch** | • Defnyddiwch y ffeithiau yn yr achosion i geisio **gwahaniaethu** rhwng y ddau achos, drwy ddod o hyd i wahaniaethau yn eu ffeithiau materol (perthnasol).<br>• Ydych chi'n teimlo bod angen diwygio'r gyfraith dan sylw (fel yn ***R v R (1991)***), ac felly, a fyddech chi'n defnyddio'r **Datganiad Ymarfer** i wneud hynny?<br>• Os gosodwyd y cynsail gan lys is, a fyddech chi'n ystyried ei defnyddio fel **cynsail berswadiol**? Pa ffynonellau eraill y gallech eu defnyddio fel cynsail berswadiol?<br>• A fyddech chi'n **dilyn** y gynsail ar sail y ffaith mai'r Senedd ddylai fod yn gyfrifol am unrhyw newid i'r gyfraith? Cyfeiriwch at yr amharodrwydd i ddefnyddio'r Datganiad Ymarfer, a soniwch am **Ganllawiau Lowry** – ***C v DPP (1995)***. |

# 1.5 Cwestiynau cyflym

1. I ba lys mae'r Datganiad Ymarfer yn berthnasol?
2. Pam mae dilyn cynseiliau blaenorol yn cael ei ystyried yn 'sylfaen anhepgor' (*indispensable foundation*)?
3. Pa resymau gafodd eu rhoi gan Dŷ'r Arglwyddi yn y Datganiad Ymarfer dros addasu'r rheol am ddilyn penderfyniadau blaenorol?
4. Pryd bydd Tŷ'r Arglwyddi yn gwyro oddi wrth benderfyniad blaenorol?
5. Mae'n rhaid i'r Llys Apêl ddilyn penderfyniadau gafodd eu gwneud gan lysoedd uwch. Pa lysoedd yw'r rhain?
6. Beth yw'r rheol arferol ynglŷn â'r Llys Apêl yn dilyn ei benderfyniadau blaenorol ei hun?
7. Esboniwch y tri eithriad i'r rheol bod rhaid i'r Llys Apêl ddilyn ei benderfyniad blaenorol.
8. Beth yw manteision y ffaith bod y Llys Apêl fel arfer yn dilyn ei benderfyniadau blaenorol?
9. Pam mae *ratio decidendi* achos mor bwysig?
10. Beth yw arwyddocâd ffeithiau materol/perthnasol achos?
11. Pam mae adroddiadau am achosion mor bwysig i weithrediad cynsail?
12. Beth yw ystyr *stare decisis*?

# Y llysoedd sifil

| Yn y fanyleb | Yn yr adran hon bydd myfyrwyr yn datblygu eu gwybodaeth am y canlynol: |
|---|---|
| **CBAC UG/U2 1.5:** Y llysoedd sifil | • Llysoedd sifil ac apeliadau: Y llysoedd sifil: strwythur, pwerau a swyddogaethau apeliadol; y broses sifil<br>• Rheithgorau sifil: Defnyddio rheithgorau mewn achosion sifil: eu dewis, eu rôl gyfyngedig mewn achosion sifil a beirniadaethau ar eu defnydd<br>• Tribiwnlysoedd, cyflafareddu a dulliau amgen o ddatrys anghydfodau gan gynnwys eu manteision a'u hanfanteision<br>• Datblygiad tribiwnlysoedd, eu rôl a'u rheolaeth, gan gynnwys enghreifftiau o fathau gwahanol o dribiwnlysoedd<br>• Cyflafareddu o fewn system y llysoedd a'r tu allan iddi<br>• Dulliau amgen o ddatrys anghydfodau, gan gynnwys cyflafareddu, cyfryngu a chymodi |

**CYSWLLT**

I gael rhagor o wybodaeth am lysoedd sifil, gweler tudalennau 50–61 yn *CBAC Safon Uwch Y Gyfraith Llyfr 1*.

## Gwella adolygu

Mae hwn yn faes testun mawr, ac mae'n bosibl ei rannu yn is-bynciau amlwg y gallech eu harchwilio ar eu pen eu hunain, gyda thestun cyfiawnder sifil arall neu gyda thestun arall ar y fanyleb. Dyma'r is-destunau:

- y broses sifil, strwythur, llysoedd ac apeliadau
- defnyddio rheithgorau mewn achosion sifil
- dulliau amgen o ddatrys anghydfod
- tribiwnlysoedd.

Mae'n bwysig nodi'r derminoleg wahanol sy'n cael ei chysylltu â chyfraith sifil o'i chymharu â chyfraith trosedd, ac mae'n bwysig eich bod yn gallu defnyddio'r termau hyn yn gywir yn eich ymateb.

Ar gyfer cwestiynau marciau is sy'n profi **AA1 gwybodaeth a dealltwriaeth** am y testun hwn, mae angen i chi wybod am wahanol elfennau ar bob is-destun. Mae'r canlynol yn enghreifftiau o rai cwestiynau marciau is posibl (ond nid yw'r rhestr hon yn un gynhwysfawr o bell ffordd).

- Esboniwch rôl y rheithgor mewn achos sifil.
- Esboniwch y strwythur apeliadau sifil.
- Esboniwch y broses o ddwyn achos sifil i'r llys.
- Esboniwch y prif ddulliau amgen o ddatrys anghydfod.
- Esboniwch rôl tribiwnlysoedd.
- Esboniwch strwythur y llysoedd sifil.

Gallai'r testun hwn gael ei osod hefyd fel cwestiwn marc uwch, sy'n profi sgiliau **AA3 dadansoddi a gwerthuso**. Meddyliwch am elfennau o bob testun fyddai'n gallu bod yn addas ar gyfer ymateb marc uwch, mwy gwerthusol. Dyma enghreifftiau o'r mathau o gwestiynau posibl:

- Dadansoddwch a gwerthuswch y diwygiadau i'r system cyfiawnder sifil.
- Dadansoddwch a gwerthuswch y gwahanol ddulliau amgen o ddatrys anghydfod.
- Dadansoddwch a gwerthuswch fanteision ac anfanteision tribiwnlysoedd.

Ar gyfer yr ymatebion hirach hyn, dylech chi strwythuro eich ateb gan roi cyflwyniad sy'n cynnig trosolwg o'r hyn y bydd yr ateb yn ei drafod, a sut bydd prif gorff y ddadl yn datblygu. Gallai gynnwys rhywfaint o gyd-destun cryno hefyd, ac esboniad o dermau allweddol y testun neu'r cwestiwn. Yna, dylai eich ateb ddilyn strwythur rhesymegol gyda pharagraffau sy'n cysylltu'n ôl i'r cwestiwn, gan ddefnyddio tystiolaeth i'w gefnogi. Yn olaf, dylech gynnwys casgliad sy'n clymu'r materion at ei gilydd, ac sydd wedi ei lunio ar sail y dystiolaeth rydych chi wedi'i chyflwyno mewn perthynas â'r cwestiwn.

## Lluniwch eich nodiadau adolygu o amgylch y canlynol...

- **Y broses sifil, strwythur, llysoedd ac apeliadau**
  - Mae **cyfiawnder sifil** yn setlo anghydfodau rhwng unigolion a chwmnïau preifat
  - Hawlydd v diffynnydd
  - **Safon y prawf**: yn ôl pwysau tebygolrwydd
  - Hawlydd yn ceisio cael **rhwymedi**
  - **Llysoedd gwrandawiad cyntaf**: y llys sirol a'r Uchel Lys (tair adran: Mainc y Frenhines, Teulu a Siawnsri)
  - Tri llwybr:
    - Llwybr mân hawliadau
    - Llwybr cyflym
    - Llwybr aml-drywydd
  - **Apeliadau:**
    - llysoedd adrannol yr Uchel Lys, y Llys Apêl a'r Goruchaf Lys
    - Caniatâd i apelio
    - Apeliadau 'naid llyffant'
  - Yr Arglwydd Woolf: **'Access to Justice: Final Report'** (1996). Dyma'r diffygion allweddol yn y system cyfiawnder sifil:
    - drud
    - oedi
    - cymhleth
    - gwrthwynebus
    - anghyfiawn
    - pwyslais ar dystiolaeth lafar
  - Cafodd prif argymhellion Adroddiad Woolf eu rhoi ar waith yn ***Rheolau Trefniadaeth Sifil 1998***. Prif ddiwygiadau:
    - Rheoli achosion
    - Y tri llwybr
    - Mwy o ddulliau amgen o ddatrys anghydfod (ADR)
    - Sancsiynau
    - Protocolau cyn-cyfreitha

- **Dull amgen o ddatrys anghydfod**
  - Dewis arall yn lle cyfreitha yw hwn, sy'n annog pobl i setlo y tu allan i'r llys
  - Cafodd ei annog gan Ddiwygiadau Woolf (***Rheolau Trefniadaeth Sifil 1998***)

- Mae pedwar prif fath o ADR, pob un â'i fanteision a'i anfanteision:
  - **Negodi**: gyda chyfreithwyr neu hebddyn nhw; ffôn, e-bost, llythyr, cyfarfod
  - **Cyfryngu**: trydydd parti sy'n hwyluso hyn, e.e. Cyfarfodydd Gwybodaeth ac Asesu (MIAM), Gwasanaeth Cyfryngu Mân Hawliadau
  - **Cymodi**: mae trydydd parti yn chwarae rhan weithredol, e.e. y Gwasanaeth Cynghori, Cymodi a Chyflafareddu *(ACAS)*, cymodi buan
  - **Cyflafareddu**: mae'r penderfyniad yn rhwymol. ***Deddf Cyflafareddu 1996***. Cymal cyflafareddu ***Scott v Avery***

- **Tribiwnlysoedd**
  - Llysoedd arbenigol: dewis arall yn lle llysoedd, ond yr unig lwybr mewn rhai achosion:
    - Gweinyddol
    - Domestig
    - Cyflogaeth
  - **Adroddiad Pwyllgor Franks**: agored, teg, diduedd
  - **Adroddiad Leggatt**: ***Deddf Tribiwnlysoedd, Llysoedd a Gorfodaeth 2007***
    - Haen Gyntaf
    - Haen Uwch
    - Apeliadau i'r Llys Apêl
    - 'Barnwyr' tribiwnlysoedd
  - Trefnir y rhain gan Wasanaeth Tribiwnlysoedd a Llysoedd Ei Mawrhydi
  - Y Cyngor Cyfiawnder Gweinyddol a Thribiwnlysoedd sy'n eu goruchwylio
  - Mae tribiwnlysoedd cyflogaeth bellach yn codi ffi
  - **Manteision**: Cost, arbenigedd, cyflymder, annibyniaeth
  - **Anfanteision**: Diffyg arian, diffyg cynsail, oedi, partïon yn dychryn

## Gweithgaredd 1.28 Gwahaniaethau rhwng cyfraith sifil a chyfraith trosedd

Cwblhewch y tabl isod i nodi rhai o'r prif wahaniaethau rhwng nodweddion allweddol cyfraith sifil a chyfraith trosedd.

| | **Sifil** | **Troseddol** |
|---|---|---|
| **Enw'r partïon** | Hawlydd v | v yr amddiffyniad |
| **Pwy sy'n dechrau dwyn yr achos?** | | |
| **Llysoedd gwrandawiad cyntaf** | Ynadon a | a'r |
| **Baich y prawf** | Ar yr hawlydd | |
| **Safon y prawf** | | |
| **Enghreifftiau** | | |
| **Pwrpas y math hwn o gyfraith** | Rheolaeth gymdeithasol | |
| **Canlyniad** | | |
| **Enghreifftiau o gosbau** | | |

## Gweithgaredd 1.29 Gwahaniaethau o ran geirfa

Cwblhewch y tabl i nodi a yw'r termau allweddol yn cael eu defnyddio i ddisgrifio cyfraith trosedd, cyfraith sifil neu'r ddau fath. Yna, yn y drydedd golofn, rhowch ddiffiniad o'r termau allweddol.

| Term allweddol | Sifil, troseddol, neu'r ddau? | Diffiniad |
|---|---|---|
| Cyfraith gyhoeddus | | |
| Cyfraith breifat | | |
| Erlyn | | |
| Datrys anghydfod | | |
| Cosb | | |
| Rhwymedi | | |
| Atebol | | |
| Siwio | | |
| Llys Sirol | | |
| Llys y Goron | | |
| Diffynnydd | | |
| Llys Apêl | | |
| Dioddefwr | | |
| Iawndal | | |
| Dirwy | | |
| Gwaharddeb | | |

Parhad

| Term allweddol | Sifil, troseddol, neu'r ddau? | Diffiniad |
|---|---|---|
| Hawlydd | | |
| Euog | | |
| Dedfryd | | |
| System tri llwybr | | |

## Gweithgaredd 1.30 Datrys problemau

Yng nghyfraith sifil, mae achosion yn cael eu dyrannu rhwng (yn y lle cyntaf) y **Llys Sirol** a'r **Uchel Lys**. Mae'r **llwybr** penodol yn dibynnu yn gyntaf ar werth yr achos sy'n cael ei ddwyn, a chymhlethdod yr achos. Penderfynwch pa lys **a** pha lwybr fyddai'n berthnasol i bob un o'r sefyllfaoedd isod.

1. Mae Michelle yn chwilio am iawndal o £3,000 am ddamwain traffig lle cafodd hi ei hanafu.

   Llys:

   Llwybr:

2. Mae Maria eisiau gwaharddeb ac iawndal o £250,000 ar ôl i bapur newydd lleol ddifenwi ei chymeriad mewn erthygl.

   Llys:

   Llwybr:

3. Mae Jack yn ceisio iawndal o £500 am deledu sydd ddim yn gweithio. Mae'r siop lle prynodd y teledu yn gwrthod rhoi ad-daliad iddo.

   Llys:

   Llwybr:

4. Mae Diana a Marcus yn bartneriaid busnes. Mae anghydfod rhyngddyn nhw oherwydd mater yn ymwneud â chontract. Mae'r achos yn ymdrin â chyfraith ymddiriedolaethau.

   Llys:

   Llwybr:

5. Mae Catherine yn siwio Ahmed am dor-contract. Mae'r achos yn gymharol syml, ond mae'n ymwneud ag iawndal o £30,000.

   Llys:

   Llwybr:

## Gweithgaredd 1.31 Croesair dull amgen o ddatrys anghydfod

*Cofiwch fod llythrennau fel Ch, Dd, Th etc. yn cyfrif fel un llythyren yn y Gymraeg.*

**I Lawr**

1. Nod ADR yw bod partïon yn cyrraedd hyn. [7]
2. Enw'r penderfyniad sy'n cael ei wneud gan y cyflafareddwyr. [9]
3. Datrys yr anghydfod rhwng y partïon eu hunain ond yn ymarferol bydd fel arfer yn digwydd ym mhob achos. [6]
4. Mae'r math hwn o ADR yn aml yn cael ei ddefnyddio gydag anghydfodau busnes. [11]
5. Wrth gyfryngu achosion ysgariad, mae'n ofynnol i bartïon fynychu hyn weithiau. [4]
6. Mae'r math hwn o ADR yn cynnwys trydydd parti 'goddefol'. [7]
7. Yr achos yn ymwneud â'r 'cymal cyflafareddu'. [5,1,5]
8. ACAS yw acronym y , Cymodi a Chyflafareddu. [9,7]

**Ar Draws**

4. Yn cael ei ddefnyddio'n aml mewn anghydfodau cyflogaeth. [6]
9. Y gair sy'n cael ei ddefnyddio i nodi ei bod yn ofynnol i'r cyfranogwyr ddilyn canlyniad y cyflafareddu. [6]
10. Yn achos cyflafareddu, mae'r trydydd parti yn chwarae mwy o'r math hwn o rôl. [10]
11. Lle bydd partïon yn mynd wedi'r cwbl os bydd ADR yn methu. [3]
12. Y byrfodd ar gyfer enw'r dulliau o ddatrys achosion heb fynd i'r llys. [3]
13. Y Ddeddf sy'n llywodraethu cyflafareddu. [4,11]

## Gweithgaredd 1.32 Defnyddio mathau o ADR

Tynnwch linellau i gysylltu'r math o ADR â'i ddiffiniad, ac ag enghraifft berthnasol o sut gallai gael ei ddefnyddio.

| Math | Diffiniad | Enghraifft |
|---|---|---|
| Negodi | Mae partïon yn ceisio penderfynu ar setliad ar eu pen eu hunain, gyda chymorth trydydd parti goddefol sy'n gweithredu fel cyfryngwr | Trwy ACAS |
| Cyfryngu | Mae'r trydydd parti'n chwarae rhan fwy gweithredol er mwyn annog y partïon i setlo'r anghydfod | Mewn MIAM |
| Cymodi | Mae'r partïon yn ceisio datrys yr achos ar eu pen eu hunain neu gyda chymorth cyfreithiwr | Mewn gwrandawiad neu drwy gyflafareddu ar bapur |
| Cyflafareddu | Y dull mwyaf ffurfiol o ADR, lle mae'r penderfyniad rhwymol yn cael ei orfodi ar y partïon | Ffôn, llythyr, e-bost, cyfarfod |

## Gweithgaredd 1.33 Manteision ac anfanteision tribiwnlysoedd

Cwblhewch y manylion ar gyfer pob un o fanteision ac anfanteision tribiwnlysoedd. Gallwch gopïo'r tabl neu ddefnyddio'r templed sydd yn yr atebion ar y we.

| Manteision | Anfanteision |
|---|---|
| Cost | Diffyg cynsail |
| Cyflymder | Oedi |
| Anffurfioldeb | Diffyg arian |
| Annibyniaeth | Partïon yn dychryn |
| Arbenigedd | |

## Gweithgaredd 1.34 Rheithgorau sifil

**Cwblhewch y geiriau sydd ar goll gan ddefnyddio'r rhestr ar y dde.**

Mae rheithgorau yn cael eu defnyddio mewn llai nag  o achosion sifil. Maen nhw'n penderfynu a yw'r  wedi profi ei achos ai peidio 'yn ôl pwysau  ' (  y prawf). Maen nhw hefyd yn penderfynu faint o  dylai'r diffynnydd ei dalu i'r hawlydd, os ydyn nhw'n penderfynu o blaid yr hawlydd.

Yn ôl ***adran 69 Deddf Llysoedd  1981*** ar gyfer achosion yr Uchel Lys, ac ***adran 66 Deddf Llysoedd  1984*** ar gyfer achosion yn y Llys Sirol, mae gan bartïon yr hawl i gael treial gan reithgor yn yr achosion canlynol yn unig:

- ar gam
- erlyniad
- .

Roedd ***adran 11 Deddf Difenwad 2013*** yn dileu'r rhagdybiaeth bod angen treial gan reithgor mewn achosion difenwi. Felly mae achosion difenwi yn cael eu cynnal heb reithgor oni bai fod y llys yn gorchymyn fel arall.

Mewn achosion sifil sy'n trafod anafiadau personol yn Adran  y Frenhines yn yr Uchel Lys, gall y partïon wneud cais i'r barnwr am dreial gan reithgor. Bydd y cais yn cael ei wrthod fel arfer. Yn achos ***Ward v  (1966)*** gosododd y Llys Apêl ganllawiau ar gyfer achosion anafiadau personol, ac arweiniodd hyn at atal y defnydd o reithgorau i bob pwrpas. Roedd y rhain yn cynghori y dylai achosion anafiadau personol fel arfer gael treial gan farnwr yn eistedd ar ei ben ei hun, oherwydd bod achosion o'r fath yn galw am asesu iawndal  sydd angen ei gysylltu â graddfeydd iawndal confensiynol.

Felly, pam nad yw rheithgorau'n cael eu defnyddio'n aml mewn achosion sifil? Maen nhw'n tueddu i ddyfarnu o blaid talu  o iawndal, does dim rhaid iddyn nhw roi  dros eu penderfyniadau, ac maen nhw'n gallu bod yn gostus.

**Geiriau i'w defnyddio**

1%
Mainc
hawlydd
cydadferol
Sirol
iawndal
gormod
twyll
carcharu
James
maleisus
tebygolrwydd
rhesymau
safonol
Uwch

## Gweithgaredd 1.35 Llwybr apeliadau achosion sifil

Mae'r diagram yn dangos lle gall apeliadau i achosion sifil fynd. Rhowch y geiriau sydd ar goll i gwblhau'r blychau.

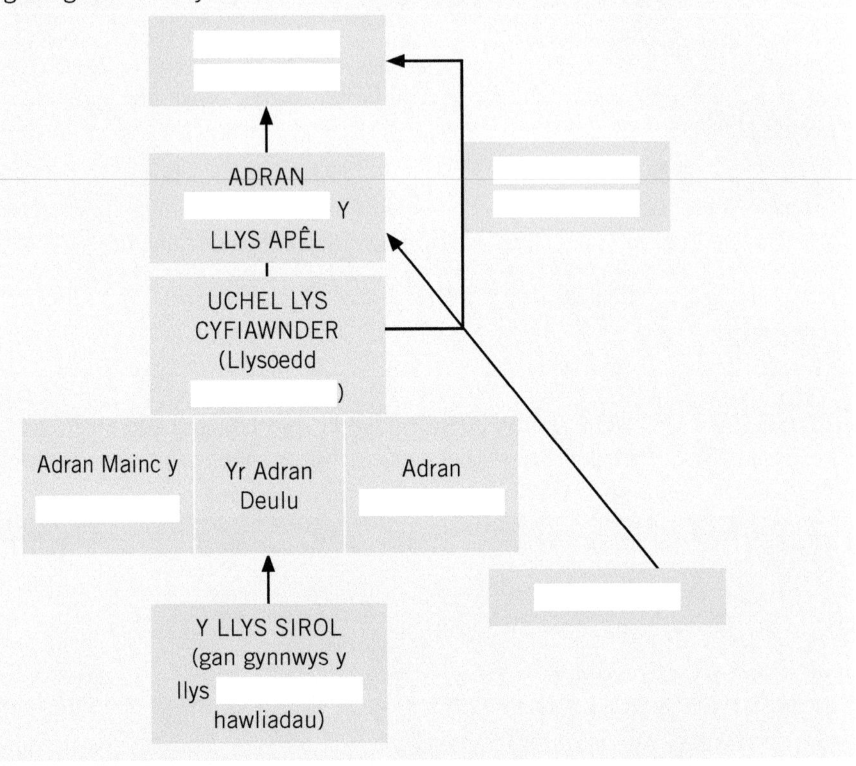


## 1.6 Cwestiynau cyflym

1. Beth yw'r tri llwybr ar gyfer achosion sifil?
2. Beth yw'r rheswm dros apêl 'naid llyffant'?
3. Beth yw ystyr y llythrennau ADR?
4. Beth yw'r trif phrif fath o ADR? Rhestrwch y rhain, o'r lleiaf ffurfiol i'r mwyaf ffurfiol.
5. Beth yw rôl tribiwnlys, a ble mae'n ffitio yn y system cyfiawnder sifil?
6. Lluniwch ddiagram o strwythur llysoedd sifil a llwybrau apelio.
7. Beth mae unigolyn yn ei geisio ar ddiwedd achos sifil?
8. Beth yw tri Llys Adrannol yr Uchel Lys?
9. Pwy sy'n dechrau achos sifil, ac yn erbyn pwy?
10. Beth yw baich a safon y prawf mewn achos sifil?

# Y broses droseddol

| Yn y fanyleb | Yn yr adran hon bydd myfyrwyr yn datblygu eu gwybodaeth am y canlynol: |
|---|---|
| **CBAC UG/U2 1.6:** Y broses droseddol<br>**3.12:** Cyfraith trosedd | • Y llysoedd troseddol: strwythur, pwerau a swyddogaethau apeliadol; pwerau'r llysoedd ynadon a Llys y Goron; Canllawiau'r Llys Apêl ar gyfer dwyn apeliadau.<br>• Gwasanaeth Erlyn y Goron: pwerau a dyletswyddau.<br>• Mechnïaeth: heddlu a'r llysoedd; problemau.<br>• Egwyddorion cyffredinol dedfrydu oedolion a phobl ifanc o dan ddeddfwriaeth briodol; damcaniaethau ac amcanion dedfrydu. |

## Gwella adolygu

Gall y maes hwn yn y fanyleb gael ei archwilio fel cwestiwn math traethawd ar gyfer UG neu U2. Dylai dysgwyr fod yn barod i ddadansoddi a gwerthuso elfennau ar y broses droseddol, yn ogystal â chyflwyno dadl gytbwys am effeithiolrwydd rhai o'r asiantaethau sy'n gysylltiedig â'r broses droseddol, fel Gwasanaeth Erlyn y Goron, a'r system fechnïaeth.

Ar gyfer UG, efallai bydd cwestiynau **esbonio** byrrach ar ddedfrydu oedolion a phobl ifanc. Bydd y cwestiynau hyn yn targedu'ch sgiliau **AA1 gwybodaeth a dealltwriaeth**. Gallai enghreifftiau gynnwys y canlynol:

- Esboniwch brif nodau dedfrydu.
- Esboniwch y dedfrydau sydd ar gael i droseddwyr ifanc yn y Deyrnas Unedig.
- Esboniwch y ffactorau sy'n cael eu hystyried gan yr heddlu wrth benderfynu rhoi mechnïaeth.
- Esboniwch rôl Gwasanaeth Erlyn y Goron.

Ar gyfer y cwestiynau marciau uwch ar lefel UG ac U2 fel ei gilydd, mae'r cwestiynau traethawd wedi'u hanelu'n fwy at y marciau **AA3 dadansoddi a gwerthuso**, lle mae'n rhaid i chi gyflwyno dadl gytbwys wedi'i chefnogi'n dda. Dyma enghreifftiau o'r mathau o gwestiynau posibl:

- Dadansoddwch a gwerthuswch brif nodau dedfrydu.
- Dadansoddwch a gwerthuswch a yw dedfrydu pobl ifanc yn gallu bod yn effeithiol.
- Dadansoddwch a gwerthuswch effeithiolrwydd Gwasanaeth Erlyn y Goron.
- I ba raddau mae'r gyfraith yn ymwneud â mechnïaeth yn cadw cydbwysedd rhwng hawliau dynol y diffynnydd ac amddiffyn y cyhoedd?

**CYSWLLT**

I gael rhagor o wybodaeth am y broses droseddol, gweler tudalennau 62–79 yn *CBAC Safon Uwch Y Gyfraith Llyfr 1*.

## Lluniwch eich nodiadau adolygu o amgylch y canlynol...

- **Nodau dedfrydu**
  - Mae ***Adran 142 Deddf Cyfiawnder Troseddol 2003*** yn amlinellu pum nod dedfrydu:
    - **Cosb haeddiannol**: cosbi'r troseddwr a sicrhau bod elfen o fai arno
    - **Ataliaeth**: mae'r troseddwr unigol neu gymdeithas yn ehangach yn cael eu hatal rhag aildroseddu drwy wneud enghraifft o'r troseddwr
    - **Amddiffyn cymdeithas**: dyma lle mae'r ddedfryd yn un a fydd yn amddiffyn y cyhoedd rhag y troseddwr
    - **Adsefydlu**: mae'r troseddwr yn cael dedfryd gyda'r nod o wella ei ymddygiad a'i atal rhag aildroseddu
    - **Gwneud iawn**: talu'n ôl i gymdeithas yr hyn mae'r troseddwr wedi ei gymryd i ffwrdd, drwy dalu iawndal neu wneud gwaith di-dâl
- **Pwerau dedfrydu**
  - **Llys ynadon**: dirwy o £5,000 (neu heb uchafswm mewn rhai achosion); chwe mis yn y carchar; Gorchymyn Cadw a Hyfforddi Ieuenctid am hyd at ddwy flynedd
  - **Llys y Goron**: dirwy heb uchafswm; uchafswm o garchar am oes
- **Dedfrydu pobl ifanc**
  - **Prif nod**: atal aildroseddu ac adsefydlu'r troseddwr, gan 'unioni' cymdeithas am y difrod a achoswyd.
  - **Datrysiadau y tu allan i'r llys**: datrysiad adsefydlu ieuenctid; rhybudd i ieuenctid; rhybudd amodol i ieuenctid; Gorchymyn Adsefydlu Ieuenctid: ***a147 Deddf Cyfiawnder Troseddol 2003***
  - **Dedfrydu haen gyntaf**: gorchymyn cyfeirio; gorchymyn gwneud iawn; gorchymyn rhianta; rhyddhau amodol; rhyddhau diamod
  - **Dedfrydau o garchar:**
    - Gorchymyn Cadw a Hyfforddi: ***a100–106 Deddf Pwerau Llysoedd Troseddol (Dedfrydu) 2000***
    - Carchar am oes: ***a90–91 Deddf Pwerau Llysoedd Troseddol (Dedfrydu) 2000***
- **Dedfrydu oedolion**
  - **Prif nod:** cosbi'r troseddwr ac amddiffyn cymdeithas
  - **Datrysiadau yn y llys**: rhyddhau diamod; rhyddhau amodol; dirwy; dedfryd ataliedig; gorchymyn cymunedol
  - **Dedfrydau o garchar**: dedfrydau penodedig; dedfrydau penagored; dedfrydau oes gorfodol; gorchmynion bywyd cyfan
  - **Datrysiadau y tu allan i'r llys**: hysbysiad cosb am anhrefn; rhybuddion amodol; rhybuddion

- **Mechnïaeth**
  - **Mechnïaeth yr heddlu: cadw heb gyhuddo**: uchafswm o 28 diwrnod: ***a37 Deddf yr Heddlu a Thystiolaeth Droseddol 1984***. Dychwelyd i orsaf yr heddlu
  - **Mechnïaeth yr heddlu: cyhuddo**: ***a38 Deddf yr Heddlu a Thystiolaeth Droseddol 1984***. Gwrandawiad gweinyddol cynnar yn y llys ynadon
  - **Eithriadau i fechnïaeth**: seiliau sylweddol dros gredu y byddai'r unigolyn a ddrwgdybir yn cyflawni trosedd arall, yn peidio ag ildio i fechnïaeth neu yn ymyrryd â thystion
  - ***adran 90 Deddf Cymorth Cyfreithiol, Dedfrydu a Chosbi Troseddwyr 2012***: prawf 'dim gobaith realistig'
  - ***a1 Deddf Mechnïaeth 1976***: ffactorau i'w hystyried
  - **Mechnïaeth amodol**: ***Deddf Cyfiawnder Troseddol a Threfn Gyhoeddus 1994***
  - **Cyfyngiadau ar fechnïaeth**: wedi'u cynnwys yn bennaf o fewn ***Deddf Cyfiawnder Troseddol 2003*** i gydbwyso rhwng yr angen i amddiffyn y cyhoedd ac amddiffyn hawliau'r diffynnydd
- **Gwasanaeth Erlyn y Goron (CPS)**
  - ***Deddf Erlyniad Troseddau 1985*** wnaeth sefydlu Gwasanaeth Erlyn y Goron
  - **Cyfarwyddwr Erlyniadau Cyhoeddus presennol**: Max Hill QC
  - **Swyddogaethau Gwasanaeth Erlyn y Goron**: cynghori'r heddlu am y cyhuddiad, adolygu achosion, paratoi achosion ar gyfer y llys, cyflwyno achosion yn y llys; ei brif swyddogaeth yw penderfynu a ddylid erlyn rhywun a ddrwgdybir
  - **Safonau Ansawdd Gwaith Achos**: amlinellu'r safonau i Wasanaeth Erlyn y Goron
- **Cod ar gyfer erlynwyr y Goron**
  - **Prawf tystiolaethol**: a oes gobaith realistig o euogfarn? Rhaid i'r dystiolaeth fod yn ddibynadwy, yn ddigonol ac yn dderbyniol
  - **Prawf lles y cyhoedd**: a yw er lles y cyhoedd i erlyn? Bydd cyfres o gwestiynau yn cael eu gofyn i benderfynu a yw'r prawf wedi'i fodloni
  - **Prawf trothwy**: bydd hwn yn cael ei ddefnyddio pan fydd y Cod Llawn yn methu, ond bod Gwasanaeth Erlyn y Goron yn ei gweld yn ormod o risg i ryddhau'r un a ddrwgdybir

## Gweithgaredd 1.36 Deall termau'r broses droseddol

Rhowch ddiffiniad ar gyfer y termau allweddol hyn sy'n gysylltiedig â'r broses droseddol.

| Term | Diffiniad |
|---|---|
| oedolyn priodol | |
| gordrugarog | |
| achos datganedig | |
| euogfarn | |
| croesholi | |
| ataliaeth | |
| caniatâd i apelio | |
| rhyddfarn | |
| apêl 'naid llyffant' | |
| cyhuddiad | |
| prif holiad | |

## Gweithgaredd 1.37 Nodau dedfrydau gwahanol

Ticiwch y blychau i ddangos nodau pob math o ddedfryd. Efallai y bydd rhai dedfrydau yn cyflawni mwy nag un nod.

Pa nod sy'n cael ei gyflawni fwyaf yn gyffredinol? Rhowch y rhesymau dros hyn yn eich barn chi.

| DEDFRYD | NOD | | | | |
|---|---|---|---|---|---|
| | Cosb haeddiannol | Amddiffyn cymdeithas | Ataliaeth | Gwneud iawn | Adsefydlu |
| Dirwy | | | | | |
| Rhyddhau | | | | | |
| Gorchymyn Cymunedol | | | | | |
| Dedfryd benderfynedig | | | | | |
| Dedfrydau ataliedig | | | | | |
| Gorchymyn bywyd cyfan | | | | | |
| Hysbysiad Cosb am Anhrefn | | | | | |
| Rhybuddion | | | | | |

Y nod sy'n cael ei gyflawni fwyaf yn gyffredinol:

Rhesymau:

## Gweithgaredd 1.38 Apeliadau troseddol

Labelwch y diagram i ddangos llwybrau apeliadau troseddol.

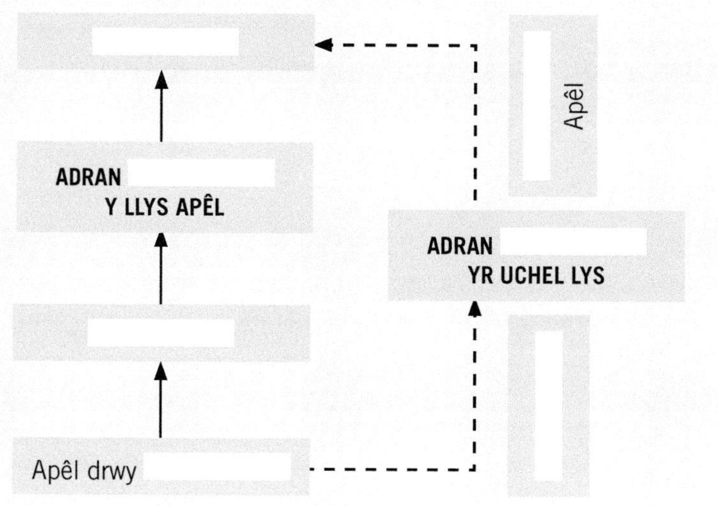

## Gweithgaredd 1.39 Mechnïaeth neu garchar?

Gan ddefnyddio'r gyfraith sy'n ymwneud â mechnïaeth, penderfynwch a ddylai'r unigolion a ddrwgdybir yn y senarios isod gael mechnïaeth neu gael eu cadw yn y ddalfa. Rhowch resymau dros eich ateb, a defnyddiwch awdurdod cyfreithiol i gefnogi eich ateb.

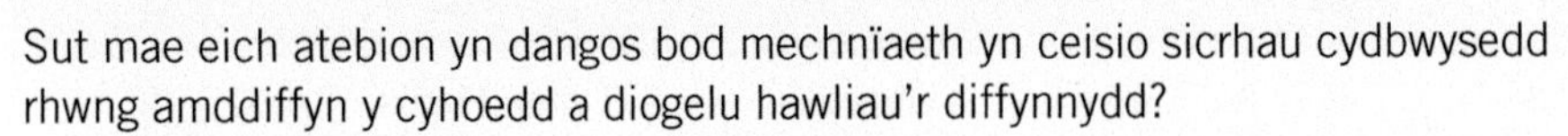

Sut mae eich atebion yn dangos bod mechnïaeth yn ceisio sicrhau cydbwysedd rhwng amddiffyn y cyhoedd a diogelu hawliau'r diffynnydd?

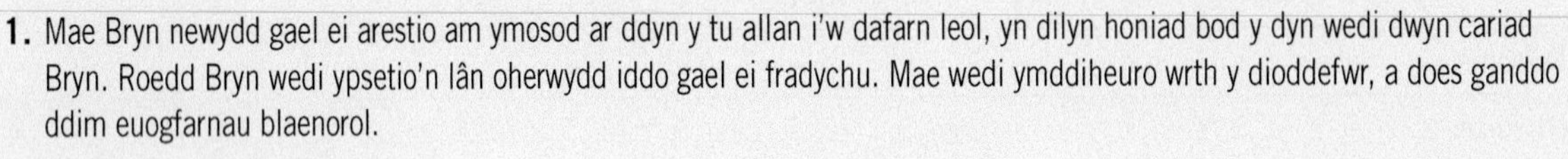

1. Mae Bryn newydd gael ei arestio am ymosod ar ddyn y tu allan i'w dafarn leol, yn dilyn honiad bod y dyn wedi dwyn cariad Bryn. Roedd Bryn wedi ypsetio'n lân oherwydd iddo gael ei fradychu. Mae wedi ymddiheuro wrth y dioddefwr, a does ganddo ddim euogfarnau blaenorol.

   Mechnïaeth neu garchar?

   Pam?

2. Mae Fraser newydd gael ei arestio ar amheuaeth o lofruddio ei gyn-gyflogwr ar ôl iddo gael ei ddiswyddo. Mae gan Fraser record troseddol am ddwyn a thwyll. Pan gafodd ei gyfweld gan yr heddlu, daeth yn amlwg ei fod yn cael trafferth rheoli ei dymer, ac mae'n debygol o ddefnyddio cyfrifoldeb lleihaedig neu wallgofrwydd fel amddiffyniad i'r cyhuddiad o lofruddiaeth.

   Mechnïaeth neu garchar?

   Pam?

3. Mae Liza yn fam sengl sy'n magu pedwar o blant ar ei phen ei hun, mewn ardal lle mae llawer iawn o droseddau cyffuriau. Er mwyn talu ei biliau ac ennill arian i fwydo ei phlant, mae Liza wedi bod yn gwerthu cyffuriau Dosbarth A i'w chymdogion. Mae hi wedi cael ei harestio fel rhan o ymgyrch atal cyffuriau yn yr ardal.

   Mechnïaeth neu garchar?

   Pam?

4. Mae Lillian yn 86 oed, ac mae hi'n byw mewn cartref preswyl. Mae hi wedi cael ei harestio am ddwyn potel o bersawr o fferyllfa leol. Mae hi'n cyfaddef ei bod wedi dwyn, gan ddweud nad oedd hi'n gallu fforddio prynu anrheg ben-blwydd i'w merch-yng-nghyfraith oherwydd bod ei phensiwn wedi cael ei ostwng yn ddiweddar. Mae Lillian wedi cael Gorchymyn Ymddygiad Troseddol am achosi niwsans i drigolion eraill gyda'r nos.

   Mechnïaeth neu garchar?

   Pam?

5. Mae Bill yn ddyn 47 oed sydd wedi cael ei arestio am ymladd y tu allan i stadiwm ei dîm pêl-droed. Mae wedi bod yn gynghorydd sir ers blynyddoedd, ac mae'n mynnu mai ceisio atal yr helynt rhwng cefnogwyr y ddau dîm yr oedd.

   Mechnïaeth neu garchar?

   Pam?

**6.** Mae Rik wedi cael ei arestio am fod yn feddw ac afreolus yn Abertawe. Mae ganddo sawl euogfarn blaenorol am hyn, ac mae'r heddlu'n gwybod amdano fel rhywun bygythiol sy'n amharu ar y drefn gyhoeddus. Mae wedi torri amodau mechnïaeth yn y gorffennol.

Mechnïaeth neu garchar?

Pam?

**7.** Mae Sally yn weithiwr rhyw sydd newydd gael ei harestio am ymosod ar gleient, gan honni ei fod yn ceisio'i orfodi ei hun arni. Mae Sally yn mynnu mai ei hamddiffyn ei hun roedd hi. Mae hi'n difaru ei gweithredoedd, ac mae hi wedi cytuno i fynd i sesiynau cwnsela gan ei bod yn gaeth i gyffuriau.

Mechnïaeth neu garchar?

Pam?

**8.** Mae Connor yn fyfyriwr 19 oed sydd newydd gael ei arestio am ymosod yn dilyn ffrae gyda bownsar am beidio â chael ei adael i mewn i glwb nos.

Mechnïaeth neu garchar?

Pam?

**9.** Mae Geraldine newydd gael ei stopio a'i harestio mewn parc am achosi mân ddifrod troseddol.

Mechnïaeth neu garchar?

Pam?

## Gweithgaredd 1.40 Camau treial troseddol

Rhowch y gosodiadau canlynol yn y drefn gywir i ddangos sut mae treial troseddol yn cael ei gynnal:

| | |
|---|---|
| | Mae'r amddiffyniad yn **croesholi** tystion yr erlyniad. |
| | Mae'r barnwr yn **crynhoi** y materion cyfreithiol a ffeithiol er budd y rheithgor. |
| | Mae'r amddiffyniad yn rhoi **araith gloi**. |
| | Mae'r erlyniad yn **croesholi** tystion yr amddiffyniad. |
| | Mae'r erlyniad yn holi ei dystion ei hun unwaith eto. |
| | Mae'r rheithgor (neu ynadon) yn mynd allan i ystyried rheithfarn. |
| | Mae'r erlyniad yn galw ei dystion ei hun ac yn cynnal y **prif holiad**. |
| | Gall yr amddiffyniad argymell nad oes achos i'w ateb. |
| | Os bydd y diffynnydd yn cael ei ddyfarnu'n ddieuog, bydd yn cael ei ryddfarnu. Os bydd yn cael ei ddyfarnu'n euog, bydd y barnwr neu'r ynadon yn cyflwyno'r ddedfryd. |
| | Mae'r erlyniad yn rhoi ei **araith gloi**. |
| | Mae'r amddiffyniad yn galw ei dystion ei hun i gefnogi ei achos, ac yn cynnal ei **brif holiad**. |
| | Mae'r erlyniad yn cyflwyno ei **araith agoriadol** er mwyn amlinellu'r ffeithiau. |

## Gweithgaredd 1.41 Pwyntiau trafod yn ymwneud â diwygio diweddar

Gan fod y rhan fwyaf o'r marciau yn y maes hwn yn cael eu dyfarnu am elfen o werthuso, mae'n bwysig eich bod yn ymwybodol o ddiwygiadau diweddar yn y maes. Gall cwblhau'r gweithgareddau ymchwil hyn eich helpu i werthuso mewn ffordd gytbwys.

### 1. Gorchmynion atal troseddau cyllyll

Cafodd y rhain eu trafod yn y Senedd ym mis Mawrth 2019. Gorchmynion sifil yw'r rhain, a fydd yn cael eu gosod ar bobl ifanc os oes amheuaeth eu bod yn cario cyllell am yr ail dro o fewn cyfnod o ddwy flynedd. Os bydd y gorchymyn yn cael ei dorri, gallai'r unigolyn a ddrwgdybir gael ei gadw yn y ddalfa am hyd at ddwy flynedd.

Mae pryderon y gallai'r ddeddfwriaeth bosibl hon droi pobl ifanc yn droseddwyr os ydyn nhw'n dioddef caethwasiaeth, masnachu pobl neu ecsbloetio troseddol.

Defnyddiwch y cyswllt hwn i gael rhagor o wybodaeth: http://www.prisonreformtrust.org.uk/Portals/0/Documents/parliament/Offensive%20Weapons%20Bill%20HoC%20ConsLordsAms.pdf

**Pwyntiau trafod**

- Yn eich barn chi, a fydd cyflwyno'r gorchmynion hyn yn lleihau troseddau cyllyll?
- Darllenwch y ddogfen ymgynghori, a gwnewch restr o'r manteision ac anfanteision a gafodd eu codi gan Dŷ'r Cyffredin yn ystod y ddadl.

### 2. Cyfiawnder adferol

Mae hwn yn rhoi cyfle i ddioddefwyr gyfarfod neu gysylltu â'r troseddwr, i esbonio gwir effaith y drosedd a dal troseddwyr i gyfrif. Gwyliwch y fideo https://www.youtube.com/watch?v=A1s6wKeGLQk

**Pwyntiau trafod**

- Gwnewch nodyn o'r ffordd mae'r fideo yn dangos sut gallai cyfiawnder adferol helpu'r dioddefwr a'r troseddwr.
- Yn eich barn chi, a yw cyfiawnder adferol yn ddewis gwell na'r carchar?

### 3. System cyfiawnder 'clyfar'

Cyhoeddodd David Gauke, y Gweinidog Cyfiawnder ar y pryd, ei weledigaeth am system cyfiawnder 'clyfar' ym mis Chwefror 2019, gyda'r nod o leihau aildroseddu, amddiffyn y cyhoedd, a sicrhau bod troseddwyr yn derbyn y gosb maen nhw'n ei haeddu.

Defnyddiwch y cyswllt hwn i gael rhagor o wybodaeth: https://www.gov.uk/government/news/justice-secretary-david-gauke-sets-out-long-term-for-justice

**Pwyntiau trafod**

- Ym marn y Gweinidog Cyfiawnder ar y pryd, pa ddewisiadau allai fod yn well na'r carchar?
- Sut byddai gweledigaeth y Gweinidog Cyfiawnder wedi arbed arian i'r system cyfiawnder?
- Sut byddai gweledigaeth y Gweinidog Cyfiawnder wedi gwella'r broses ddedfrydu?

## Gweithgaredd 1.42 Gwasanaeth Erlyn y Goron

**Defnyddiwch y geiriau isod i lenwi'r bylchau er mwyn esbonio swyddogaeth Gwasanaeth Erlyn y Goron.**

Cafodd Gwasanaeth Erlyn y Goron ei sefydlu gan _______ ***1986***. Pennaeth Gwasanaeth Erlyn y Goron yw'r _______, sy'n atebol i'r _______. Mae _______ ardal ar gyfer Gwasanaeth Erlyn y Goron, ac mae pob un yn cael ei arwain gan _______. Enw un 'ardal' ychwanegol yw _______, sy'n darparu cyngor y tu allan i oriau i'r heddlu ar gyhuddo.

Mae'r prawf _______ wedi'i gynnwys yn _______ ***Deddf Erlyniad Troseddau 1986***. Y cam cyntaf yw'r prawf _______, sy'n gofyn a yw'r dystiolaeth a gasglwyd yn ddibynadwy, yn ddigonol ac yn _______. Prawf _______ yw hwn, felly os na fydd yn cael ei fodloni, yna o dan _______ ***Deddf Erlyniad Troseddau 1986***, mae'n rhaid i'r achos _______.

Yr ail gam yw'r prawf _______, sy'n cynnwys _______ cwestiwn i benderfynu a ddylid cyhuddo'r un a ddrwgdybir. Dylai Gwasanaeth Erlyn y Goron hefyd ystyried a fyddai datrysiad _______ yn fwy priodol nag erlyn.

Prawf arall yw'r prawf _______, sy'n cael ei ddefnyddio os nad oes digon o dystiolaeth i _______, ond mae lle i gredu bod y sawl a ddrwgdybir yn ormod o risg i'w ryddhau. Er mwyn i hyn fod yn gymwys, mae'n rhaid bod amheuaeth _______ bod yr unigolyn wedi _______'r drosedd.

Mae'r 'Safonau _______ Gwaith Achos' yn ddogfen sy'n amlinellu'r _______ y gall y cyhoedd eu disgwyl gan Wasanaeth Erlyn y Goron. Mae'r rhain yn bwysig i ddal Gwasanaeth Erlyn y Goron i _______ os bydd yn methu darparu'r gwasanaeth a amlinellir _______.

**Geiriau i'w defnyddio**

13
gyfrif
dderbyniol
Twrnai Cyffredinol
gyhuddo
Brif Erlynydd y Goron
cyflawni
CPS Direct
ddod i ben
Cyfarwyddwr Erlyniadau Cyhoeddus
tystiolaethol
pedwar
cod llawn
amcan
y tu allan i'r llys
Ddeddf Erlyniad Troseddau
lles y cyhoedd
Ansawdd
resymol
adran 10
adran 23
saith
safonau
trothwy

## 1.7 Cwestiynau cyflym

1. Enwch y tri chategori o drosedd.
2. Beth yw arwyddocâd achos ***Hutchinson v UK (2017)***?
3. Beth yw pum prif nod dedfrydu?
4. Beth yw gorchymyn adsefydlu ieuenctid?
5. Beth yw'r gwahaniaeth rhwng rhyddhau diamod a dedfryd ataliedig?
6. Pa ffactorau sy'n cael eu hystyried wrth benderfynu rhoi mechnïaeth?
7. Rhowch dair enghraifft o amodau all gael eu gosod ar fechnïaeth.
8. Beth yw arwyddocâd ***adran 14 Deddf Cyfiawnder Troseddol 2003*** mewn perthynas â nodau dedfrydu?
9. Amlinellwch dri o fanteision caniatáu mechnïaeth i rywun a ddrwgdybir.
10. Beth yw pum swyddogaeth Gwasanaeth Erlyn y Goron?
11. Rhowch dair enghraifft o dystiolaeth annibynadwy.
12. Esboniwch y prawf trothwy sy'n cael ei ddefnyddio gan Wasanaeth Erlyn y Goron.
13. Sut mae ***achos yr Arglwydd Janner (2015)*** o bosibl wedi niweidio enw da Gwasanaeth Erlyn y Goron?

# Rheithgorau

| Yn y fanyleb | Yn yr adran hon bydd myfyrwyr yn datblygu eu gwybodaeth am y canlynol: |
|---|---|
| **CBAC UG/U2**<br>**1.6:** Y broses droseddol | • Rôl pobl leyg: treial gan reithgor gan gynnwys dewis rheithgor, y rheithgor a chwestiynau ffeithiol, rheithfarn y mwyafrif, cyfrinachedd y rheithgor a defnyddio rheithgorau mewn llysoedd crwner, beirniadaethau a dewisiadau eraill ar wahân i'r system rheithgorau |

**CYSWLLT**

I gael rhagor o wybodaeth am reithgorau, gweler tudalennau 80–88 yn *CBAC Safon Uwch Y Gyfraith Llyfr 1*.

## Gwella adolygu

Gall y maes hwn o'r fanyleb gael ei arholi fel cwestiwn traethawd naill ai ar gyfer UG neu U2. I ennill marciau **AA3**, dylai dysgwyr fod yn barod i allu dadansoddi a gwerthuso'r system rheithgorau yn ogystal â thrafod mewn ffordd gytbwys pa mor effeithiol, neu gynrychiadol, yw treial gan reithgor.

Bydd y cwestiynau 'esboniwch' byrrach yn targedu'r marciau **AA1**. Gallai enghreifftiau gynnwys y canlynol:

- Esboniwch rôl y rheithgor.
- Esboniwch y meini prawf i fod yn gymwys ar gyfer gwasanaethu ar reithgor.
- Esboniwch y defnydd o reithgorau mewn achosion troseddol yng Nghymru a Lloegr.

Ar gyfer y cwestiynau marciau uwch ar lefel UG ac U2, mae'r cwestiynau traethawd wedi'u hanelu'n fwy at y marciau **AA3**, lle mae'n rhaid i chi gyflwyno dadl gytbwys, wedi'i chefnogi'n dda, gyda rhywfaint o ddadansoddi a gwerthuso. Dyma enghreifftiau o'r mathau o gwestiynau posibl:

- Dadansoddwch a gwerthuswch pa mor ddibynadwy yw treial gan reithgor.
- Dadansoddwch a gwerthuswch fanteision ac anfanteision treial gan reithgor.
- Dadansoddwch a gwerthuswch pa mor gynrychiadol yw treial gan reithgor.

## Gweithgaredd 1.43 Rôl y rheithgor

Cwblhewch y geiriau sydd ar goll gan ddefnyddio'r rhestr ar y dde.

**Esboniwch rôl y rheithgor yng Nghymru a Lloegr.**

Mae'r rheithgor yn sefydliad hynafol a democrataidd o fewn y system gyfreithiol, ac mae'n bodoli ers y . Mae'r rheithgor yn cael ei ddewis ar hap ac mae'n gyfle i'r cyhoedd gymryd rhan yn y broses gweinyddu .

Mae'r cysyniad o y rheithgor yn golygu bod rheithgorau yn a dydyn nhw ddim yn gallu cael eu dylanwadu gan y barnwr. Cafodd hyn ei ddangos yn gynnar yn achos ac yna'n ddiweddarach yn achosion ac . Er gwaethaf argymhellion gan , ni chafodd y cynnig i orfodi rheithgorau i ddwyn rheithfarn euog ei roi ar waith.

Mae'r rheithgor yn eistedd yn mewn achosion troseddol, gan wrando ar y dystiolaeth sy'n cael ei chyflwyno gan yr erlyniad a'r amddiffyniad, ac yna mae'n penderfynu ar reithfarn neu ddieuog. Mae'r rheithgor yn penderfynu ar sail , a dylai ddod i reithfarn neu, os na fydd yn gallu cytuno ar ôl cyfnod rhesymol o amser, gall ddod i reithfarn o ddim mwy na 10–2. Mae ***Deddf 1974*** yn darparu ar gyfer hyn. Mewn gwirionedd, mae rheithgorau yn cael eu defnyddio mewn o achosion yn unig, gan fod bron pob achos yn cael ei glywed yn y llys .

Mae rheithgorau yn cael eu defnyddio mewn nifer bach o achosion sifil hefyd. Yn yr achosion hyn, rôl y rheithgor yw penderfynu ar a'r mewn achosion fel , twyll, , ac weithiau difenwad. Mae ***Deddf y Lys 1981*** a ***Deddf Llysoedd 1984*** yn darparu ar gyfer hyn.

Mae rheithgorau yn cael eu defnyddio yn llys y crwner hefyd, lle maen nhw'n penderfynu beth yw mewn achosion fel marwolaethau yn y ddalfa, marwolaethau yn y , a digwyddiadau yn ymwneud ag iechyd a diogelwch. Un enghraifft oedd cwest .

**Geiriau i'w defnyddio**

1%
Auld
Bushell
achos y farwolaeth
Llys y Goron
Sirol
iawndal
degwch
ffeithiau
carcharu ar gam
euog
Hillsborough
ddiduedd
Rheithgorau
cyfiawnder
atebolrwydd
ynadon
Magna Carta
fwyafrifol
erlyniad maleisus
carchar
R v Ponting
R v Wang
Goruchaf
unfrydol

## Gweithgaredd 1.44 Ydw i'n gymwys i wasanaethu ar reithgor?

Gan ddefnyddio'r meini prawf cymhwyso o dan ***Ddeddf Cyfiawnder Troseddol a'r Llysoedd 2015***, trafodwch a yw'r bobl ganlynol yn gymwys i wasanaethu ar reithgor. Ystyriwch a allen nhw gael eu hesgusodi, ac a fydden nhw wedi bod yn gymwys cyn 2015.

**1.** Fy enw i yw Brenda, a chefais ddirwy am ddwyn o siop fis yn ôl.

Yn gymwys? Rheswm:

Yn gymwys cyn 2015? Rheswm:

**2.** Fy enw i yw Carl, ac rwyf wedi cael fy ngwahardd rhag gyrru am gymryd ceir heb ganiatâd y perchennog.

Yn gymwys? Rheswm:

Yn gymwys cyn 2015? Rheswm:

**3.** Fy enw i yw Michael, ac rydw i'n ymgynghorydd sy'n gweithio yn uned damweiniau ac achosion brys yr ysbyty lleol.

Yn gymwys? Rheswm:

Yn gymwys cyn 2015? Rheswm:

**4.** Fy enw i yw Jennifer, ac rydw i'n farnwr cylchdaith sy'n aml yn gwrando achosion yn Llys y Goron.

Yn gymwys? Rheswm:

Yn gymwys cyn 2015? Rheswm:

**5.** Fy enw i yw Elizabeth. Rydw i'n fyddar, ond rydw i'n gallu darllen gwefusau.

Yn gymwys? Rheswm:

Yn gymwys cyn 2015? Rheswm:

**Deddf Rheithgorau 1974**
Rhwng 18 a 70 oed

**Adroddiad Auld 2001**
- Rhy hawdd osgoi gwasanaethu ar reithgor
- Angen ehangu'r gronfa o reithwyr i fod yn fwy cynrychiadol

**Deddf Cyfiawnder Troseddol 2003**
Rhwng 18 a 70 oed
Gohirio yn unig

- Euogfarnau troseddol difrifol
- Ar fechnïaeth ar y pryd
- Salwch meddwl

**Deddf Cyfiawnder Troseddol a'r Llysoedd 2015**
Rhwng 18 a 75 oed
Pedair trosedd newydd

Parhad

**6.** Fy enw i yw Anthony, ac rydw i'n fyfyriwr coleg sy'n mynd i sefyll arholiadau Safon Uwch pwysig cyn bo hir.

Yn gymwys? Rheswm:

Yn gymwys cyn 2015? Rheswm:

**7.** Fy enw i yw Azeem, ac rydw i'n mynd i'r ysbyty'n rheolaidd i gael triniaeth electrogynhyrfol am broblemau iechyd meddwl.

Yn gymwys? Rheswm:

Yn gymwys cyn 2015? Rheswm:

**8.** Fy enw i yw Cecil, ac rydw i wedi treulio pum mlynedd yn y carchar. Fe wnes i wasanaethu ar reithgor yn ddiweddar, ond wnes i ddim dweud wrth neb am fy euogfarn.

Yn gymwys? Rheswm:

Yn gymwys cyn 2015? Rheswm:

## Gweithgaredd 1.45 Dyddiadur rheithiwr

Darllenwch y darnau canlynol o ddyddiadur aelod o reithgor, ac amlygwch unrhyw bwyntiau sydd, yn eich barn chi, yn briodol ar gyfer gwerthuso'r system rheithgorau yng Nghymru a Lloegr. A oes unrhyw bwyntiau sy'n gwneud i chi feddwl bod treial gan reithgor yn annheg? Os felly, a ddylai'r system gael ei diddymu?

Cofiwch, pan fyddwch yn gwerthuso, fod sgiliau **AA3** yn cael eu harholi. Mae angen i chi gyflwyno **dadl gytbwys gydag awdurdod cyfreithiol**, felly ceisiwch ddod o hyd i achos i gyd-fynd â phob pwynt.

### Ffeithiau'r achos

Mae'r diffynnydd, Carrie Oakey, wedi cael ei chyhuddo o ladrad arfog ac ymgais i lofruddio, ar ôl iddi dorri i mewn i siop gornel a oedd yn berchen i'r dioddefwr, Tim Burr. Fe wnaeth hi ei drywanu ef sawl gwaith â chyllell, a cheisiodd ddianc gyda dros £1000 mewn arian parod o'r til, gan adael Mr Burr i farw. Tyst allweddol yn yr achos yw un o swyddogion yr heddlu. Nid oedd ar ddyletswydd, ond roedd yn prynu papur newydd yn y siop ar y pryd, ac arestiodd Ms Oakey yn y fan a'r lle.

Parhad

Diwrnod 1
Ar ddechrau'r diwrnod, roeddwn yn nerfus iawn ac roeddwn yn meddwl efallai y bydden nhw'n pigo arna i. Doeddwn i ddim yn gwybod eu bod nhw'n gallu gwneud hynny. Roeddwn yn poeni y byddwn i'n dychwelyd y rheithfarn anghywir.

Cyn i'r treial ddechrau, dywedodd un o aelodau'r rheithgor wrth y tywysydd na fyddai hi'n gallu gwasanaethu, oherwydd ei bod wedi dioddef lladrad arfog. Roedd yn teimlo y byddai'n peri llawer o ddychryn a gofid iddi hi wrth glywed am achos tebyg. Roeddwn yn meddwl fod hyn braidd yn od, oherwydd doeddwn i ddim yn meddwl eich bod chi'n gallu cael eich esgusodi o wasanaeth rheithgor.

Clywais gan sawl tyst heddiw, gan gynnwys cwsmer yn y siop, ac roeddwn i'n gwybod ei fod yn ficer lleol. Roedd yn mynnu bod Tim Burr wedi dioddef ymosodiad gan gwsmer arall yn y siop. Cyn y treial, gwelais luniau teledu cylch cyfyng (CCTV) o'r ymosodiad mewn papur newydd lleol sy'n cadarnhau hyn, er na chafodd lluniau cylch cyfyng eu dangos yn ystod y treial. Roeddwn yn meddwl bod hyn braidd yn rhyfedd, ond efallai na wnaethon nhw eu dangos gan eu bod nhw'n cymryd yn ganiataol y byddai pawb wedi eu gweld. Mae bargyfreithiwr yr amddiffyniad, Jo King QC, yn olygus iawn. Mae perfformiad Jo wedi gwneud cymaint o argraff arnaf nes fy mod yn ystyried awgrymu ein bod yn mynd ar ddêt ar ôl i'r treial ddod i ben.

Does gen i ddim syniad o hyd a yw'r diffynnydd yn euog neu'n ddieuog, felly rwyf wedi bod yn gydwybodol ac wedi gwneud rhywfaint o ymchwil ar y rhyngrwyd i ddarganfod mwy am y diffynnydd a'r ymosodiad. Rwyf wedi darganfod bod gan y diffynnydd, Carrie Oakey, euogfarnau blaenorol am ddwyn ac felly rwy'n siŵr ei bod hi'n euog.

Roeddwn wedi penderfynu mynd â'r nodiadau hyn gyda mi fory, a rhannu'r wybodaeth â'r rheithwyr eraill, pan gefais neges Facebook gan ferch Ms Oakey. Roedd hi yn y llys heddiw, ac yn y neges gofynnodd i mi ganfod ei mam yn ddieuog oherwydd bod ei thad wedi marw, ac felly bydd hi'n cael ei gadael ar ei phen ei hun os bydd ei mam yn mynd i'r carchar. Mae hyn yn gwneud i mi deimlo trueni dros Ms Oakley, ond mae'n fy rhoi mewn sefyllfa letchwith. Rwyf wedi anfon neges breifat ati yn dweud y byddaf yn gwneud beth fedraf. Dydw i ddim yn meddwl y bydd hyn yn golygu fy mod mewn trwbwl, oherwydd dydw i ddim wedi addo unrhyw beth iddi hi.

Diwrnod 2
Ar ôl i mi gyrraedd y llys, rydw i'n cael gair gydag un o'r rheithwyr eraill ac rydyn ni'n penderfynu mynd am ginio gyda'n gilydd. Dros ginio, rydyn ni'n siarad am y treial am amser hir. Mae'n dweud wrtha i ei fod wedi ymddeol fel swyddog yr heddlu, a does dim ffordd y gall tystiolaeth yr heddlu fod yn anghywir, felly mae'n rhaid bod y diffynnydd yn euog. Mae hyn wedi gwneud i mi newid fy meddwl. Hefyd, rydyn ni bellach wedi gweld lluniau o anafiadau Mr Burr, ac maen nhw'n reit ddrwg – roedd un ffotograff yn dangos lle roedd y gyllell wedi cael ei thrywanu yn ei frest, ac roedd yn llawn gwaed a llanast. Rydw i'n meddwl y byddaf yn cael hunllefau heno.

Diwrnod 3
Wrth i'r treial fynd yn ei flaen, rwyf yn dechrau diflasu ac rydw i eisiau mynd adref. Mae'n rhaid aros o gwmpas am hir, ac rydw i'n dechrau meddwl am yr holl bethau y gallwn i fod yn eu gwneud yn hytrach nag eistedd

Parhad

mewn ystafell ddiflas yn y llys, yn gwrando ar lwyth o bobl mewn dillad gwirion yn siarad am bethau nad ydw i'n eu deall; dydy hyd yn oed Jo King QC ddim yn edrych mor olygus erbyn hyn. Er mwyn gwneud i'r amser basio'n gynt, rydw i wedi dechrau chwarae gêm OXO gyda'r rheithiwr sy'n eistedd wrth fy ymyl. Fydd y bobl yn y llys ddim yn gwybod beth rydyn ni'n ei wneud, gan ein bod ni'n cael gwneud nodiadau yn ystod y treial. Rydw i wir yn gobeithio y bydd y treial yn gorffen yfory.

Diwrnod 4

Mae'r amddiffyniad a'r erlyniad yn crynhoi heddiw. Mae'r ddwy ochr yn dda ond byddaf yn bendant yn gofyn i Jo, bargyfreithiwr yr amddiffyniad, i fynd allan ar ddêt ar ôl i'r llys orffen. Go brin y byddai rhywun mor hyfryd yn amddiffyn rhywun sydd wedi cyflawni trosedd mor ofnadwy, felly mae'n rhaid bod Ms Oakey yn ddieuog. Wrth i'r barnwr ddweud wrthon ni am fynd allan i drafod, mae'n dweud bod rhaid i ni ddod i benderfyniad rydyn ni i gyd yn cytuno arno; rydw i'n meddwl ei fod wedi ei alw'n rheithfarn unfrydol.

Mae ystafell drafod y rheithgor yn fach iawn, heb ffenestri, ac mae'n teimlo fel cell mewn carchar. Er bod cyfleusterau i wneud te a choffi, mae'n drewi ac yn hen; does neb arall yn cael dod i mewn yma. Mae'r cyn-swyddog heddlu, yr un roeddwn i'n siarad ag ef dros ginio, wedi ei enwebu ei hun yn ben-rheithiwr. Mae e'n sicr bod y diffynnydd yn euog, oherwydd bod y tyst mwyaf allweddol yn swyddog yr heddlu. Gan fod pawb yn awyddus iawn i fynd adref, rydyn ni i gyd yn cytuno ac yn penderfynu cael y diffynnydd yn euog wedi'r cwbl. Fydd y barnwr ddim yn gofyn i ni pam rydyn ni wedi dod i'r penderfyniad hwnnw. Roedd y trafodaethau drosodd mewn awr, a daeth ein gwasanaeth rheithgor i ben ar ôl i ni gyflwyno'r rheithfarn i'r barnwr yn y llys.

## Cyd-destun

Mae'r cyfryngau cymdeithasol a'r rhyngrwyd yn dechrau dod yn fygythiad enfawr i dreial gan reithgor, ac mae llawer o achosion diweddar wedi amlygu'r problemau hyn.

## Gweithgaredd 1.46 A yw treial gan reithgor yn ddibynadwy?

Ymchwiliwch i'r achosion a'r erthyglau isod, a chwblhewch y tabl i ddangos pa rai sy'n awgrymu bod treial gan reithgor yn ddibynadwy, a pha rai sy'n awgrymu ei fod yn annibynadwy.

Sut gallai'r troseddau newydd gafodd eu creu o dan ***Ddeddf Cyfiawnder Troseddol a'r Llysoedd 2015*** helpu i atal troseddau yn y dyfodol?

- ***R v Banks (2011)***
- ***R v Pryce (2013)***. Gweler hefyd: www.youtube.com/watch?v=isAVYrtPkgM
- ***R v Dallas (2012)***
- ***R v Smith and Dean (2016)***
- ***British Broadcasting Corporation and eight other media organisations, R (on the application of) v F&D (2016)***
- ***R v Cilliers (2017)***
- ***R v Fraill (2011)***

Parhad

- *The Guardian*: 'Is the internet destroying juries?' 26 Ionawr 2010
- *Mail Online*: 'Gardener jailed for sending prank text', 21 Rhagfyr 2014
- *BBC News*: 'Hillsborough inquests: Jury chosen to probe fans' deaths', 31 Mawrth 2014

| Ffynhonnell sy'n awgrymu bod treial gan reithgor yn ddibynadwy | Ffynhonnell sy'n awgrymu bod treial gan reithgor yn annibynadwy |
|---|---|
| | |
| | |
| | |
| | |
| | |
| | |

## 1.8 Cwestiynau cyflym

1. Pam mae'r rheithgor yn cael ei ddisgrifio fel sefydliad mwyaf democrataidd y system gyfreithiol?
2. Pa Ddeddf sy'n llywodraethu'r rheolau cyfredol ar gymhwystra i wasanaethu fel rheithiwr yng Nghymru a Lloegr?
3. Pwy mewn cymdeithas sydd bellach wedi'i wahardd rhag gwasanaethu ar reithgor?
4. Pryd gallech chi gael eich esgusodi rhag gwasanaethu ar reithgor?
5. Beth yw ystyr gwirio rheithgorau (*jury vetting*)?
6. Amlinellwch y ddadl o blaid gwirio rheithgorau, gan ddefnyddio barn farnwrol.
7. Amlinellwch y ddadl yn erbyn gwirio rheithgorau, gan ddefnyddio barn farnwrol.
8. Beth yw'r tri dull posibl o herio'r rheithgor?
9. A oes gan ddiffynnydd hawl i gael rheithgor aml-hil? Defnyddiwch enghreifftiau o achosion i egluro eich ateb.
10. Pa droseddau dirmyg newydd gafodd eu creu o dan ***Ddeddf Cyfiawnder Troseddol a'r Llysoedd 2015***?

# Personél cyfreithiol: Bargyfreithwyr a chyfreithwyr

| Yn y fanyleb | Yn yr adran hon bydd myfyrwyr yn datblygu eu gwybodaeth am y canlynol: |
|---|---|
| **CBAC UG/U2**<br>**1.7:** Personél cyfreithiol | • Bargyfreithwyr a chyfreithwyr: addysg, hyfforddiant a rôl<br>• Strwythur y proffesiynau cyfreithiol; uno, penodi, hyfforddi a chefndir cymdeithasol<br>• Rôl y gweithredwr cyfreithiol a phersonél paragyfreithiol<br>• Rheoleiddio'r proffesiynau cyfreithiol |

## Gwella adolygu

Fel yn achos pob testun arall yn Adran B manyleb UG ac U2 Y Gyfraith, gallech gael cwestiwn sydd naill ai'n profi **AA1 gwybodaeth a dealltwriaeth** neu gwestiwn **AA3 dadansoddi a gwerthuso**. Byddwch yn ymwybodol o natur benodol iawn cyn-bapurau arholiad, oherwydd **ni** fydd ymwybyddiaeth a dealltwriaeth gyffredinol o fargyfreithwyr a chyfreithwyr yn ddigon.

Ar gyfer y cwestiynau marciau is sy'n profi **AA1 gwybodaeth a dealltwriaeth** ar y testun hwn, bydd angen i chi fod yn ymwybodol o addysg a hyfforddiant bargyfreithwyr a chyfreithwyr, a bydd angen i chi allu esbonio'r gwahaniaethau rhwng y ddau broffesiwn.

**CYSWLLT**

I gael rhagor o wybodaeth am fargyfreithwyr a chyfreithwyr, gweler tudalennau 89–93 yn *CBAC Safon Uwch Y Gyfraith Llyfr 1*.

Ar gyfer cwestiwn marc uwch sy'n profi sgiliau **AA3 dadansoddi a gwerthuso**, bydd rhaid i chi werthuso rôl bargyfreithwyr a chyfreithwyr, diwygiadau a dyfodol y proffesiynau cyfreithiol. Ar gyfer yr ymatebion hirach hyn, dylech chi ddechrau gyda chyflwyniad sy'n rhoi trosolwg o'r hyn mae'r ateb yn mynd i'w drafod. Gallai hefyd gynnwys rhywfaint o gyd-destun cryno, ynghyd ag esboniad o dermau allweddol mewn perthynas â'r testun neu'r cwestiwn. Yna, dylai eich ateb ddilyn strwythur rhesymegol gyda pharagraffau sy'n cysylltu'n ôl at y cwestiwn, ac sy'n defnyddio tystiolaeth i'w gefnogi. Yn olaf, dylech gynnwys casgliad sy'n tynnu'r materion at ei gilydd ar sail y dystiolaeth rydych chi wedi'i chyflwyno mewn perthynas â'r cwestiwn. Er mwyn gwerthuso, bydd angen i chi esbonio beth rydych chi'n ei werthuso hefyd.

## Lluniwch eich nodiadau adolygu o amgylch y canlynol...

- **Cyfreithwyr**
  - Maen nhw'n gweithio mewn cwmni neu ar ran corff, gan weithio mewn swyddfa yn bennaf, ond gallan nhw gyflwyno achosion yn y llys ynadon neu'r Llys Sirol
  - Gallan nhw gymhwyso i gael hawliau ymddangos yn y llysoedd uwch hefyd
  - Er mwyn **cymhwyso**, rhaid iddyn nhw basio'r **Cwrs Hyfforddiant Cyfreithiol** a chwblhau contract hyfforddi dwy flynedd
  - Maen nhw'n cael eu cynrychioli gan **Gymdeithas y Cyfreithwyr**, a'u rheoleiddio gan yr **Awdurdod Rheoleiddio Cyfreithwyr**

- **Bargyfreithwyr**
  - Maen nhw fel arfer yn hunangyflogedig, ond gallan nhw weithio i gorff neu sefydliad
  - Mae **tenantiaeth** yn golygu safle parhaol mewn siambrau
  - Rhaid bod yn aelod o un o bedwar **Ysbyty'r Brawdlys**
  - Er mwyn **cymhwyso**, rhaid iddyn nhw basio **Cwrs Hyfforddiant Proffesiynol y Bar** a chwblhau **disgybledd** (neu **dymor prawf**) cyn y gallan nhw weithio
  - Maen nhw'n gweithio yn y llys yn bennaf, gyda hawliau ymddangos llawn ar ôl cymhwyso
  - **Rheol y 'rhes cabiau'**: mae'n rhaid iddyn nhw dderbyn unrhyw waith perthnasol sy'n cael ei gynnig iddyn nhw
  - I wneud cais i ddod yn **Gwnsler y Frenhines (CF)**, rhaid i fargyfreithiwr fod wedi gweithio am o leiaf 10 mlynedd
- **Gweithredwyr cyfreithiol**
  - Maen nhw'n gweithio mewn cwmnïau cyfreithwyr neu sefydliadau cyfreithiol eraill, gan ddelio â materion syml. Mae ganddyn nhw hawliau ymddangos cyfyngedig

## Gweithgaredd 1.47 Croesair personél cyfreithiol

*Cofiwch fod llythrennau fel Ch, Dd, Th etc. yn cyfrif fel un llythyren yn y Gymraeg.*

**Cliwiau**

1. Mae'r math hwn o gyfreithiwr yn hunangyflogedig ac yn gweithio mewn siambrau. [13]
2. Enw corff llywodraethol bargyfreithwyr yw y Bar [5]
3. Enw corff llywodraethol cyfreithwyr yw y Cyfreithwyr [7]
4. Mae uwch fargyfreithiwr yn cymryd y teitl y Frenhines [7]
5. Mae cyfreithiol yn gweithio i gwmnïau cyfreithwyr. [11]
6. Roedd cwrs hyfforddiant Proffesiynol y Bar yn arfer cael ei alw'n Gwrs y Bar. [13]
7. Y math o gontract dwy flynedd y mae'n rhaid i gyfreithwyr ei gwblhau. [7]
8. Mae bellach yn cael ei alw'n Ddiploma Graddedig yn y Gyfraith, ond roedd yn arfer cael ei alw'n Arholiad Cyffredin. [11]
9. Y term sy'n cael ei ddefnyddio ar gyfer cyflwyno achos mewn llys. [9]
10. Gall y math hwn o bersonél cyfreithiol fod yn bartner mewn cwmni. [10]
11. Enw'r hyfforddiant mae bargyfreithiwr yn ei gael 'wrth ei waith'. [9]

## Gweithgaredd 1.48 Cwis personél cyfreithiol

Rhowch gylch o amgylch yr ateb cywir i'r cwestiynau.

1. Beth yw ystyr **eiriolaeth**?
   a. Siarad gyda chleient
   b. Cynrychioli cleient yn y llys
   c. Negodi ar ran cleient
2. Beth yw ystyr **trawsgludo**?
   a. Mynd i'r llys
   b. Llunio contract
   c. Delio ag ochr gyfreithiol prynu tŷ
3. Pwy allai ymgeisio i fod yn **Gwnsler y Frenhines**?
   a. Barnwr
   b. Uwch fargyfreithiwr neu gyfreithiwr
   c. Ynad
4. Pwy sy'n gorfod cwblhau **disgybledd** neu **dymor prawf**?
   a. Bargyfreithiwr
   b. Cyfreithiwr
   c. Barnwr
5. Pwy neu beth sy'n ymchwilio i gwynion yn erbyn proffesiwn y gyfraith?
   a. Y Gweinidog Cartref
   b. Yr Arglwydd Ganghellor
   c. Ombwdsmon y Gwasanaethau Cyfreithiol

## Gweithgaredd 1.49 Cwestiynau heriol am bersonél cyfreithiol

Atebwch y cwestiynau, mewn cymaint o fanylder ag y gallwch.

1. Beth ddigwyddodd yn achos ***Hall v Simons (2000)***?

2. Esboniwch ddatblygiad cyfreithwyr-eiriolwyr, gan ddefnyddio **dwy** Ddeddf Seneddol.

3. Beth sy'n digwydd yn Ysbytai'r Brawdlys?

Parhad

**Pwynt bonws**: Enwch Ysbytai'r Brawdlys:

4. Beth mae Cyngor Cyffredinol y Bar yn ei wneud?

5. Pa anawsterau mae menywod yn y proffesiwn yn eu hwynebu?

6. Ar ôl i chi ennill eich gradd, pa gwrs mae'n rhaid i chi ei basio os ydych chi eisiau bod yn gyfreithiwr?

**PWYNT BONWS:** Disgrifiwch beth sy'n digwydd ar y cwrs.

7. Amlinellwch **ddwy feirniadaeth gyffredin** ar hyfforddiant bargyfreithwyr a chyfreithwyr. Peidiwch ag anghofio sôn am awdurdodau perthnasol.

   **a.**

   **b.**

8. Amlinellwch y meini prawf angenrheidiol i gymhwyso a chael eich penodi yn Gwnsler y Frenhines.

9. Sut gallwch chi gwyno am gyfreithiwr sydd wedi darparu gwasanaeth gwael?

Parhad

10. Rhowch grynodeb o ddiwygiadau Syr David Clement ym maes gwasanaethau cyfreithiol.

## Gweithgaredd 1.50 Paragyfreithwyr vs gweithredwyr cyfreithiol

Defnyddiwch y gofod isod i ysgrifennu **pum** gwahaniaeth rhwng paragyfreithwyr a gweithredwyr cyfreithiol.

Gallwch ddefnyddio'r gwefannau hyn i gael rhagor o gymorth: www.ilex.org.uk ac www.nationalparalegals.com

| PARAGYFREITHWYR | GWEITHREDWYR CYFREITHIOL |
|---|---|
| | |
| | |
| | |
| | |
| | |

## 1.9 Cwestiynau cyflym

1. Ar ôl sawl blwyddyn o weithio fel bargyfreithiwr gall rhywun fod yn gymwys i ddod yn Gwnsler y Frenhines?
2. Beth yw rheol y 'rhes cabiau'?
3. Beth yw'r enw sy'n cael ei roi ar gyfnod hyfforddi bargyfreithwyr?
4. Beth yw enwau pedwar Ysbyty'r Brawdlys?
5. Beth yw ystyr **hawliau ymddangos**?
6. Beth yw enw'r corff sy'n delio â chwynion yn erbyn cyfreithwyr?
7. Pa Ddeddf Seneddol oedd yn ei gwneud yn bosibl i gyfreithwyr gael eu penodi i'r llysoedd uwch?

# Personél cyfreithiol: Y Farnwriaeth

| Yn y fanyleb | Yn yr adran hon bydd myfyrwyr yn datblygu eu gwybodaeth am y canlynol: |
|---|---|
| **CBAC UG/U2**<br>1.7: Personél cyfreithiol | • Y farnwriaeth: rôl, hierarchaeth<br>• Y farnwriaeth: dethol, hyfforddi, cyfansoddiad, rheoleiddio<br>• Y farnwriaeth: safle cyfansoddiadol, annibyniaeth a rheolaeth cyfraith |

**CYSWLLT**

I gael rhagor o wybodaeth am y farnwriaeth, gweler tudalennau 94–97 yn *CBAC Safon Uwch Y Gyfraith Llyfr 1*.

## Gwella adolygu

Fel yn achos pob testun arall yn Adran B manyleb UG ac U2 Y Gyfraith, gallech gael cwestiwn i brofi eich sgiliau **AA1 gwybodaeth a dealltwriaeth**, neu gwestiwn yn profi eich sgiliau **AA3 dadansoddi a gwerthuso**. Byddwch yn ymwybodol o natur benodol iawn cyn-bapurau arholiad, oherwydd **ni** fydd ymwybyddiaeth a dealltwriaeth gyffredinol o'r farnwriaeth yn ddigon.

Ar gyfer y cwestiynau marciau is sy'n profi **AA1 gwybodaeth a dealltwriaeth** ar y testun hwn, mae angen i chi fod yn ymwybodol o sut mae barnwyr yn cael eu dethol a'u penodi, a'u hyfforddiant. Dylech chi allu esbonio rôl barnwyr yn hierarchaeth y llys.

Ar gyfer cwestiwn marc uwch sy'n profi sgiliau **AA3 dadansoddi a gwerthuso**, efallai bydd rhaid i chi werthuso annibyniaeth y farnwriaeth, asesu pa mor gynrychiadol ydyn nhw o gymdeithas, a gallu awgrymu ffyrdd o ddiwygio.

Meddyliwch am elfennau o bob testun fyddai'n gallu cyfiawnhau ymateb marc uwch, mwy gwerthusol. Dyma enghreifftiau o'r mathau o gwestiynau posibl:

- Dadansoddwch a gwerthuswch annibyniaeth y farnwriaeth.
- Dadansoddwch a gwerthuswch a yw barnwyr yn gynrychiadol o gymdeithas.
- Dadansoddwch a gwerthuswch y drefn o benodi barnwyr.

Ar gyfer yr ymatebion hirach hyn, dylech chi strwythuro eich ateb gan roi cyflwyniad sy'n cynnig trosolwg o'r hyn y bydd yr ateb yn ei drafod, a sut bydd prif gorff y ddadl yn datblygu. Gallai hefyd gynnwys rhywfaint o gyd-destun cryno, ynghyd ag esboniad o dermau allweddol mewn perthynas â'r testun/cwestiwn. Yna, dylai eich ateb ddilyn strwythur rhesymegol gyda pharagraffau sy'n cysylltu'n ôl i'r cwestiwn, gan ddefnyddio tystiolaeth i'w gefnogi. Yn olaf, dylech gynnwys casgliad sy'n clymu'r materion at ei gilydd, ac sydd wedi ei lunio ar sail y dystiolaeth rydych chi wedi'i chyflwyno mewn perthynas â'r cwestiwn. Er mwyn gwerthuso, bydd angen i chi esbonio beth rydych chi'n ei werthuso hefyd.

## Lluniwch eich nodiadau adolygu o amgylch y canlynol...

- Mae rôl barnwyr yn amrywio gan ddibynnu ym mha lys maen nhw'n eistedd, ac mae mathau gwahanol o farnwyr ar bob lefel o'r llysoedd
- Roedd barnwyr yn arfer cael eu dethol drwy **ymholi dirgel**, ond maen nhw bellach yn cael eu dewis gan y **Comisiwn Penodiadau Barnwrol**, a sefydlwyd gan ***Ddeddf Diwygio Cyfansoddiadol 2005***. Mae'r Comisiwn Penodiadau Barnwrol yn cyflwyno ei argymhellion i'r Arglwydd Ganghellor
- I sicrhau bod barnwyr yn gallu gweithredu heb orfod ofni'r canlyniadau, mae'n rhaid iddyn nhw gael **sicrwydd daliadaeth**, bod yn annibynnol ym mhob achos, a bod yn annibynnol ar y llywodraeth

## Gweithgaredd 1.51 Y proffesiwn cyfreithiol: cymhariaeth

Ar sail yr hyn rydych chi wedi'i ddysgu am farnwyr, bargyfreithwyr a chyfreithwyr, cwblhewch y tabl canlynol.

| | Barnwyr | Bargyfreithwyr/cyfreithwyr |
|---|---|---|
| Rôl | | |
| Cymwysterau | | |
| Dull dethol | | |
| Pa mor gynrychiadol o gymdeithas ydyn nhw? | | |

Parhad

| | Barnwyr | Bargyfreithwyr/cyfreithwyr |
|---|---|---|
| Sut gallan nhw gael eu dyrchafu? | | |
| Y llysoedd lle maen nhw'n gweithio | | |
| Nifer yn y system gyfreithiol | | |
| Beirniadaeth gyffredin o'u rôl | | |
| Sylwadau eraill | | |

## Gweithgaredd 1.52 Dethol barnwyr

**Geiriau i'w defnyddio**
bargyfreithiwr
amrywiol
ILEX
cyfreithwyr
Deddf Tribiwnlysoedd, Llysoedd a Gorfodaeth
wyn
eang

**Cwblhewch y geiriau sydd ar goll gan ddefnyddio'r rhestr ar yr ochr.**

**Dadansoddwch a gwerthuswch i ba raddau mae'r dull o ddethol barnwyr yn decach nawr nag oedd cyn *Deddf Diwygio Cyfansoddiadol 2005*.**

Un rheswm pam mae'r broses o ddethol barnwyr yn decach nawr yw bod y pwll o ddarpar ymgeiswyr yn fwy ____________. Yn y gorffennol, profiad fel ____________ yn unig oedd yn cael ei dderbyn cyn byddai rhywun yn gallu dod yn farnwr is. Bellach, mae llawer o farnwyr is wedi gweithio fel ____________, yn hytrach nag fel bargyfreithwyr. Yn ogystal â hynny, roedd ____________ ***2007*** hefyd yn galluogi'r rhai oedd â phrofiad fel cymrodyr, academyddion a chyflafareddwyr i wneud cais i ddod yn farnwr. Ond yn 2017 nododd y 'Judicial ____________ Statistics' fod gostyngiad wedi bod yn nifer y barnwyr oedd heb gefndir fel bargyfreithwyr. Roedd hyn yn dangos bod camau wedi eu cymryd i wneud y broses ddethol yn decach, ond mae angen gwneud mwy i wella nifer y barnwyr o gefndiroedd heb fod yn ____________.

Parhad

Un pwynt ychwanegol sy'n awgrymu bod y broses o ddethol barnwyr yn decach erbyn hyn yw bod mwy o annibyniaeth oddi wrth y                . Er enghraifft, mae pwerau                i ddethol barnwyr wedi diflannu, bron iawn. Mae'r broses                a dadleuol flaenorol o ddethol barnwyr gan rywun mewn swydd wleidyddol wedi cael ei dileu ar gyfer pob barnwr is. Yn hytrach, mae'r                annibynnol wedi cael ei greu i ddethol barnwyr ar sail haeddiant yn unig. Ond mae'n rhaid ymgynghori â'r Arglwydd Ganghellor o hyd ar benodiadau uwch.

Mae hyn yn dangos bod y broses o ddethol barnwyr yn llawer tecach ac yn galluogi barnwyr, yn annibynnol ar y Weithrediaeth, i gyflawni eu rôl o warchod dinasyddion y DU yn erbyn llywodraeth a allai fod yn ormesol.

Yn olaf, mae prosesau dethol yn llawer mwy tryloyw erbyn hyn. Mae'n ofynnol i'r Comisiwn Penodiadau Barnwrol                swyddi barnwrol ac mae wedi gwneud ymdrech i fynd i'r afael â mater amrywiaeth. Mae'r system agored hon yn cyferbynnu â'r hen system, lle roedd ymgeiswyr yn cael eu gwahodd yn gyfrinachol i ddod yn farnwyr. Roedd y rhai oedd yn cael eu dethol yn tueddu o ran rhyw i fod yn                ac o ran ethnigrwydd yn                . Mae hyn yn dangos bod gan bawb sydd â'r cymwysterau perthnasol gyfle i ymgeisio.

Felly, i raddau helaeth, mae'r prosesau ar gyfer dethol barnwyr yn llawer mwy teg, gan arwain at farnwriaeth o gefndir mwy                .

**Geiriau i'w defnyddio**

hysbysebu
bargyfreithiwr
Deddf Diwygio Cyfansoddiadol 2005
Weithrediaeth
Comisiwn Penodiadau Barnwrol
wrywaidd
gudd
wyn

## 1.10 Cwestiynau cyflym

1. Beth yw enw'r corff sy'n gyfrifol am benodi barnwyr?
2. Beth yw ystyr **sicrwydd daliadaeth**?
3. Beth yw'r gwahanol ffyrdd o ddiswyddo barnwr?
4. Beth oedd ystyr **ymholi dirgel**?
5. O dan ba adran o ***Ddeddf Hawliau Dynol 1998*** y gall barnwyr gyhoeddi datganiad anghydnawsedd?
6. Pa Ddeddf Seneddol oedd yn ei gwneud yn gymwys i farnwyr gael eu penodi ar sail nifer y blynyddoedd o brofiad oedd ganddyn nhw ar ôl cymhwyso?
7. Beth yw ystyr athrawiaeth **gwahaniad pwerau**?
8. Sut mae barnwr yn dod yn gymwys i gael ei benodi i'r Goruchaf Lys?
9. Pa Ddeddf Seneddol wnaeth sefydlu'r Goruchaf Lys?

# Personél cyfreithiol: Ynadon

| Yn y fanyleb | Yn yr adran hon bydd myfyrwyr yn datblygu eu gwybodaeth am y canlynol: |
|---|---|
| **CBAC UG/U2**<br>**1.7:** Personél cyfreithiol | • Ynadaeth a barnwyr rhanbarth yn y llysoedd ynadon<br>• Rôl, dethol, penodi a hyfforddi |

**CYSWLLT**

I gael rhagor o wybodaeth am ynadon, gweler tudalennau 98–101 yn *CBAC Safon Uwch Y Gyfraith Llyfr 1.*

## Gwella adolygu

Fel yn achos pob testun arall yn Adran B manyleb UG ac U2 Y Gyfraith, gallech gael cwestiwn i brofi eich sgiliau **AA1 gwybodaeth a dealltwriaeth**, neu gwestiwn yn profi **AA3 dadansoddi a gwerthuso.** Byddwch yn ymwybodol o natur benodol iawn cyn-bapurau arholiad, oherwydd **ni** fydd ymwybyddiaeth a dealltwriaeth gyffredinol o ynadon yn ddigon.

Ar gyfer y cwestiynau marciau is sy'n profi **AA1 gwybodaeth a dealltwriaeth** ar y pwnc hwn, mae angen i chi fod yn ymwybodol o rôl ynadon. Dylech chi allu esbonio rôl ynadon lleyg a barnwyr rhanbarth. Ar gyfer cwestiwn marc is, efallai bydd angen i chi esbonio'r broses o ddethol a phenodi ynadon hefyd.

Ar gyfer cwestiwn marc uwch sy'n profi sgiliau **AA3 dadansoddi a gwerthuso**, bydd angen i chi werthuso rôl ynadon a'u pwysigrwydd i'r system cyfiawnder troseddol, ac yna awgrymu diwygiadau.

Meddyliwch am elfennau o bob testun fyddai'n gallu cyfiawnhau ymateb marc uwch, mwy gwerthusol. Dyma enghreifftiau o'r mathau o gwestiynau posibl:

- Dadansoddwch a gwerthuswch rôl ynadon.
- Dadansoddwch a gwerthuswch fanteision ac anfanteision ynadon.

Yma hefyd, gwnewch yn siŵr eich bod chi'n strwythuro eich ymateb mewn ffordd resymegol.

## Lluniwch eich nodiadau adolygu o amgylch y canlynol...

- Mae pwerau a swyddogaethau ynadon yn dod o dan ***Ddeddf Ynadon Heddwch 1997*** a ***Deddf Llysoedd 2003***
- **Pobl leyg**
- Maen nhw'n cael eu penodi ar sail haeddiant gan yr **Arglwydd Brif Ustus**
- Mae pobl o **bob rhan o gymdeithas** yn cael eu hannog i ymgeisio
- **Yr eithriadau i hyn** yw swyddogion yr heddlu a wardeiniaid traffig, a phobl sydd ag euogfarnau troseddol difrifol

- **Awdurdodaeth droseddol:**
  - Gwrando ar achosion ynadol a rhai troseddau neillffordd
  - Penderfynu a yw'r diffynnydd yn euog neu'n ddieuog, a'i ddedfrydu
  - Awdurdodaeth gyfyngedig i ddedfrydu
- **Awdurdodaeth sifil:**
  - Rôl gyfyngedig mewn achosion sifil
  - Rhoi trwyddedau i siopau betio a chasinos, a gwrando ar apeliadau yn ymwneud â thrwyddedau tafarndai a bwytai
- **Clercod ynadon:** Cyfreithwyr cymwysedig sy'n rhoi cyngor ac arweiniad i ynadon ar faterion y gyfraith, gweithdrefn ac arferion, gan roi cyngor yn y llys agored ond heb gael dylanwad ar benderfyniadau
- **Hyfforddi gorfodol** yn seiliedig ar **gymwyseddau** sef yr hyn y mae angen ei wybod a'i wneud er mwyn cyflawni'r rôl
- **Cefndir:** 'Dosbarth canol, canol oed a chanol y ffordd' ond yn gynrychiadol o ran rhywedd a chefndiroedd ethnig
- **Barnwyr rhanbarth (y llysoedd ynadon):** Barnwyr proffesiynol sy'n eistedd mewn llysoedd ynadon yn y ddinas
- **Manteision:** Pobl leyg yn cymryd rhan; gwybodaeth leol; safbwynt cytbwys; cost uniongyrchol is
- **Anfanteision:** Ddim yn gynrychiadol; anghyson; aneffeithlon; tuedd o blaid yr heddlu; cost anuniongyrchol uchel

## Gweithgaredd 1.53 Meini prawf cymhwyso ynadon

**Trefnwch y meini prawf cymhwyso i ynadon yn y tabl isod, gan nodi a ydyn nhw'n gywir neu'n anghywir.**

- Ymwybyddiaeth o faterion cymdeithasol
- Cymwysterau cyfreithiol
- Bod rhwng 21 a 65 oed
- Bod yn aeddfed, deall pobl a bod ag ymdeimlad o degwch
- Bod â chefndir neu swydd broffesiynol
- Bod yn ddibynadwy ac yn ymroddedig i wasanaethu'r gymuned
- Gallu bod yn y llys am o leiaf 36 hanner diwrnod bob blwyddyn
- Bod heb euogfarnau diweddar

| CYWIR | ANGHYWIR |
| --- | --- |
| | |
| | |
| | |
| | |
| | |

## Gweithgaredd 1.54 Ynadon lleyg

**Cwblhewch y geiriau sydd ar goll gan ddefnyddio'r rhestr ar y chwith.**

**Geiriau i'w defnyddio**
95
apeliadau
arestio
Ddeddf Mechnïaeth
y Goron x 2
dditiadwy
clerc ynadon
lleyg
dull y treial
heddlu
anfon
ddedfryd
chwe
ynadol
heb uchafswm
rheithfarn
ieuenctid x 2

Mae ynadon ______ yn eistedd ar fainc i glywed achos. Maen nhw'n cael cymorth ______ ar faterion cyfreithiol a gweithdrefnau.

Mae ynadon yn profi'r troseddau ______ llai difrifol, yn ogystal â rhai troseddau sy'n brofadwy neillffordd. Maen nhw'n delio â ______ % o achosion troseddol o'r dechrau i'r diwedd. Mewn achosion o'r fath, maen nhw'n penderfynu ar y ______ yn ogystal â'r ______ i'r diffynnydd. Gall ynadon ddedfrydu diffynnydd i hyd at ______ mis yn y carchar neu ddirwy ______. Os ydyn nhw'n meddwl bod y diffynnydd yn haeddu dedfryd fwy llym, gallan nhw eu hanfon i Lys ______, lle maen nhw'n cael eu dedfrydu o dan ***Ddeddf Pwerau Llysoedd Troseddol (Dedfrydu) 2000***.

Os bydd y diffynnydd yn pledio'n euog, gall yr ynadon naill ai ei ddedfrydu neu, os ydyn nhw'n meddwl bod eu pwerau dedfrydu yn annigonol, gallan nhw ei ______ i Lys y Goron i'w ddedfrydu. Os bydd y diffynnydd yn pledio'n ddieuog, bydd gwrandawiad i bennu ______ yn penderfynu ymhle bydd y treial yn cael ei gynnal. Mae'r ynadon yn ystyried euogfarnau blaenorol y diffynnydd, a ffeithiau'r achos. Os yw'r ynad yn barod i wrando ar yr achos, gall y diffynnydd ddewis i'r treial gael ei gynnal naill ai mewn llys ______ neu Lys ______.

Er bod pob trosedd ______ yn mynd ar brawf yn Llys y Goron, mae angen delio â'r materion rhagarweiniol yn y llys ynadon yn gyntaf. Yn ystod gwrandawiadau o'r fath, mae'n ofynnol i ynadon ganiatáu neu wrthod mechnïaeth o dan ______ ***1976***.

Gall dau ynad eistedd gyda barnwr i glywed ______ yn Llys y Goron. Gall ynadon eraill sydd wedi cael hyfforddiant arbenigol wrando ar achosion yn y llys ______, lle mae diffynyddion rhwng 10 ac 17 oed yn cael eu cyhuddo o droseddau (ac eithrio llofruddiaeth). Y tu allan i'r llys, gall ynadon gyhoeddi gwarantau chwilio ac ______ i'r ______. Maen nhw hefyd yn gallu caniatáu estyniad i'r heddlu o ran y cyfnod amser gallan nhw gadw rhywun dan amheuaeth i'w holi.

## Gweithgaredd 1.55 Manteision ac anfanteision ynadon

Llenwch y bylchau.

**Manteision ynadon**
- Dylai fod yn ______ o gymdeithas
- Gall gael [....] leol ______
- Ychydig o ______
- Cael eu cefnogi gan ______ cyfreithiol
- ______ uniongyrchol isel

**Anfanteision ynadon**
- Yn aml yn cael eu cyhuddo o duedd o blaid yr ______
- ______ anuniongyrchol uchel
- Dibyniaeth ar ______
- 'Canol ______ a ______ canol'
- Anghysondeb o ran ______

## Gweithgaredd 1.56 Croesair ynadon

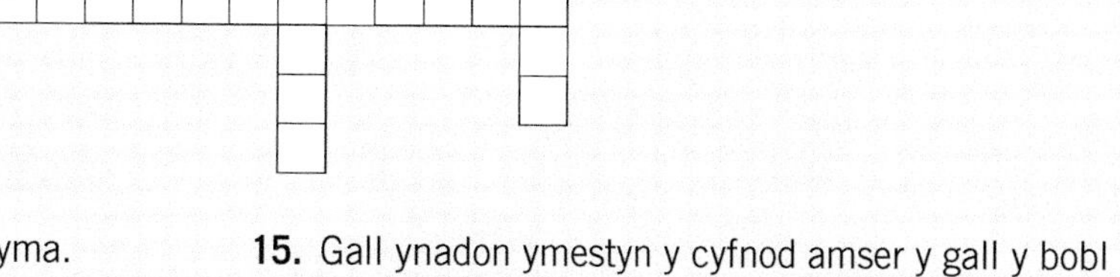

### I Lawr

1. Dyma'r fframwaith ar gyfer hyfforddi ynadon. [1,1,1,1]
2. Mae'r grŵp hwn yn derbyn ceisiadau ac yn cynnal cyfweliadau i ddod yn ynadon. [7,10,4]
3. Dyma un o'r chwe rhinwedd allweddol. [11,11]
4. Mae ynadon sydd newydd eu penodi yn eistedd fel y rhain pan maen nhw'n cael eu mentora. [7]
5. Mae angen penodi mwy o bobl o'r cefndir hwn i gadw cydbwysedd. [7,8]
6. Bydd gwasanaethu fel aelod o'r rhain yn eich atal chi rhag dod yn ynad. [5,5]
7. Mae ynadon yn gwrando ar bob trosedd o'r math hwn. [6]
8. Gall ynadon gael hyfforddiant arbenigol i wrando ar achosion yma. [3,9]
9. Mae angen i ynadon arddangos y rhain; bydd yn rhaid eu dangos yn y cyfweliad cyntaf. [3,6,7]
10. Bydd ynadon yn cynnig un o'r rhain i ddiffynnydd yn ei ymddangosiad cyntaf yn y llys. [10,2,9]
11. Mae ynadon yn anfon achosion difrifol yma. [3,1,5]
12. Mae rhai ynadon wedi cyfaddef bod ganddyn nhw hyn tuag at dystiolaeth yr heddlu. [4]
13. Gwrandawiad sy'n cael ei gynnal er mwyn i ddiffynyddion bledio mewn achosion neillffordd profadwy. [3,3,7]
14. Mae 40% o ynadon yn hyn. [6]
15. Gall ynadon ymestyn y cyfnod amser y gall y bobl hyn holi pobl a ddrwgdybir. [5]
16. Os ydych chi'n un o'r rhain, allwch chi ddim bod yn ynad! [8]
17. Ystyr y gair hwn yw nad oes gan ynadon gymwysterau cyfreithiol. [4]
18. Dyma uchafswm dedfryd dan glo gall ynadon ei phasio. [3,3]



Parhad

**Ar Draws**

**19.** Mae pobl o dan 25 oed yn annhebygol o gael eu penodi oherwydd diffyg hyn. [7,5]

**20.** Dyma un o'r chwe rhinwedd allweddol. [8,2]

**21. + 22.** ar draws **+ 31** ar draws. Mae'n rhaid i ynadon ddangos hyn fel un o'r pedwar prif gymhwysedd. [6,14,8]

**23.** Gall ynadon ganiatáu hyn i ddiffynyddion er mwyn iddyn nhw fod yn rhydd nes eu treial. [8]

**24.** Nifer yr ynadon sy'n eistedd ar fainc. [3]

**25.** Gall ynadon ganiatáu'r rhain i'r heddlu. [7,7]

**26.** Mae'r gwrandawiad hwn yn penderfynu lle bydd troseddau neillffordd profadwy yn cael eu clywed. [3,1,6]

**27.** Mae'n rhaid bod ynadon wedi gwasanaethu ar hwn am sawl blwyddyn cyn cael hyfforddiant arbenigol.

**28.** Mae diffynyddion sy'n byw yma yn fwy tebygol o gael eu rhyddhau na'r rhai yn Birmingham!

**29.** Mae hyn yn cael ei brofi yn yr ail gyfweliad. [7,8]

**30.** Mae ynadon yn cael eu penodi ar ran yr unigolyn hwn. [1,9]

**31.** Gweler 21 + 22 ar draws.

**32.** Mae ynadon yn cynnal y gwrandawiadau hyn ar gyfer troseddau ditiadwy. [12]

## 1.11 Cwestiynau cyflym

1. Faint yw oed ynadon pan mae'n rhaid iddyn nhw ymddeol?
2. Beth yw'r ddirwy fwyaf gall ynadon ei rhoi?
3. Beth yw enw'r corff sy'n cyfweld ynadon?
4. Pa grwpiau o bobl sydd wedi'u heithrio rhag dod yn ynadon?
5. Mae ynadon fel arfer yn eistedd ar fainc sy'n cynnwys sawl ynad?
6. Pwy sy'n gyfrifol am benodi ynadon?
7. Beth yw'r ddedfryd uchaf gall ynadon ei rhoi?
8. Mae ynadon yn gysylltiedig ag achosion yn ymwneud â pha fath o droseddau?

# Mynediad at gyfiawnder a chyllid

| Yn y fanyleb | Yn yr adran hon bydd myfyrwyr yn datblygu eu gwybodaeth am y canlynol: |
|---|---|
| **CBAC UG/U2**<br>**1.8:** Mynediad at gyfiawnder a chyllid | • Ffynonellau arian: Cymorth Cyfreithiol Sifil.<br>• Ffynonellau arian: Cymorth Cyfreithiol Troseddol a Gwasanaethau Amddiffynwyr Cyhoeddus.<br>• Ariannu achosion sifil a throseddol, gan gynnwys cynlluniau cynghori a rôl yr Asiantaeth Cymorth Cyfreithiol, profion haeddiant, profion modd, meini prawf cymhwyso a blaenoriaethau ar gyfer ariannu.<br>• Cytundebau ffioedd amodol, gan gynnwys sut maent yn gweithio, eu manteision, a'u hanfanteision. |

## Gwella adolygu

Mae hwn yn faes testun mawr sydd fel petai'n newid yn gyson, gyda llawer o ddadleuon a materion cyfredol i'w harchwilio. Mae llawer o'r pwyslais ar ***Ddeddf Cymorth Cyfreithiol, Dedfrydu a Chosbi Troseddwyr 2012***, lle mae'r rhan fwyaf o'r gyfraith sy'n ymwneud ag ariannu cyhoeddus i'w chael.

Ar gyfer cwestiynau marciau is sy'n profi **AA1 gwybodaeth a dealltwriaeth** am y testun hwn, mae angen i chi wybod am bob is-destun. Gallai enghreifftiau gynnwys y canlynol:

- Esboniwch ffynonellau ariannu cyfreithiol amgen.
- Esboniwch beth yw ystyr cytundeb ffi amodol.

**CYSWLLT**

I gael rhagor o wybodaeth am fynediad at gyfiawnder a chyllid, gweler tudalennau 102–108 yn *CBAC Safon Uwch Y Gyfraith Llyfr 1*.

Mae cwestiynau traethawd marciau uwch wedi'u hanelu'n fwy at sgiliau **AA3 dadansoddi a gwerthuso**, lle mae'n rhaid i chi gyflwyno dadl gytbwys sydd wedi'i chefnogi'n dda. Dyma enghreifftiau o'r mathau o gwestiynau posibl:

- Dadansoddwch a gwerthuswch i ba raddau mae angen cyfreithiol sydd heb ei ateb yn dal i fodoli.
- Dadansoddwch a gwerthuswch y ddarpariaeth ariannu cyfreithiol o dan ***Ddeddf Cymorth Cyfreithiol, Dedfrydu a Chosbi Troseddwyr 2012***.
- Dadansoddwch a gwerthuswch i ba raddau mae cytundebau ffioedd amodol yn ffordd lwyddiannus o ariannu cyfreithiol.

## Lluniwch eich nodiadau adolygu o amgylch y canlynol...

- **Asiantaeth Cymorth Cyfreithiol**
  - Mae'r Cyfarwyddwr Gwaith Achos Cymorth Cyfreithiol yn penderfynu ar achosion unigol
- **1949–1999:**
  - Y wladwriaeth les
  - System yn ôl y galw, a arweiniodd at 'angen heb ei ateb am wasanaethau cyfreithiol'.
- **1999–2012:**
  - Cyllideb benodedig
  - Masnachfreintio gwasanaethau cyfreithiol
  - Cyflwyno cytundebau ffioedd amodol
  - Gweinyddu gan y Comisiwn Gwasanaethau Cyfreithiol

- **Cymorth cyfreithiol sifil**
  - ***adran 8 Deddf Cymorth Cyfreithiol, Dedfrydu a Chosbi Troseddwyr 2012***:
    - Amddiffyn plant
    - Anghenion addysgol arbennig
    - Budd-daliadau lles
    - Trais domestig
    - Cyfryngu teuluol
    - Esgeuluster clinigol yn achos babanod
    - Colli cartref
    - Dyma'r meysydd sy'n cael eu blaenoriaethu, ac maen nhw i gyd yn ddibynnol ar brofion modd a haeddiant
  - ***adran 10 Deddf Cymorth Cyfreithiol, Dedfrydu a Chosbi Troseddwyr 2012***:
    - '**ariannu eithriadol**' ar gyfer achosion pan fyddai peidio ag ariannu yn mynd yn groes i hawliau dynol
- **Contractau:** cwmnïau sydd â chontract gyda'r Asiantaeth Cymorth Cyfreithiol yw'r unig rai sy'n gallu cynnig cymorth cyfreithiol sifil. Mae hyn yn creu cystadleuaeth ac yn gwella safonau
- **Ffynonellau eraill o gymorth cyfrethiol sifil:**
  - Dau fath o drefniant **dim ennill, dim ffi**: defnyddiol yn benodol mewn achosion anafiadau personol, ac ar gyfer pobl sydd ddim yn gymwys i gael cymorth cyfreithiol sifil. Trefniadau preifat yw'r rhain rhwng y cynrychiolydd cyfreithiol a'r cleient
  - **Cytundebau ffioedd amodol:**
    - **Ennill**: Mae'r cynrychiolydd cyfreithiol yn cael y ffi arferol, ynghyd â ffi ymgodi, neu ffi llwyddiant
  - **Cytundebau ar sail iawndal:**
    - **Ennill**: Mae'r cynrychiolydd cyfreithiol yn cael canran o'r iawndal a dalwyd
    - **Colli**: Nid yw'r cynrychiolydd cyfreithiol yn cael ei dalu
- **Cymorth cyfreithiol troseddol**
  - ***adran 16 Deddf Cymorth Cyfreithiol, Dedfrydu a Chosbi Troseddwyr 2012***:
    - System gymysg o gynnig cyngor a chynrychiolaeth droseddol sy'n cynnwys y **Gwasanaeth Amddiffynwyr Cyhoeddus**, a **chyfreithwyr preifat** sydd â chontractau â'r Asiantaeth Cymorth Cyfreithiol
- **Yng ngorsaf yr heddlu:**
  - Canolfan Alwadau Cyfreithwyr Amddiffyn
  - *Criminal Defence Direct*
  - Cynrychiolydd gorsaf heddlu
  - Gwasanaeth Amddiffynwyr Cyhoeddus
  - Cynllun Cyfreithiwr ar Ddyletswydd: ***adran 13 Deddf Cymorth Cyfreithiol, Dedfrydu a Chosbi Troseddwyr 2012***
- **Yn y llys ynadon:**
  - ***adran 14 Deddf Cymorth Cyfreithiol, Dedfrydu a Chosbi Troseddwyr 2012***: Mae Cymorth Cyfreithiol ar gyfer cynrychiolaeth yn y llys ar gael, yn amodol ar brawf **modd** a phrawf **haeddiant** (er budd cyfiawnder) yn unig

## Gweithgaredd 1.57 Methiannau a Llwyddiannau Deddf Cymorth Cyfreithiol, Dedfrydu a Chosbi Troseddwyr 2012

Mae rhai methiannau a llwyddiannau wedi'u cynnwys yn y tabl isod. Defnyddiwch y cysylltau ymchwil canlynol i gwblhau'r tabl ac ychwanegu rhagor o bwyntiau:

- **'Legal Support: The Way Ahead'** yw enw dogfen a gafodd ei chyhoeddi gan y llywodraeth ym mis Chwefror 2019 yn amlinellu dyfodol ariannu cyfreithiol: assets.publishing.service.gov.uk/government/uploads/system/uploads/attachment_data/file/777036/legal-support-the-way-ahead.pdf (mae crynodeb yn Gymraeg ar gael yma: https://assets.publishing.service.gov.uk/government/uploads/system/uploads/attachment_data/file/777171/legal-support-the-way-ahead-welsh-summary.pdf)
- **Mae angen cyfreithiol sydd heb ei ateb yn dal i fodoli:** www.equalityhumanrights.com/sites/default/files/the-impact-of-laspo-on-routes-to-justice-september-2018.pdf

| Llwyddiannau ✓ | Methiannau |
|---|---|
| Mae toriadau i gymorth cyfreithiol sifil yn golygu bod pobl yn cael eu hannog i edrych am ddewis arall – e.e. dulliau amgen o ddatrys anghydfod, neu setliad y tu allan i'r llys. | Oherwydd bod rhaid pasio prawf modd a haeddiant i gael cymorth cyfreithiol troseddol, mae goblygiadau enfawr i hyn o ran tanseilio rheolaeth cyfraith. |
| Mae'r toriadau i gymorth cyfreithiol yn golygu bod y llywodraeth yn arbed arian, oherwydd ei bod wedi gorwario llawer iawn o dan y cynllun blaenorol. | Mae rhai cwmnïau o gyfreithwyr yn mynd i'r wal oherwydd nad oes digon o achosion yn cael eu hariannu gan arian cyhoeddus. |
| Mae ffynonellau eraill, fel Cyngor ar Bopeth ac unedau pro bono, wedi gweld cynnydd yn eu busnes. | Mae cytundebau ffioedd amodol yn ddadleuol, oherwydd dim ond achosion sydd â siawns dda o ennill y bydd gweithwyr cyfreithiol proffesiynol yn fodlon eu derbyn. |
| Nod y Ddeddf oedd osgoi cyfreitha diangen a gwrthwynebus ar bwrs y wlad, ac anelu cymorth cyfreithiol at y rhai sydd fwyaf ei angen. | Mae'r toriadau wedi arwain at gynnydd enfawr yn nifer y bobl sy'n cyfreitha drostyn nhw eu hunain (hynny yw, pobl sy'n eu cynrychioli eu hunain) ac mae hyn yn rhoi mwy o faich ar y llysoedd, oherwydd bydd y gwrandawiad yn para'n hirach. |
| | Mae llawer o achosion sydd ddim yn gymwys ar gyfer cymorth cyfreithiol bellach, ac oherwydd bod y meini prawf cymhwyso yn fwy llym, mae angen cyfreithiol sydd heb ei ateb yn dal i fodoli. |
| | |
| | |
| | |

Nawr **dadansoddwch** a **gwerthuswch** i ba raddau mae angen cyfreithiol sydd heb ei ateb yn dal i fodoli.

## Gweithgaredd 1.58 Cysylltu awdurdod cyfreithiol

Tynnwch linellau i gysylltu'r adran neu'r atodlen berthnasol o ***Ddeddf Cymorth Cyfreithiol, Dedfrydu a Chosbi Troseddwyr 2012*** â'r rheol gyfreithiol mae'n ei sefydlu.

| Awdurdod cyfreithiol | Rheol |
|---|---|
| *adran 16* | Meini prawf 'ariannu eithriadol' ar gyfer achos sy'n ymwneud â thorri hawliau dynol. |
| *adran 8* | Diddymu gallu'r parti sy'n colli i adennill costau mewn cytundebau ffioedd amodol. |
| *adran 4* | Meysydd 'blaenoriaeth' sy'n gymwys i gael cymorth cyfreithiol sifil. |
| *adran 13* | Creu cytundebau ar sail iawndal. |
| *adran 14* | Cymorth cyfreithiol sifil. |
| *adran 10* | Profion modd a haeddiant ar gyfer cymorth cyfreithiol sifil. |
| *adran 44* | Profion modd a haeddiant ar gyfer Gorchmynion Cynrychioli (cymorth cyfreithiol troseddol). |
| *adran 1* | Hawl i gael cyfreithiwr ar ddyletswydd yng ngorsaf yr heddlu. |
| *adran 45* | Cymorth cyfreithiol troseddol. |

Ymhelaethwch ar hyn, gan esbonio pob un o'r darpariaethau cyfreithiol yn fanwl, drwy greu map meddwl sy'n ateb y cwestiwn: **Esboniwch sut gall achosion sifil a throseddol gael eu hariannu yng Nghymru a Lloegr.**

## Gweithgaredd 1.59 Cytundebau ffioedd amodol a chytundebau ar sail iawndal

**Cwblhewch y geiriau sydd ar goll gan ddefnyddio'r rhestr ar y dde.**

Cafodd cytundebau ffioedd amodol eu cyflwyno am y tro cyntaf gan ______, ac wedyn yn fwy eang o fewn ______. Cytundebau ______ yw'r rhain rhwng y cyfreithiwr a'r ______. Maen nhw ar gael ar gyfer achosion ______, gan nad yw'r rhain bellach yn cael eu hariannu gan y system cymorth cyfreithiol. O dan ______ ***Deddf Cymorth Cyfreithiol, Dedfrydu a Chosbi Troseddwyr 2012***, does dim rhaid i'r ______ dalu ______'r parti sy'n ______. Gall y ffi ______ fod hyd at ______ o'r ffi ______, heblaw mewn achosion anafiadau personol, lle nad yw'r ffi llwyddiant yn gallu bod yn fwy na ______ o'r iawndal, gan eithrio iawndal am ______ a cholledion yn y dyfodol.

Mae cytundebau ar sail iawndal yn debyg i gytundebau ffioedd amodol ond, os bydd eu hachos yn llwyddiannus, mae hawl gan y ______ i gymryd ______ o ______ eu cleient. Y taliad ______ sy'n gallu cael ei gymryd gan y cyfreithiwr yw 25% o'r iawndal mewn achosion anafiadau personol a ______ mewn achosion tribiwnlys cyflogaeth.

Y broblem gyda chytundebau ______ yw bod costau ______ yn aml, ac mae'n rhaid i hawlwyr yn aml dalu premiwm ______ drud i dalu am gostau, sydd ddim o reidrwydd yn ______ i bawb. Mae pobl yn aml yn cael eu rhoi o dan bwysau mawr gan dactegau ______'r 'ffermwyr ______', fel maen nhw'n cael eu galw, wrth iddyn nhw ddefnyddio technegau marchnata amhriodol a gwerthwyr ______. Ond maen nhw'n cynnig mynediad at gyfiawnder i'r bobl sydd ddim yn ______ i gael cymorth cyfreithiol.

**Geiriau i'w defnyddio**

25%
35%
100%
Deddf Mynediad at Gyfiawnder 1999
fforddiadwy
sylfaenol
hawliadau
cleient
costau
Ddeddf Llysoedd a Gwasanaethau Cyfreithiol 1990
iawndal
ofal
cudd
yswiriant
bygythiol
collwr
uchaf
'dim ennill, dim ffi'
canran
anafiadau personol
preifat
gymwys
gwerthu
adran 44
cyfreithiwr
ymgodi
ennill

## Gweithgaredd 1.60 Deall termau'r broses droseddol

Rhowch ddiffiniad ar gyfer y termau allweddol hyn y mae angen i chi eu gwybod mewn perthynas â'r broses droseddol.

| Term | Diffiniad |
|---|---|
| prawf er budd cyfiawnder | |
| prawf modd (cymorth cyfreithiol troseddol) | |
| Gwasanaeth Amddiffynwyr Cyhoeddus | |
| Gorchymyn Cynrychioli | |
| Prawf modd (cymorth cyfreithiol sifil) | |
| Prawf haeddiant | |
| Asiantaeth Cymorth Cyfreithiol | |
| angen heb ei ateb am wasanaethau cyfreithiol | |
| dim ennill, dim ffi | |
| Criminal Defence Direct | |
| ffi ymgodi/ffi llwyddiant | |

## Gweithgaredd 1.61 Cyllid cyfreithiol

Darllenwch y senarios isod a phenderfynwch pa arian a/neu gyngor cyfreithiol y byddai'r bobl ynddyn nhw yn gallu eu cael.

Meddyliwch am y canlynol:

- Ai achos sifil neu droseddol yw hwn?
- A yw'r unigolyn yn gymwys i gael cymorth cyfreithiol sifil neu droseddol o dan ***Ddeddf Cymorth Cyfreithiol, Dedfrydu a Chosbi Troseddwyr 2012***?
- Os nad yw'n gymwys, a oes unrhyw bosibiliadau eraill y byddai'r unigolyn yn gallu eu hystyried?

1. Mae Riley newydd gael ei arestio am ymosod ac achosi gwir niwed corfforol, ac mae'n cael ei gyfweld gan yr heddlu. Bydd yn ymddangos yn y llys ynadon yfory. Mae Riley yn poeni nad oes ganddo gynrychiolaeth gyfreithiol, ac nid yw'n gallu fforddio talu am gynrychiolaeth ar ei gyflog o £13,000 y flwyddyn.

   Achos sifil neu droseddol?

2. Mae Barbara wedi bod mewn damwain car yn ddiweddar, lle cafodd anafiadau chwiplach (*whiplash*) difrifol, ac mae hi wedi cael problemau wrth symud ers hynny. Tarodd gyrrwr i mewn iddi, ac roedd y gyrrwr dros y lefel alcohol cyfreithiol ar gyfer gyrru.

   Achos sifil neu droseddol?

3. Mae Catrin, merch tair oed Aoife, wedi bod yn yr ysbyty'n ddiweddar yn dioddef o haint difrifol ar y frest. Mae gan Catrin alergedd i benisilin, ond wnaeth y meddygon ddim gwirio hyn. Cafodd penisilin ei roi iddi ac roedd hyn yn esgeulus. Nawr mae Aoife eisiau siwio'r ysbyty am esgeuluster clinigol.

   Achos sifil neu droseddol?

Parhad

4. Mae Megan yn entrepreneur cyfoethog sy'n rhedeg cwmni glanhau llwyddiannus yn ei hardal leol. Mae un aelod o'i staff wedi ei chyhuddo o wahaniaethu. Dydy Megan ddim eisiau talu am gynrychiolaeth gyfreithiol ddrud, felly mae hi'n chwilio am gyngor cyfreithiol rhad neu am ddim.

   Achos sifil neu droseddol?

5. Mae Sajid yn geisiwr lloches (*asylum seeker*) sydd wedi bod yn byw yn y DU am dair blynedd. Mae mewn perygl o gael ei allgludo, ond mae'n honni y bydd ei fywyd mewn perygl os bydd yn dychwelyd i'w wlad enedigol. Nid yw wedi gallu gweithio, felly nid yw'n gallu fforddio apelio at y llysoedd yn erbyn y penderfyniad i'w allgludo.

   Achos sifil neu droseddol?

6. Cafodd Josh ei arestio am ddwyn, ac ar hyn o bryd mae'n cael ei gyfweld yn yr orsaf heddlu leol. Mae'n ennill dros £200,000 y flwyddyn. Mae'n ansicr beth mae'n gymwys i'w gael o ran cynrychiolaeth gyfreithiol a chyngor am ddim.

   Achos sifil neu droseddol?

## 1.12 Cwestiynau cyflym

1. Beth yw enw'r corff sy'n gweinyddu'r system cymorth cyfreithiol?
2. Pa fathau o achosion sy'n dal i fod yn gymwys am gymorth cyfreithiol sifil?
3. Beth yw rôl y Gwasanaeth Amddiffynwyr Cyhoeddus?
4. Rhowch dri rheswm pam mae cytundebau ffioedd amodol yn ddadleuol.
5. Beth yw arwyddocâd ***adran 10 Deddf Cymorth Cyfreithiol, Dedfrydu a Chosbi Troseddwyr 2012***?
6. Pa adran o ***Ddeddf Cymorth Cyfreithiol, Dedfrydu a Chosbi Troseddwyr 2012*** sy'n cynnwys y darpariaethau ar gyfer cymorth cyfreithiol troseddol?
7. Rhowch dri rheswm pam mae 'anghenion cyfreithiol heb eu hateb' yn dal i fodoli ers pasio ***Deddf Cymorth Cyfreithiol, Dedfrydu a Chosbi Troseddwyr 2012***.
8. Pam mae pobl weithiau'n dweud bod y system bresennol ar gyfer cymorth cyfreithiol troseddol yn tanseilio rheolaeth cyfraith?
9. Beth yw ystyr 'cyfreithiwr ar ddyletswydd'?
10. Beth yw arwyddocâd Criminal Defence Direct?

# PENNOD 2 CYFRAITH CONTRACT

# Rheolau a damcaniaeth cyfraith contract

| Yn y fanyleb | Yn yr adran hon bydd myfyrwyr yn datblygu eu gwybodaeth am y canlynol: |
| --- | --- |
| **CBAC U2**<br>**3.6:** Rheolau a damcaniaeth cyfraith contract | • Tarddiad a diffiniad cyfraith contract<br>• Swyddogaeth cyfraith contract<br>• Ymwybyddiaeth gyffredinol o effaith penderfyniadau barnwrol, deddfwriaeth a darpariaethau'r UE mewn perthynas â llunio contractau a'u rhyddhau<br>• Y berthynas rhwng hawliau dynol a chyfraith contract<br>• Dadleuon o blaid datblygu system cyfraith contract Ewropeaidd a/neu fyd-eang |

## Gwella adolygu

Mae'r testun hwn yn cynnig cyflwyniad i gyfraith contract, a gall gael ei osod fel cwestiwn esbonio (**AA1**) neu gwestiwn dadansoddi a gwerthuso (**AA3**) o bosibl. Mae'r testun hwn yn rhoi trosolwg o rai o'r rheolau a'r damcaniaethau sy'n sail i'r astudiaeth o faes preifat y gyfraith, sef cyfraith contract. Gwnewch yn siŵr eich bod chi'n gyfarwydd â therminoleg a chefndir cyfraith contract, a chyfraith sifil yn gyffredinol.

**CYSWLLT**

I gael rhagor o wybodaeth am reolau a damcaniaeth cyfraith contract, gweler tudalennau 109–110 yn *CBAC Safon Uwch Y Gyfraith Llyfr 1.*

## Gweithgaredd 2.1 Chwilair cyfraith contract

Chwiliwch am y geiriau allweddol sy'n gysylltiedig â chyfraith contract yn y chwilair.

**Geiriau i'w canfod**

DERBYN
CYTUNDEB
DWYOCHROG
RHWYMOL
TOR-CONTRACT
HAWLYDD
CYDNABYDDIAETH CONTRACT
RHYDDHAU
GORFODI
DATGANEDIG
FFURFLENNI
RHYDDID I LUNIO CONTRACT
YMHLYG
BWRIAD
LAISSEZ-FAIRE
CAMLIWIO
CAMGYMERIAD
CYNNIG
PREIFATRWYDD
ADDEWID

R E C R H I P J R I M B G D L O M Y W H R S W P M

R H B Y H T P P N N U J I N A C J I M J A H S B O

J P Y M T R B N A S A C D S H I U R B H U B J S H

F E R D A U E A H P J N E O A L R J M P L C J E J

S F G H D L N P L A L P N R P A B E P A Y Y U H J

N A Y P F I M D J N R I A A A I D P M N G P G W O

W A S R A B D A E E J D G M R S N M N Y U A A P M

C I U P I I D I I B I S T J H S R I O I G A L B F

W F A R D F J F L W P S A Y Y E G P A R P M T U M

F A S Y O I A W E U G U D U D Z D E R B Y N A S F

L E A I F T U D I P N T A H D F G I L T A P R C E

C A P J R O D A F J R I C U H A D W Y O C H R O G

B H F W O A W B U T R E O U A I J N G A D U N B O

E F Y J G W T T A O R J F C U R I W C G F F J C M

D D F S P D E J L F W N M A O E G A D T A A T C R

D D F B E P D P A H F U F E W N M J A R A N W D T

D A Y D P J J J M E O C R U N L T W F M E G B O R

I E P L E W E D C J A P E O I T G R A L P J W N L

F H Y P W F Y A S Y F U I W U L R P A M F C R W F

M D L L P A F A C W I E I W F O F A I C A A I C N

J C F R R M H I W N G O Y F P D A F T M T B A C D

C Y D N A B Y D D I A E T H C O N T R A C T D F N

A P R N A J Y N T C A R T N O C R O T P A P U S P

B M U L L M N C B G U F H A G L P R L D I J R E M

J J Y S U T S J U F P I E J D O P I C E F M A S H

Gwnewch yn siŵr eich bod chi'n gwybod beth yw ystyr pob un o'r geiriau hyn, a sut byddech chi'n eu defnyddio nhw mewn cwestiwn arholiad ar gyfraith contract.

## 2.1 Cwestiynau cyflym

1. Beth yw ystyr contract?
2. Beth yw ystyr *laissez faire*?
3. Beth yw arwyddocâd ***a3 Deddf Hawliau Dynol 1998*** yng nghyd-destun cyfraith contract?
4. Sut gall egwyddor y rhyddid i lunio contract gael ei chyfyngu gan gyfraith ddomestig?
5. Beth yw'r prif rwymedïau sifil sydd ar gael ar gyfer tor-contract?
6. Rhestrwch 5 enghraifft o'r contractau rydych chi wedi'u cytuno yn ystod yr wythnos ddiwethaf.
7. Beth yw ystyr **marchnad sengl ddigidol**, a beth yw'r cynigion ar gyfer ei chyflawni?

# Gofynion hanfodol contract

| Yn y fanyleb | Yn yr adran hon bydd myfyrwyr yn datblygu eu gwybodaeth am y canlynol: |
|---|---|
| **CBAC U2**<br>**3.7:** Gofynion hanfodol contract, gan gynnwys preifatrwydd contract | • Cynnig: gofynion cynnig dilys, gwahaniaethu rhwng cynigion a gwahoddiadau i drafod, cyfleu'r cynnig, cynigion unochrog<br>• Derbyn: rheolau derbyn, cyfleu penderfyniad i dderbyn<br>• Cydnabyddiaeth: rheolau cydnabyddiaeth gan gynnwys cyflawni dyletswydd contract parod, cyflawni dyletswydd cyhoeddus parod, cydnabyddiaeth o'r gorffennol, rhan-daliad ac estopel addewidiol<br>• Bwriad o greu cysylltiadau cyfreithiol: trefniadau cymdeithasol a domestig, cytundebau masnachol a busnes<br>• Preifatrwydd contract: y rheol sylfaenol, eithriadau i'r rheol, ac effeithiau Deddf Contractau (Hawliau Trydydd Partïon) 1999 |

## Gwella adolygu

Gallai cwestiynau ar y pwnc hwn ymwneud â'r tri Amcan Asesu. Ar gyfer cwestiynau marciau is sy'n profi **AA1 gwybodaeth** am y testun hwn, mae angen i chi allu esbonio gofynion hanfodol contract, a gallai'r cwestiynau ganolbwyntio ar un agwedd gyfyng ar y contract. Efallai bydd angen i chi esbonio'r rhwymedïau sydd ar gael hefyd.

Ar gyfer cwestiynau **AA2**, bydd angen i chi **gymhwyso** gofynion hanfodol contract at senario er mwyn dod i gasgliad ynghylch a oes contract dilys yn bodoli. Dylech chi gynnwys achosion i gefnogi pob elfen o'r gyfraith, ac oherwydd mai'r sgil sy'n cael ei brofi yw **AA2**, mae'n hanfodol eich bod chi'n cymhwyso'r gyfraith at y senario penodol. Mae defnyddio'r fframwaith **NDC** (sef Nodwch, Disgrifiwch, Cymhwyswch, neu *IDA* yn Saesneg) yn ddefnyddiol ar gyfer y mathau hyn o gwestiynau.

Ar gyfer cwestiynau **AA3 gwerthuso**, mae angen i chi **ddadansoddi a gwerthuso** maes o'r gyfraith. Ymhlith elfennau ar y pwnc hwn a allai gael eu cynnwys mewn cwestiwn gwerthuso mae'r rheolau ar dderbyn, y rheol ar breifatrwydd, rhwymedïau neu ddadansoddiad cyffredinol o gyfraith contract. Mae'r rhain yn tueddu i fod yn atebion hirach, ac yn ennill marciau uwch. Mae'n bwysig cynnwys cyflwyniad, prif gorff gyda pharagraffau sy'n cysylltu'n ôl i'r cwestiwn, a chasgliad. Rhowch gymaint o awdurdod cyfreithiol ag y gallwch, gan gynnwys cyfeirio at ddiwygiadau os yw hynny'n briodol.

**CYSWLLT**

I gael rhagor o wybodaeth am ofynion hanfodol contract, gweler tudalennau 111–126 yn *CBAC Safon Uwch Y Gyfraith Llyfr 1.*

## Lluniwch eich nodiadau adolygu o amgylch y canlynol...

**Cynnig**

- Gwahaniaethu rhwng cynnig a gwahoddiadau i drafod
- Mae'n rhaid i gynnig:
  - gael ei gyfleu: ***Taylor v Laird (1856)***
  - gynnwys telerau pendant: ***Guthing v Lynn (1831)***

- Tynnu cynnig yn ôl:
  - rhaid cyfleu bod y cynnig wedi'i dynnu'n ôl
  - gall trydydd parti dibynadwy gyfleu'r ffaith bod cynnig wedi ei dynnu'n ôl: ***Dickinson v Dodds (1876)***
- Terfynu cynnig: derbyn; gwrthgynnig; gwrthod; amser yn mynd heibio; dirymu; methiant yr amodau

**Derbyn**

- Rhaid derbyn yn ddiamod
- Rhaid cyfleu'r derbyn i'r cynigiwr: ***Felthouse v Brindley (1863)***
- Rhaid i'r cynigai fod yn gwybod am fodolaeth y cynnig: ***Inland Revenue Commissioners v Fry (2001)***
- Rhaid i unigolyn sydd wedi'i awdurdodi gyfleu'r derbyn: ***Powell v Lee (1908)***
- Gellir derbyn contract mewn unrhyw ffurf oni bai fod gofyniad i hynny fod ar ffurf benodol:
  - Cyfathrebu ar unwaith: mae'r derbyniad yn ddilys unwaith y caiff ei dderbyn: ***Entores v Miles Far East Corp (1955)***
  - Y rheol postio: bydd y derbyn yn dod yn ddilys pan fydd y derbyniad yn cael ei bostio: ***Adams v Lindsell (1818)***

**Cydnabyddiaeth**

- Yr addewid i roi rhywbeth i'r llall neu wneud rhywbeth ar ei ran
- Rhaid i'r ddau barti ddarparu cydnabyddiaeth os ydyn nhw'n dymuno siwio ar y contract, neu fel arall bydd yn cael ei ystyried yn rhodd
- Rheolau cydnabyddiaeth:
  - Rhaid iddi fod yn 'ddigonol', ond nid oes rhaid iddi fod yn 'llawnddigonol': ***Thomas v Thomas (1942)***
  - Rhaid i'r gydnabyddiaeth symud oddi wrth yr addawai (yr unigolyn y gwneir yr addewid iddo)
  - Nid yw dyletswydd contract sy'n bodoli'n barod yn gyfystyr â chydnabyddiaeth: ***Williams v Roffey Bros (1990)***
  - Nid yw rhan-daliad o ddyled yn gydnabyddiaeth: ***D&C Builders v Rees (1965)*** (sylwer ar yr eithriadau)
  - Nid yw cydnabyddiaeth yn y gorffennol yn gydnabyddiaeth: ***Re McArdle (1951)***

**Bwriad o greu cysylltiadau cyfreithiol**

- Cytundebau cymdeithasol a domestig:
  - Nid oes rhagdybiaeth o fwriad o greu cysylltiadau cyfreithiol, ond gellir gwrthbrofi hyn os oes arian yn rhan o'r trafod: ***Balfour v Balfour (1919)*** a ***Merritt v Merritt (1971)***
- Trefniadau masnachol a busnes:
  - Mae rhagdybiaeth o fwriad o greu cysylltiadau cyfreithiol: ***Edwards v Skyways Ltd (1969)***

**Preifatrwydd contract**

- Rheol sylfaenol: ni all contract roi hawliau neu osod rhwymedigaethau sy'n deillio ohono ar unrhyw unigolyn neu asiant ac eithrio'r partïon sy'n rhan ohono: ***Tweddle v Atkinson (1861), BBC v HarperCollins (2010)***
- Gall y rheol hon arwain at annhegwch, felly mae rhai eithriadau wedi cael eu datblygu:
  - ***Deddf Contractau (Hawliau Trydydd Partïon) 1999***: gall trydydd partïon orfodi hawliau o dan gontract yn ***adran 1(1)(a)*** ac ***adran 1(1)(b)***
  - ***Deddf Eiddo Gwragedd Priod 1982***
  - ***Deddf Traffig y Ffyrdd 1988***
  - ***Deddf Cyfraith Eiddo 1925***
- Eithriadau yng nghyfraith gwlad:
  - Contractau cyfochrog: ***Shanklin Pier v Detel Products Ltd (1951)***
  - Asiantaeth: ***Scruttons Ltd v Midland Silicones (1962)***
  - Ymddiriedolaethau: ***Les Affréteurs Réunis v Leopold Walford (1919)***

## Cyd-destun

Er mwyn llunio contract, mae'n rhaid cael **cynnig** dilys, **derbyn** cynnig, a **bwriad** o greu cysylltiadau cyfreithiol. Mae'n bwysig nodi nad yw gwahoddiad i drafod yn gynnig, a dylech chi gadw llygad am y rhain mewn cwestiynau senario.

## Gweithgaredd 2.2 Gwahoddiadau i drafod

Cwblhewch y tabl isod i roi trosolwg o'r gwahaniaethau rhwng cynigion a gwahoddiadau i drafod.

| Gwahoddiadau i drafod | Esboniad | Achos(ion) i gefnogi |
|---|---|---|
| Arddangos nwyddau | Dydy'r nwyddau sy'n cael eu harddangos ddim yn dod yn gynnig nes bod y cwsmer yn codi'r nwyddau. Pan fydd y gwerthiant yn cael ei gytuno, bydd contract yn cael ei lunio. | |
| | Mae galwad yr arwerthwr am gynigion (*bids*) yn wahoddiad i drafod. Mae'r cynigion (*bids*) eu hunain yn gynigion (*offers*) ac mae'r cynnig yn cael ei dderbyn pan fydd y morthwyl yn cael ei daro. | |
| | | ***Partridge v Crittenden (1968)*** |
| Cais am dendrau | | |
| | Os yw rhywun yn nodi pris a fyddai'n dderbyniol, nid yw hynny yn gyfystyr â chynnig. | ***Harvey v Facey (1893)*** |

## Gweithgaredd 2.3 A oes contract?

Edrychwch ar y senarios canlynol, ac aseswch a gafodd contract ei lunio neu beidio. Esboniwch eich ateb gan roi awdurdod cyfreithiol.

| | Contract? |
|---|---|
| Mewn arwerthiant, mae Elton yn gweld piano ac yn rhoi'r cynnig buddugol, sef £950. Yna mae'n sylweddoli mai £500 yn unig sydd ganddo. | |
| Mae siop DIY wedi hysbysebu'r canlynol: 'Paent moethus: £10 y tun. Os prynwch y paent a dod o hyd i baent cyfatebol yn rhatach yn rhywle arall, byddwn yn rhoi ad-daliad i chi'. Mae Harriet yn prynu tri thun i baentio ei hystafell fwyta, ond mae'n gweld yr un cynnyrch ar werth mewn siop wahanol am £5 y tun. Mae hi'n dychwelyd i'r siop gyntaf, gan fynnu ad-daliad. | |
| Mae Sophie eisiau cyflogi glanhawr. Mae ei chydweithiwr, Doreen, yn dweud bod ei glanhawr yn chwilio am fwy o waith. Mae Sophie yn gofyn faint mae hi'n ei godi ac mae Doreen yn dweud '£20 yr wythnos'. Mae Sophie yn derbyn y cynnig i'r glanhawr ddod i'w thŷ unwaith yr wythnos. | |
| Mae Megan eisiau gwerthu ei pheiriant coffi. Mae hi'n gwybod bod ei ffrind George wrth ei fodd â choffi yn y bore. Mae hi'n meddwl y bydd hi'n ei werthu iddo am £30, ond dydy hi ddim wedi siarad ag ef am y mater eto. | |
| Cafodd Ali gyfweliad am swydd yn McDonalds ac roedd un o'i ffrindiau, Stewart, ar y panel cyfweld. Penderfynodd Stewart mai Ali oedd yr ymgeisydd gorau ar gyfer y swydd, a dywedodd wrth Ali ei fod wedi cael y swydd. Mewn gwirionedd, penderfynodd y rheolwyr eraill beidio â chynnig y swydd i Ali oherwydd nad oedd wedi sgorio'n ddigon uchel yn y cyfweliad. | |
| Mae Claire yn gwerthu byngalo ei modryb sydd wedi marw. Mae hi'n rhoi'r tŷ ar werth ac mae Paula ac Ayesha wedi dod i weld y tŷ. Maen nhw'n hoff iawn o'r tŷ ac yn cynnig £180,000 i Claire amdano. Mae Claire eisiau mwy o arian na hynny, felly mae hi'n gwrthod y cynnig. Yna maen nhw'n cynnig £195,000 iddi am y tŷ. Mae Claire yn derbyn y cynnig hwn ac yn dweud y bydd yn rhoi gwybod i'w chyfreithiwr y diwrnod nesaf. | |

## Gweithgaredd 2.4 Cwestiwn cymhwyso wedi'i gymryd o ddeunyddiau asesu enghreifftiol CBAC

Efallai bydd gofyn i chi gymhwyso gofynion hanfodol contract at senario, er mwyn cynghori rhywun ynghylch a oes ganddo gontract dilys. Awgrymir eich bod chi'n ystyried y digwyddiadau yn eu trefn gronolegol gan ddilyn y fframwaith **NDC**:

- **Nodi a chyflwyno**: nodwch y mater cyfreithiol dan sylw, a diffiniwch unrhyw dermau allweddol sy'n ganolog i'r testun.
- **Disgrifio**: disgrifiwch faes y gyfraith, gan ddefnyddio awdurdod cyfreithiol ac achosion i gefnogi a/neu ddarpariaethau statudol.
- **Cymhwyso**: Dyma elfen bwysicaf yr ateb. Dylech chi gyfeirio at enwau'r bobl yn y senario, a defnyddio ymadroddion fel 'Yn yr achos hwn...'.

Parhad

Mae Evan yn arlunydd morluniau enwog. Cwblhaodd gampwaith o'r enw *Ger y Môr yn Ninbych y Pysgod* ac ar 1 Medi 2016 rhoddodd hysbyseb mewn cylchgrawn lleol yn dweud bod y paentiad ar werth am £4,000 neu'r cynnig agosaf. Y prynhawn hwnnw, penderfynodd Megan, a fu'n edmygu gwaith Evan ers tro, y byddai hi'n cynnig £3,950 am y paentiad er mwyn bod yn siŵr o'i gael. Postiodd lythyr, gan gynnwys y cynnig, ar brynhawn 1 Medi. Yn y cyfamser, dyma David, casglwr paentiadau amatur, yn ffonio Evan ac yn cynnig £3,000. Gwrthododd Evan hwn ar 2 Medi drwy decstio. Tecstiodd David yn ôl yn syth a chynnig y pris gofyn llawn i Evan. Cyn i Evan ateb David, derbyniodd y llythyr oddi wrth Megan.

**Cynghorwch Megan ynghylch a oes ganddi gontract gydag Evan ar gyfer gwerthiant y paentiad, gan gymhwyso eich gwybodaeth o reolau ac egwyddorion cyfreithiol.**

| | | |
|---|---|---|
| **N** | Nodi a chyflwyno | Y mater dan sylw yw a oes gan Megan gontract dilys gydag Evan ar gyfer gwerthu'r paentiad. Er mwyn cael contract dilys, mae'n rhaid cael cynnig dilys, derbyniad a bwriad o greu cysylltiadau cyfreithiol. |
| **D** | Disgrifio | **Elfen 1: Gwahoddiadau i drafod**<br><br>Yn gyntaf, sefydlwch a oes cynnig dilys, neu a yw hwn yn wahoddiad i drafod. Nid yw gwahoddiad i drafod yr un peth â chynnig. Mae hysbyseb ar gyfer nwyddau ar werth fel arfer yn wahoddiad i drafod. Cafodd hyn ei ddangos yn ***Partridge v Crittenden (1968)***, lle roedd hysbyseb mewn cylchgrawn yn wahoddiad i drafod. Roedd hyn oherwydd byddai'n anymarferol llunio cynnig rhwymol i werthu i bawb a allai dderbyn yr hysbyseb. Enghreifftiau eraill o wahoddiadau i drafod yw arddangosfa o nwyddau, fel y gwelir yn ***Fisher v Bell (1961)***, a datganiad o bris fel y gwelir yn ***Harvey v Facey (1893)***. |
| **C** | Cymhwyso | Roedd hysbyseb Evan yn y cylchgrawn yn wahoddiad i drafod, a gwnaeth Megan a David gynnig ar ei gyfer. |
| **D** | Disgrifio | **Elfen 2: Gofynion cynnig dilys**<br><br>Cynnig yw datganiad o'r telerau y bydd y cynigydd yn fodlon arnyn nhw er mwyn llunio contract. Er mwyn cael cynnig dilys, mae rhai gofynion hanfodol:<br><br>**1.** Rhaid cyfleu'r cynnig, fel y gwelwyd yn achos ***Taylor v Laird (1856)***, lle na chafodd y cynnig ei gyfleu. Gall cynnig gael ei gyfleu i'r byd, fel y gwelwyd yn ***Carlill v Carbolic Smoke Ball Company (1893)***.<br><br>**2.** Rhaid i delerau'r cynnig fod yn bendant, a rhaid i'r partïon wybod am beth maen nhw'n llunio contract, fel y gwelwyd yn achos ***Guthing v Lynn (1831)***, lle roedd y gair 'lwcus' yn rhy amwys i gael ei orfodi. |
| **C** | Cymhwyso | Yn yr achos hwn, mae rheolau'r cynnig wedi cael eu bodloni, gan fod y cynnig wedi cael ei gyfleu drwy lythyr yn achos Megan a dros y ffôn yn achos David. Mae'r ddau wedi bod yn glir yn eu telerau mewn perthynas â'r pris maen nhw'n cynnig ei dalu. |

Parhad

| | | |
|---|---|---|
| **D** | Disgrifio | **Elfen 3: Rheolau derbyn**<br><br>Ni fydd y contract wedi ei ffurfio nes bod y cynnig wedi cael ei dderbyn yn ddiamod. Rhaid i'r derbyn fod yn 'ddrych' o'r cynnig, fel y gwelwyd yn achos ***Hyde v Wrench (1840)***. Bydd unrhyw amrywiad yn y telerau ar y cam hwn yn cael ei ystyried yn wrthgynnig sydd i bob pwrpas yn gwrthod y cynnig gwreiddiol.<br><br>Rhaid cyfleu'r derbyn, fel y gwelwyd yn achos ***Felthouse v Brindley (1863)***, pan ddangoswyd yn glir nad yw cadw'n dawel yn gyfystyr â derbyn. |
| **C** | Cymhwyso | O ran cyfleu'r derbyn, byddai angen i Evan gyfleu'r ffaith ei fod yn derbyn i Megan neu David. |
| **D** | Disgrifio | **Elfen 5: Dulliau cyfathrebu sydyn (cynnig David)**<br><br>Pan fydd cynnig yn cael ei dderbyn drwy ddull cyfathrebu sydyn, nid yw'r rheol postio yn gymwys, fel y gwelwyd yn achos ***Thomas v BPE Solicitors (2010)***, a oedd yn cadarnhau na fyddai'r rheol postio yn gymwys i gontract gafodd ei lunio drwy e-bost. Roedd achos ***Entores Ltd v Miles Far East Corporation (1955)*** yn gwneud y pwynt bod contract sy'n cael ei lunio drwy ddulliau cyfathrebu sydyn yn gyflawn pan fydd y derbyniad yn cael ei dderbyn.<br><br>Yn ogystal â hyn, mae ***adran 11 Deddf Cyfathrebiadau Electronig 2000*** yn datgan bod contractau electronig wedi'u cwblhau pan fydd y cwsmer wedi cael cydnabyddiaeth bod ei dderbyniad wedi'i dderbyn, ac wedi cadarnhau ei fod wedi derbyn y gydnabyddiaeth honno. |
| **C** | Cymhwyso | Yn yr achos hwn, doedd Evan ddim wedi ateb cynnig David am y pris gofyn llawn ar 2 Medi, pan dderbyniodd lythyr Megan. Felly, cynnig Megan yw'r cynnig dilys, a gall Evan ei dderbyn neu ei wrthod yn ôl ei ddymuniad, gan ddefnyddio'r dulliau derbyn arferol. |
| **D** | Disgrifio | **Elfen 4: Cyfleu drwy'r rheol postio (cynnig Megan)**<br><br>Os drwy'r post yw'r ffurf a gytunwyd i dderbyn, mae'r derbyniad yn ddilys pan fydd y llythyr yn cael ei bostio, ac nid pan fydd yn cael ei dderbyn, fel y gwelwyd yn achos ***Adams v Lindsell (1818)***, lle cadarnhawyd bod y contract yn cael ei lunio pan fydd y llythyr yn cael ei bostio. Mae hyn oherwydd ei bod yn haws profi bod llythyr wedi cael ei bostio, yn hytrach nag wedi cael ei dderbyn. |
| **C** | Cymhwyso | Golyga hyn y bydd cynnig Megan wedi cael ei dderbyn ar 1 Medi. |

**Nawr defnyddiwch y model NDC i geisio ateb y cwestiwn isod.**

Rhoddodd Grant ei gar ar werth er mwyn iddo allu prynu car newydd. Gan ymateb i'r hysbyseb, anfonodd Frank e-bost at Grant yn dweud 'Fe wnaf i roi £3,000 i chi am y car'. Atebodd Grant, 'Awgrym diddorol. Fyddech chi'n ystyried codi'r cynnig i £3,250?' Anfonodd Frank neges arall yn dweud 'Iawn, ystyriwch ef wedi'i werthu am £3,250. Does dim angen i chi ateb. Fe wna i gasglu'r car yn nes ymlaen yn yr wythnos'. Ond clywodd Frank gan ffrind i'r ddau ohonyn nhw yn ddiweddarach fod Grant wedi derbyn cynnig uwch am y car gan Sophie ar ôl hynny. Wythnos yn ddiweddarach, cafodd Frank dipyn o syndod o glywed bod dêl Grant gyda Sophie wedi methu, a bod Grant bellach yn disgwyl i Frank brynu'r car. Roedd Frank yn flin, a gwrthododd.

**Cynghorwch Frank ynghylch a oes ganddo gontract gyda Grant ar gyfer gwerthu'r car, gan gymhwyso eich gwybodaeth o reolau ac egwyddorion cyfreithiol.**

## Gweithgaredd 2.5 Preifatrwydd contract: Gwerthuso

Ychwanegwch fanylion at y tabl i werthuso'r gyfraith yn ymwneud â phreifatrwydd contract. Cofiwch ddefnyddio geiriau cysylltu, a chyflwyno dadl gytbwys wedi'i chefnogi â chymaint o awdurdod cyfreithiol ag y gallwch.

| MANTEISION | ANFANTEISION |
|---|---|
| Ewyllys rydd: | Cyfreitha estynedig: |
| Mae'n annheg caniatáu i barti siwio os na ellir siwio'r parti hwnnw ei hun: | Nid yw o reidrwydd yn adlewyrchu bwriad y partïon: |
| Mae'n cyfyngu ar hawliau'r partïon i addasu neu derfynu'r contract: | Mae llawer o eithriadau yn gwneud cyfraith preifatrwydd yn gymhleth iawn: |
| Gallai preifatrwydd ganiatáu hawliau i drydydd partïon sy'n golygu bod modd gorfodi addewidion a roddwyd heb dâl: | Dylai contract amddiffyn y rhai sy'n dioddef colledion, oherwydd eu bod yn dibynnu ar gontract: |
| | Gwahaniaethau yn y gyfraith ar orfodi contractau mewn gwledydd eraill: |

## Cyd-destun

Gallai meysydd gwerthuso eraill yn y testun hwn gynnwys y canlynol:

- Rheol postio yn erbyn dulliau cyfathrebu sydyn.
- A oes gormod o ansicrwydd o ran beth sy'n cael ei ystyried yn gynnig ac yn dderbyniad?
- A oes angen o hyd am ofyniad o fwriad? Cyferbynnwch achos ***Hardwick v Johnson (1978)*** ag achos ***Ellis v Chief Adjudication Officer (1998)***.

## Gweithgaredd 2.5 Telerau contract

Bydd angen dau ddis lliw gwahanol ar gyfer y gweithgaredd hwn.

Roliwch bob dis, ac awgrymwch enghraifft ar gyfer y canlyniad, gan ddefnyddio'r allwedd isod. Er enghraifft: Os yw Dis 1 = 1, a Dis 2 = 4, bydd angen i chi roi rheol cynnig.

Trafodwch eich enghreifftiau gyda phartner.

| DIS 1 | DIS 2 |
|---|---|
| cynnig | rheol |
| derbyn | achos |
| bwriad | diffiniad |
| cydnabyddiaeth | rheol |
| preifatrwydd | achos |
| gwahoddiad i drafod | diffiniad |

## 2.2 Cwestiynau cyflym

1. Beth yw'r gwahaniaeth rhwng cynnig a gwahoddiad i drafod?
2. Rhowch dair enghraifft o wahoddiadau i drafod.
3. Beth yw dau ofyniad allweddol cynnig dilys?
4. Beth yw arwyddocâd achos ***Dickinson v Dodds (1876)***?
5. Sut mae terfynu cynnig?
6. Beth yw'r rheol postio?
7. Beth yw arwyddocâd ***Entores Ltd v Miles Far East Corporation (1955)***?
8. Pryd gallai cytundeb domestig a chymdeithasol fod yn gontract cyfreithiol-rwym?
9. Beth yw pum rheol cydnabyddiaeth?
10. Beth yw ystyr preifatrwydd contract?
11. Beth yw effaith ***Deddf Contractau (Hawliau Trydydd Partïon) 1999***?
12. Beth yw dau o fanteision preifatrwydd contract?
13. Beth yw dau o anfanteision preifatrwydd contract?

# Rhyddhau contract

| Yn y fanyleb | Yn yr adran hon bydd myfyrwyr yn datblygu eu gwybodaeth am y canlynol: |
|---|---|
| **CBAC U2**<br>**3.10:** Rhyddhau contractau, gan gynnwys tor-contract, cyflawni a llesteirio | • Rhyddhau drwy gytundeb: cytundebau dwyochrog, cytundebau unochrog<br>• Rhyddhau drwy dor-contract: achos gwirioneddol o dor-contract, tor-contract rhagddyfalus<br>• Rhyddhau drwy lesteirio: amhosibilrwydd, anghyfreithlondeb, masnachol, newid radical mewn amgylchiadau<br>• Rhyddhau drwy gyflawni: gan gynnwys cyflawni rhwymedigaeth gyfan, cyflawni'n rhannol, y contract fel cyfres o rwymedigaethau, cyflawni rhwymedigaethau'n sylweddol, methu bodloni safon cyflawni llym a methu cyrraedd safon gofal rhesymol |

## Gwella adolygu

Gallai cwestiynau ar y testun hwn ymwneud â'r tri Amcan Asesu. Ar gyfer cwestiynau marciau is sy'n profi **AA1 gwybodaeth** am y testun hwn, bydd angen i chi allu esbonio'r gwahanol ffyrdd o ryddhau contract. Gallai'r cwestiynau ganolbwyntio ar y math o ryddhau.

Ar gyfer cwestiynau **AA2**, mae angen i chi **gymhwyso** a yw contract wedi cael ei ryddhau. Dylech chi gynnwys achosion i gefnogi pob elfen o'r gyfraith, a gan mai'r sgil sy'n cael ei brofi yw **AA2**, mae'n rhaid i chi gymhwyso'r gyfraith at y senario penodol. Mae defnyddio'r fframwaith **NDC** (sef Nodwch, Disgrifiwch, Cymhwyswch, neu *IDA* yn Saesneg) yn ddefnyddiol ar gyfer y mathau hyn o gwestiynau.

Ar gyfer cwestiynau **AA3 gwerthuso**, mae angen i chi **ddadansoddi a gwerthuso** maes o'r gyfraith. Ymhlith elfennau ar y pwnc hwn a allai ymddangos fel cwestiwn gwerthuso mae dadansoddi a gwerthuso'r rheolau sy'n gysylltiedig â rhyddhau, ac a yw'r rhain yn foddhaol. Mae'r rhain yn tueddu i fod yn atebion hirach/marciau uwch. Gan mai **AA3** yw'r sgìl sy'n cael ei brofi, mae'n bwysig cynnwys cyflwyniad, prif gorff gyda pharagraffau sy'n cysylltu'n ôl â'r cwestiwn, a chasgliad i gefnogi hyn. Dylech gynnwys cymaint o awdurdod cyfreithiol ag y gallwch, gan gynnwys cyfeirio at ddiwygiadau os yw hynny'n briodol.

**CYSWLLT**

I gael rhagor o wybodaeth am ryddhau contract, gweler tudalennau 127–129 yn *CBAC Safon Uwch Y Gyfraith Llyfr 1.*

## Lluniwch eich nodiadau adolygu o amgylch y canlynol...

- Rhyddhau drwy gytundeb: mae'r partïon yn cytuno i derfynu contract, fel bod un o'r partïon neu'r ddau ohonyn nhw yn cael eu rhyddhau o'u rhwymedigaethau
  - **Rhyddhau dwyochrog**: mae'r partïon yn cael budd gwahanol o gytundeb newydd
  - **Rhyddhau unochrog**: un parti yn unig sy'n cael budd
  - **Rhyddhau drwy dor-contract**: mae parti yn methu cyflawni rhwymedigaeth, mae'n cyflawni rhwymedigaeth mewn ffordd ddiffygiol, neu mae'n awgrymu ymlaen llaw na fydd yn cyflawni rhwymedigaeth a gytunwyd fel rhan o'r contract
  - **Tor-contract gwirioneddol**: nid yw parti mewn contract yn cyflawni ei rwymedigaethau o gwbl:

- *Platform Funding Ltd v Bank of Scotland plc (2008)*
- *Pilbrow v Pearless de Rougemont & Company (1999)*
- *Modahl v British Athletic Federation Ltd (1999)*

- **Tor-contract rhagddyfalus**: mae parti yn rhoi gwybod ymlaen llaw na fydd yn cyflawni ei rwymedigaethau:
  - *Frost v Knight (1872)*
  - *Avery v Bowden (1855)*
  - *White and Carter Ltd v McGregor (1962)*

- **Rhyddhau drwy gyflawni**: mae'r holl rwymedigaethau o dan y contract wedi'u cyflawni, a dylai'r rhwymedigaethau gyfateb yn union i ofynion y contract. Gall hyn fod yn gyfyngedig:
  - **Cyflawniad sylweddol**: mae parti wedi cyflawni'r rhan fwyaf sylweddol o'r hyn oedd yn ofynnol o dan y contract: ***Hoeing v Isaacs (1952)***
  - **Contractau toradwy**: pan fydd taliadau yn ddyledus ar wahanol gamau, gellir hawlio ar gyfer pob cam ar ôl cwblhau'r cam hwnnw
  - **Derbyn cyflawniad rhannol**: mae un o'r partïon wedi cyflawni rhywfaint o'r contract, ond nid yn llwyr, ond mae'r ochr arall yn barod i dderbyn y rhan a gyflawnwyd: ***Sumpter v Hedges (1898)***
  - **Atal cyflawni**: mae un parti yn atal parti arall rhag cyflawni ei rwymedigaethau oherwydd rhyw weithred neu anwaith: ***Startup v McDonald (1843)***

- **Rhyddhau drwy lesteirio**: bydd rhywbeth yn digwydd, heb fod bai ar y partïon, sy'n golygu nad yw'n bosibl cyflawni'r contract. Mae'r contract wedi'i lesteirio
  - **Amhosibilrwydd**: daw'n amhosibl cyflawni'r contract: ***Taylor v Caldwell (1863)***
  - **Anghyfreithlondeb**: mae newid yn y gyfraith ar ôl i'r contract gael ei lunio yn golygu ei bod yn anghyfreithlon ei gyflawni
  - **Oferedd masnachol**: mae diben masnachol y contract wedi diflannu o ganlyniad i ddigwyddiad sy'n ymyrryd
  - Mae ***Deddf Diwygio'r Gyfraith (Contractau dan Lestair) 1943*** yn datgan y gall rhywun adennill arian a dalwyd fel rhan o gontract cyn y digwyddiad a wnaeth ei lesteirio
  - ***Robinson v Davidson (1871)***; ***Krell v Henry (1903)***; ***Herne Bay Steamboat Company v Hutton (1903)***

## Cyd-destun

Gallech chi gael cwestiwn yn gofyn i chi werthuso anawsterau terfynu contract drwy lesteirio. Dylai eich ateb gynnwys y canlynol:

- Cyflwyniad: Dyma lle byddwch yn nodi'r mater cyfreithiol dan sylw, ac yn diffinio unrhyw dermau allweddol sy'n ganolog i'r testun.
- Disgrifiad: Disgrifiwch y maes hwn o'r gyfraith, gan ddefnyddio awdurdod cyfreithiol ac achosion ategol a/neu ddarpariaethau statudol.
- Cymhwyso: Dyma elfen bwysicaf yr ateb. Mae'n rhaid i chi gyfeirio at enwau'r bobl yn y senario, a defnyddio ymadroddion fel 'Yn yr achos hwn...'.

## Gweithgaredd 2.7 Rhyddhau drwy lesteirio

Lluniodd Cyngor Dinas Pontypandy gontract gyda Chwmni Adeiladu Robbie (CAR) i adeiladu canolfan gerddoriaeth awyr agored newydd yng nghanol y ddinas. Roedd disgwyl i'r stadiwm gael ei gwblhau erbyn 17 Ebrill 2019, oherwydd byddai seren bop enwog yn perfformio yn y cyngherddau agoriadol ar 20 a 21 Ebrill. Roedd disgwyl i Gyngor Pontypandy dalu blaendal o £800,000 i CAR cyn 2 Mawrth 2019, ac roedd gweddill yr arian, sef £500,000, yn ddyledus ar 17 Ebrill 2019.

Lluniodd cwmni o'r enw Cadeiriau Cyfyngedig gontract gyda Chyngor Dinas Pontypandy i ddarparu eisteddleoedd awyr agored ar gyfer 30,000 o bobl, ar gost o £45,000. Doedd y cwmni ddim wedi ystyried faint o amser byddai'n ei gymryd i gwblhau'r gwaith, felly pan adawodd ar 15 Ebrill, roedd nifer o'r seddi heb gael eu gosod yn iawn. Mae Cadeiriau Cyfyngedig yn ceisio hawlio'r £45,000 llawn gan Gyngor Pontypandy.

Yn ystod y dyddiau cyn perfformiad y seren bop, roedd stormydd difrifol ym Mhontypandy, ac oherwydd llifogydd yn y ganolfan awyr agored roedd yn rhaid canslo'r cyngerdd agoriadol. Erbyn hyn, dydy'r ardal ddim yn addas i gael ei hailddatblygu. Mae CAR yn hawlio gweddill yr arian sydd, ym marn y cwmni, yn ddyledus iddo gan y cyngor, gan ddweud bod y costau llafur o osod y prif strwythur a gwella'r ffordd fynediad yn £40,000.

Cynghorwch Gyngor Dinas Pontypandy ynghylch a yw'r contract wedi cael ei lesteirio, gan ddefnyddio eich gwybodaeth am reolau ac egwyddorion cyfreithiol.

## Gweithgaredd 2.8 Croesair rhyddhau contract

*Cofiwch fod llythrennau fel Ch, Dd, Th etc. yn cyfrif fel un llythyren yn y Gymraeg.*

**I Lawr**

1. Y math o ryddhau drwy gytundeb sydd ddim yn ddwyochrog. [7]
2. Y term sy'n cael ei ddefnyddio os bydd rhywbeth yn digwydd heb fod bai ar y partïon sy'n golygu ei bod yn amhosibl cyflawni'r contract. [9]
3. Os bydd un o'r partïon yn marw, mae'n cael ei alw'n llesteirio ar sail ______. [13]
4. Rhyddhau drwy gytundeb yw pan fydd y partïon yn cytuno i wneud hyn i gontract. [7]
5. Yn Taylor v ______, methodd yr achos oherwydd daeth yn amhosibl cyflawni'r contract. [8]
6. Mae cyflawniad yn cael ei dderbyn yn ______ os bydd y ddau barti yn cytuno. [6]

**Ar Draws**

3. Mae newid yn y gyfraith ar ôl i'r contract gael ei lunio yn cael ei alw'n llesteirio ar sail ______. [15]
5. Y math o ryddhau pan fydd holl rwymedigaethau'r contract wedi'u cyflawni. [8]
7. Lle bydd contract wedi cael ei lesteirio, mae gan y partïon hawl i'r math hwn o arian, sy'n cael ei dalu cyn y digwyddiad a wnaeth ei lesteirio. [7]
8. Yr enw ar gyfer y math o gontract pan fydd taliad yn ddyledus ar wahanol gamau o gyflawni. [7]
9. Y math o ryddhau drwy dor-contract sydd ddim yn wirioneddol. [10]

## Gweithgaredd 2.9 Cysylltwch yr achos â'r math o ryddhau

Gan ddefnyddio'r cod lliwiau isod, lliwiwch bob achos i ddangos pa fath o ryddhau mae'r achos yn ei gynrychioli.

| RHYDDHAU CONTRACT | | | |
|---|---|---|---|
| CYFLAWNI | TOR-CONTRACT | CYTUNDEB | LLESTEIRIO |

| | |
|---|---|
| *Sumpter v Hedges (1898)* | *Bolton v Mahadeva (1972)* |
| *Taylor v Caldwell (1863)* | *Frost v Knight (1872)* |
| *Cutter v Powell (1795)* | *White and Carter Ltd v McGregor (1962)* |
| *Platform Funding Ltd v Bank of Scotland (2008)* | *Avery v Bowden (1855)* |
| *Startup v Macdonald (1843)* | *Modahl v British Athletic Federation (1999)* |
| *Robinson v Davidson (1871)* | *Dakin & Co v Lee (1916)* |
| *Krell v Henry (1903)* | *Herne Bay Steamboat Co v Hutton (1903)* |
| *Hoeing v Isaacs (1952)* | *Planche v Colburn (1831)* |

## 2.3 Cwestiynau cyflym

1. Beth yw'r gwahaniaeth rhwng rhyddhau dwyochrog a rhyddhau unochrog?
2. Beth yw'r ddau fath o ryddhau drwy dor-contract?
3. Beth yw arwyddocâd ***Cutter v Powell (1795)*** yng nghyd-destun rhyddhau drwy gyflawni?
4. Pa achos sy'n dangos rhyddhau drwy lesteirio?
5. Beth yw'r tri rheswm dros lesteirio contract?
6. Beth yw oferedd masnachol?
7. Pa ddeddf sy'n amlinellu canlyniadau cyfreithiol contract sydd wedi'i lesteirio?

# Rhwymedïau: Cyfraith contract

| Yn y fanyleb | Yn yr adran hon bydd myfyrwyr yn datblygu eu gwybodaeth am y canlynol: |
|---|---|
| **CBAC U2**<br>**3.1:** Rhwymedïau gan gynnwys iawndal a rhwymedïau ecwitïol | • Rhwymedi iawndal cyfraith gwlad/cyfraith gyffredin: iawndal cydadferol, profion achosiaeth, pellenigrwydd difrod, lliniaru colledion<br>• Rhwymedïau ecwitïol: dadwneuthuriad, cyflawniad llythrennol, cywiro dogfen, gwaharddebion |

**CYSWLLT**

I gael rhagor o wybodaeth am rwymedïau mewn cyfraith contract, gweler tudalennau 130–132 yn *CBAC Safon Uwch Y Gyfraith Llyfr 1*.

## Gwella adolygu

Gallai'r testun hwn gael ei osod fel cwestiwn **esbonio, cymhwyso** neu **werthuso**, yn dibynnu ar ble bydd yn ymddangos ar y papur arholiad.

Rhwymedi yw 'datrysiad' mewn achos sifil; mae'r llys yn ei ddyfarnu i'r parti diniwed. Mae angen ystyried dau fath o rwymedi: rhwymedi iawndal cyfraith gwlad/cyfraith gyffredin, a rhwymedïau ecwitïol.

## Lluniwch eich nodiadau adolygu o amgylch y canlynol...

- Rhwymedi iawndal cyfraith gwlad/cyfraith gyffredin ('fel hawl')
  - Iawndal ariannol
  - Y nod yw rhoi'r dioddefwr, i'r graddau bod hynny'n bosibl a bod y gyfraith yn ei ganiatáu, yn yr un sefyllfa ag y byddai pe bai'r contract wedi'i gyflawni
  - Colledion ariannol: colledion ariannol o ganlyniad i'r tor-contract
  - Colledion anariannol: nid oedd y rhain yn arfer cael eu dyfarnu, ond maen nhw bellach ar gael ar gyfer contractau sy'n ymwneud â phleser, ymlacio a thawelwch meddwl: ***Jarvis v Swans Tours Ltd (1973)***
  - Cyfyngiadau: achosiaeth: ***Quinn v Burch Bros (Builders) Ltd (1966)***; pellenigrwydd: ***Transfield Shipping v Mercator Shipping [The Achilleas] (2008)***; dyletswydd i liniaru colled: ***Pilkington v Wood (1953)***
- Cyfrifo colled: colled disgwyliad: ***achos Golden Victory (2007)***; colled ar sail dibyniaeth: ***Anglia Television Ltd v Reed (1972)***
  - Rhwymedïau ecwitïol: dewisol; gwaharddebion; cyflawniad llythrennol; dadwneuthuriad; cywiro

## Gweithgaredd 2.10 Rhwymedi iawndal cyfraith gwlad/cyfraith gyffredin

**Cwblhewch y geiriau sydd ar goll gan ddefnyddio'r rhestr ar y dde.**

Mae rhwymedi iawndal cyfraith gwlad/cyfraith gyffredin ar gael 'fel ______' os sefydlir bod contract wedi cael ei ______. Yng nghyfraith contract, mae iawndal yn ______ ariannol i ddigolledu'r parti a ______. Diben iawndal mewn cyfraith contract yw rhoi'r dioddefwr, cyn belled ag sy'n bosibl ac i'r graddau y mae'r gyfraith yn caniatáu, yn yr un ______ ag y byddai wedi bod ynddo pe bai'r contract heb gael ei dorri, ond yn hytrach wedi cael ei ______ yn y modd ac ar yr amser a ______ gan y ______. Pan fydd tor-contract, gall parti ddioddef colled ______ neu golled ______, sef colledion eraill, fel ______ meddyliol, siom, brifo ______ neu gywilydd. Yn draddodiadol, nid yw'r rhain wedi cael eu digolledu o fewn cyfraith contract (yn wahanol i gyfraith camwedd). Ond yn ddiweddar, mae'r rheol hon wedi cael ei llacio yn achos contractau sy'n rhai penodol ar gyfer pleser, ymlacio a thawelwch meddwl – gweler ***Jarvis v Swans Tours Ltd (1973)*** a ***Farley v ______ (2001)***.

**Geiriau i'w defnyddio**

daliad
dorri
straen
teimladau
niweidiwyd
fwriadwyd
anariannol
partïon
ariannol
gyflawni
sefyllfa
hawl
Skinner

## Gweithgaredd 2.11 Cyfyngiadau ar ddyfarnu iawndal

Cwblhewch y tabl i esbonio'r cysyniadau allweddol. Dylech gynnwys cyfraith achosion berthnasol.

| Cysyniad allweddol | Esboniad |
|---|---|
| Profion achosiaeth | Bydd rhywun yn atebol dim ond i golledion a achoswyd gan eu tor-contract. Rhaid i dor-contract y diffynnydd fod yn weithred effeithiol ac ymyrrol (*intervening*) rhwng y tor-contract a'r golled a gafodd ei hachosi, er mwyn torri'r gadwyn achosiaeth, e.e. ***Quinn v Burch Bros (Builders) Ltd (1966).*** |
| Pellenigrwydd | |
| Lliniaru colled | |

## Gweithgaredd 2.12 Chwilair cyfrifo colled

**Geiriau i'w canfod**

ANGLIA TV
GOLDEN VICTORY
GWERTH IS
COLLI CYFLE
COLLED DISGWYLIAD
COLLI ELW
MESUR
COLLED AR SAIL DIBYNIAETH
SWM YR IAWNDAL
MARCHNAD SYDD AR GAEL

H I U T I U U M N C J O J S L M M I L M F P E N J

J T S J H G G T G J B D W B O Y U T T E T G B S M

F F E L J C I Y S J L I T S M D G O Y U I E U E O

H D B A J O M G N M S W N B A W A C T P B F R L B

Y P O U I Y J S Y A O L B I T W N G C M T D W N U

L D J N J N J C T T Y S L O U S L P D M C C N F R

H J P A G W Y F A T Y Y H M O T L J B R M B B J R

H B T B B M O B N D W S I H T R E W G B R S C D T

U D Y S T J F A I G T Y P F R N A O B D G I M Y M

E E E I M O C W S D W J T I J N G H J O L J C S A

F S L S B M I I C F L L B I U L R I J N W G M N T

B L L G D R D J O O S I D G L L A O T H R S G M E

C R T H U D R R L Y S W A N R P D H J S E L J L G

O S N H E R T G L I G B M S T M D B A A I H A T I

B S O L R L P S I B Y I C Y R P Y I H A J P A G B

S C L M U M O U C R R A B S R A S W T R F U G J C

M O I C S N P B Y S E S B E T I D V L B W I R B P

C C T M E W R D F U S B R M A M A E B E P D G H S

R G I M M W D J L A M C F B Y I N W L M I T J B J

M P J J T E U L E R H N T J M T H D N L P L A B W

G O L D E N V I C T O R Y I I J C N Y D O U L G G

S Y M T M G S S E L S H P D D S R W U G A C P O Y

T D S I S T R J B C P C J P I P A D J J M L J M C

Y I S F M T U E U J I N I N Y Y M J C C Y C I L A

D T N G E J O F L S W S P S W H S W C R J G S P L

Nawr, esboniwch ystyr rhai o'r geiriau a'r ymadroddion y daethoch chi o hyd iddyn nhw yn y chwilair, yng nghyd-destun cyfrifo colled.

| Term allweddol | Diffiniad |
|---|---|
| Swm yr iawndal | |
| Colled disgwyliad | |
| Colled ar sail dibyniaeth | |
| ***Golden Victory (2007)*** | |
| Mesur | |
| Gwerth is | |
| Marchnad sydd ar gael | |
| Colli elw | |
| Colli cyfle | |

## Gweithgaredd 2.13 Rhwymedïau ecwitïol

**Cwblhewch y geiriau sydd ar goll gan ddefnyddio'r rhestr ar y dde.**

Yn wahanol i rwymedïau cyfraith gwlad, sy'n cael eu hystyried 'fel ________', mae rhwymedïau ecwitïol yn ________. **Mae rhwymedïau ecwitïol yn seiliedig ar yr egwyddor o '________'.**

Mewn achosion lle nad yw rhwymedïau cyfraith gwlad yn ddigon i ________'r hawlydd, mae rhwymedïau ecwitïol ar gael yn lle hynny. Maen nhw'n cael eu darparu ar ddisgresiwn y llys, ac yn rhoi ystyriaeth i ________ y ddau barti yn ogystal â ________ cyffredinol yr achos.

Mae pedwar prif fath o rwymedi ecwitïol: ________, ________ llythrennol, dadwneuthuriad, cywiro.

**Geiriau i'w defnyddio:**
ymddygiad
ddigolledu
ddewisol
degwch
gwaharddeb
chyfiawnder
cyflawniad
hawl

## Gweithgaredd 2.14 Rhwymedïau ecwitïol

| Rhwymedi ecwitïol | Esboniad |
|---|---|
| Gwaharddeb | |
| Cywiro | |
| Dadwneuthuriad | |
| | Gorchymyn sy'n gorfodi un ochr o'r contract i gyflawni ei rwymedigaethau o dan gontract. Anaml iawn y bydd y rhwymedi hwn yn cael ei ddyfarnu, a hynny mewn achosion lle byddai iawndal yn unig yn annigonol (***Beswick v Beswick (1968)***), lle mae'r contract wedi'i lunio yn deg (***Walters v Morgan (1861)***), a lle na fyddai dyfarnu cyflawniad llythrennol yn achosi caledi mawr nac annhegwch i'r diffynnydd (***Patel v Ali (1984)***). Mae hyn yn cefnogi natur ecwitïol cyflawniad llythrennol fel rhwymedi. |

## 2.4 Cwestiynau cyflym

1. Beth yw'r gwahaniaethau rhwng rhwymedïau mewn cyfraith contract a'r rhai mewn cyfraith camwedd?
2. Beth yw **iawndal**?
3. Beth yw'r ddau brif fath o rwymedi mewn cyfraith contract?
4. Sut mae iawndal yn cael ei gyfrifo?
5. Beth yw colled **ariannol**?
6. Beth yw colled **anariannol**?
7. Beth yw'r pedwar rhwymedi ecwitïol?
8. Beth yw ystyr **dewisol** yn y cyd-destun hwn?
9. Beth yw **lliniaru colled**?

PENNOD 3 CYFRAITH CAMWEDD

# Rheolau camwedd

| Yn y fanyleb | Yn yr adran hon bydd myfyrwyr yn datblygu eu gwybodaeth am y canlynol: |
|---|---|
| **CBAC UG/U2**<br>2.1: Rheolau a damcaniaeth cyfraith camwedd | • Tarddiad cyfraith camwedd; categorïau camwedd; damcaniaeth cyfraith camwedd<br>• Diffinio 'camwedd'<br>• Y cysyniad o atebolrwydd bai yn erbyn atebolrwydd caeth<br>• Cyfiawnhau camwedd mewn modd economaidd; cyfiawnder cywirol<br>• Cyfiawnder dialgar<br>• Beirniadaethau mewn perthynas â'r system camwedd |

## Gwella adolygu

Mae'r testun hwn yn gyflwyniad i destun camwedd. Gall cwestiynau gynnwys yr elfen hon o'r fanyleb, ond byddai'r testun yn fwy tebygol o gael ei osod fel cwestiwn **esbonio** neu efallai fel cwestiwn **gwerthuso**.

Mae'r testun hwn yn cynnig trosolwg o rai o'r rheolau a'r damcaniaethau sy'n sail i astudio testun cyfiawnder sifil camwedd. Mae angen i chi fod yn gyfarwydd â'r eirfa sy'n cael ei defnyddio mewn cyfraith sifil, a chyfraith camwedd yn benodol.

**CYSWLLT**

I gael rhagor o wybodaeth am reolau camwedd, gweler tudalennau 133–135 yn *CBAC Safon Uwch Y Gyfraith Llyfr 1*.

## Lluniwch eich nodiadau adolygu o amgylch y canlynol...

- **Camwedd**: torri cyfraith sifil
- **Camwedd esgeuluster**
  - Dyletswydd gofal:
    - 'prawf y cymydog': ***Donoghue v Stevenson (1932)***
    - prawf 'Caparo' (y dull cynyddol): ***Caparo Industries plc v Dickman (1990)***
    - Difrod rhagweladwy: ***Kent v Griffiths (2000)***
    - Agosrwydd: ***Bourhill v Young (1943)***
    - Cyfiawn, teg a rhesymol: ***Mulcahy v Ministry of Defence (1996)***
  - Tor-dyletswydd gofal:
    - Safon gofal: y dyn rhesymol: ***Nettleship v Weston (1971)***
    - Tebygolrwydd o niwed: ***Bolton v Stone (1951)***
    - Maint y niwed tebygol: ***Paris v Stepney Borough Council (1951)***
    - Cost ac ymarferoldeb atal risg: ***Latimer v AEC (1953)***
    - Buddion posibl y risg: ***Daborn v Bath Tramways (1946)***

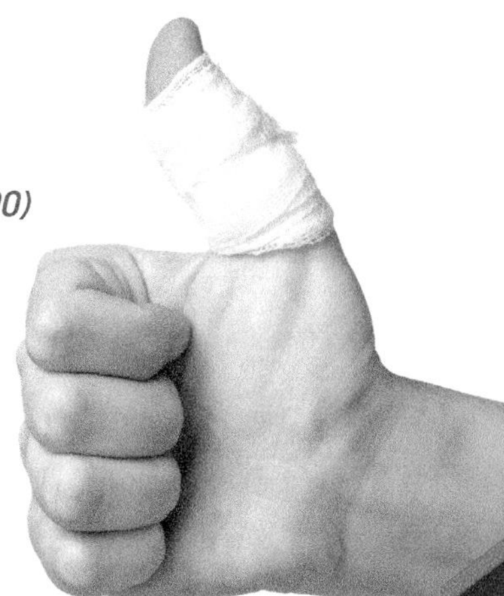

- Nodweddion arbennig y diffynnydd: pobl broffesiynol, plant: ***Mullin v Richards (1998)***
- Difrod o ganlyniad sydd ddim yn rhy bellennig:
  - Achosiaeth: prawf 'pe na bai': ***Barnett v Chelsea and Kensington Hospital Management Committee (1968)***
  - Pellenigrwydd difrod: a yw'r golled wedi digwydd o ganlyniad rhesymol ragweladwy i esgeuluster y diffynnydd? ***Wagon Mound (No.1) (1961)***
  - Rhagweladwyaeth y difrod: 'prawf y benglog denau': ***Smith v Leech Brain (1962)***
- Gall achosion ymyrrol dorri'r gadwyn achosiaeth
- *Res ipsa loquitur*: mae'r peth yn siarad drosto'i hun
- Anaf seiciatrig: sioc seicolegol; tystiolaeth feddygol
  - Dioddefwyr cynradd
  - Dioddefwyr eilaidd: ***Alcock v Chief Constable of South Yorkshire Police (1992)***; perthynas 'ddigon agos': clymau agos o gariad a serch; gwylwyr heb gysylltiad
- Rhwymedïau: iawndal: cyffredinol ac arbennig; gwaharddebion

## Cyd-destun

**Nodweddion allweddol cyfraith sifil**

| | |
|---|---|
| **Y partïon** | Hawlydd v diffynnydd |
| **Y pwrpas** | Datrys anghydfod<br>Digolledu am golled/difrod/anaf |
| **Sut i gyfeirio at achos** | Hawlydd v diffynnydd, e.e. ***Rostron v Phillips*** |
| **Pwy sy'n cychwyn yr achos** | Yr hawlydd |
| **Cynnal y treial yn** | Y llys sirol neu'r Uchel Lys yn y lle cyntaf |
| **Rheithfarn** | Atebol, neu ddim yn atebol |
| **Baich y prawf** | Ar yr hawlydd |
| **Safon y prawf** | Yn ôl pwysau tebygolrwydd |
| **Canlyniad** | Dyfarnu rhwymedi, e.e. iawndal neu waharddeb |
| **Enghraifft** | Esgeuluster, niwsans, atebolrwydd meddianwyr |

Er mwyn i hawlydd lwyddo mewn achos esgeuluster yn erbyn diffynnydd, rhaid profi tair elfen:

1. Mae gan y diffynnydd **ddyletswydd gofal**.
2. Roedd y diffynnydd wedi **torri'r** ddyletswydd gofal honno.
3. Dioddefodd yr hawlydd **niwed** o ganlyniad i dorri'r ddyletswydd honno, ac nid oedd y niwed hwnnw yn **rhy bellennig**.

Wrth ddelio â phroblem gyfreithiol mewn senario yn ymwneud ag esgeuluster, dylech chi gymhwyso pob un o'r elfennau hyn, yn eu tro, at ffeithiau'r senario. Gwnewch yn siŵr hefyd eich bod yn cymhwyso pob elfen o brawf penodol (e.e. prawf Caparo).

## Gweithgaredd 3.1 Y gwahaniaeth rhwng camwedd a throsedd

**Cwblhewch y geiriau sydd ar goll gan ddefnyddio'r rhestr ar y dde.**

Mae camwedd yn wahanol i drosedd yn y ffyrdd canlynol. Mae camwedd yn weithred cyfraith yn erbyn (e.e. esgeuluster, niwsans, etc.), ond mae trosedd yn weithred cyfraith yn erbyn y (e.e. lladrad, niwed corfforol difrifol, llofruddiaeth, etc.). Nod achosion camwedd yw 'r dioddefwr am y niwed a achoswyd, ond nod erlyniad troseddol yw 'r drwgweithredwr. Mae rhai meysydd yn gorgyffwrdd: er enghraifft, gellid dadlau bod lefelau uchel o mewn achosion camwedd yn 'cosbi'r' diffynnydd, ac mae darpariaethau hefyd mewn cyfraith trosedd i'r drwgweithredwr ddigolledu'r dioddefwr yn ariannol. Gall un digwyddiad arwain at erlyniad troseddol yn ogystal ag achos camwedd – er enghraifft, pan fydd dioddefwr yn cael o ganlyniad i peryglus.

**Geiriau i'w defnyddio**
digolledu
iawndal x 2
yrru
fai
unigolyn
anaf
atebolrwydd
atal
breifat
gyhoeddus
cosbi
hawliau
Rylands
safon
wladwriaeth
caeth
annheg

## Atebolrwydd ar sail bai ac atebolrwydd caeth

Yr egwyddor gyffredinol yw nad oes heb . Mae atebolrwydd mewn cyfraith camwedd yn seiliedig ar y syniad bod bai ar y diffynnydd mewn rhyw ffordd. Mae ystyr eang i'r term 'bai' yng nghyfraith camwedd, ac mae'n cynnwys sefyllfaoedd fel esgeuluster (lle mae ymddygiad diffynnydd o is na'r hyn sydd i'w ddisgwyl), achosi niwed yn fwriadol, a thresmasu (lle mae'r diffynnydd yn tresmasu ar rhywun arall). Mae atebolrwydd ar sail bai yn atal pobl eraill gan eu bod yn gwybod, os penderfynir mai nhw sydd ar fai, y gallan nhw fod yn atebol i dalu .

Mae'n bosibl cyflawni rhai camweddau, o'r enw camweddau atebolrwydd , heb fod unrhyw fai ar y diffynnydd o gwbl. Mae potensial i'r rhain fod yn , gan y gall y diffynnydd fod yn atebol i dalu iawndal er na fyddai wedi gallu y niwed o bosibl. Mae achos ***v Fletcher (1868)*** yn enghraifft o gamwedd atebolrwydd caeth.

## Gweithgaredd 3.2 Chwilair damcaniaethau cyfraith camwedd

**Geiriau i'w canfod**
IAWNDAL
CYFIAWNDER CYWIROL
RHWYSTR
PERSWADIO
CAMYMDDWYN YN Y DYFODOL
ARIAN YSWIRIANT
COSB
DIBEN
RHWYMEDI
CYFIAWNDER ADFEROL
CYFIAWNDER DIALGAR
UNIONI'R CAM
SIWIO
DAMCANIAETHAU

W G J C I L G Y Y M A F O J G T W C L Y
P G Y G E O F A J T B H I C E E Y O A G
G A A U G R G R Y U J P W G M F R S D B
F B W G M I B F R S C J O P I E H B N G
I Y N I J W C A G Y C N J A F H W P W L
L O D O F Y D Y N Y N Y W D D M Y M A C
G U L I M C A C W Y W N A J B Y S G I J
O J N W L R M O L E D R W R C E T D J W
N J T I R E C R I E E O U A M T R R A T
S D T S O D A J R D P J W B P W T J A T
L B G T H N N D N H A L H E U H W B M G
B D I T G W I W R Y W W P I M L H D T Y
J T W F W A A R I A N Y S W I R I A N T
G F R E L I E E C W T F M R D B T M U G
T J M G F F T P T A L J T E E I E P D J
S H A Y P Y H P B W M G Y N D P T J C H
L R C L T C A H B U M G B T T I P O E F
R B S I E D U J E L A U C P D T J P J U

**Nawr diffiniwch y geiriau sydd yn y chwilair.**

| Term allweddol | Diffiniad |
|---|---|
| damcaniaethau | |
| diben | |
| rhwymedi | |
| cyfiawnder cywirol | |
| unioni'r cam | |
| cyfiawnder adferol | |
| cyfiawnder dialgar | |
| cosb | |
| perswadio | |
| camymddwyn yn y dyfodol | |
| siwio | |
| rhwystr | |
| arian yswiriant | |
| iawndal | |

## Gweithgaredd 3.3 Gwerthuso cyfraith camwedd

Ychwanegwch fwy o fanylion at y nodiadau sy'n gwerthuso cyfraith camwedd.

| Cyfiawnhau cyfraith camwedd | Beirniadu cyfraith camwedd |
|---|---|
| Mae'n ffordd o roi iawndal i'r dioddefwr am y difrod a gafodd ei achosi gan y drwgweithredwr. Gall roi'r dioddefwr yn ôl... | Diwylliant iawndal |
| Gall atal pobl rhag cyflawni gweithredoedd neu anwaith a allai niweidio eraill, os ydyn nhw'n gwybod...<br><br>Mae cymdeithas yn fwy diogel | Mae achosion camwedd atebolrwydd caeth, fel ***Rylands v Fletcher (1868)***, wedi cael eu beirniadu am... |
| Heb system gamwedd, ni fyddai pobl sy'n cael anafiadau yn gallu... | Y gost i drethdalwyr |
| Rheolaeth cyfraith | Mae diffyg cydraddoldeb yn y system camwedd oherwydd... |
| Elfennau cyfiawnder dialgar. Er enghraifft... | Twyll |

## 3.1 Cwestiynau cyflym

1. Beth yw ystyr **camwedd**?
2. Rhowch rai enghreifftiau o weithredoedd sifil eraill.
3. Beth yw prif nodweddion cyfraith sifil?
4. Beth yw ystyr **cyfraith gwlad/cyfraith gyffredin**?
5. Beth mae hawlydd yn ei geisio ar ddiwedd achos sifil?
6. Beth yw enw'r ddau lys gwrandawiad cyntaf yng nghyfraith sifil?
7. Sut mae achosion yn cael eu rhannu rhwng y ddau lys hyn?
8. Beth yw safon y prawf mewn achos sifil a beth mae hyn yn ei olygu?
9. Ar ba barti mae baich y prawf?
10. Beth yw damcaniaeth **cyfiawnder cywirol**?
11. Beth yw damcaniaeth **cyfiawnder adferol**?
12. Beth yw damcaniaeth **cyfiawnder dialgar?**
13. Beth yw **bai**?
14. Beth yw camwedd **atebolrwydd caeth**?
15. Esboniwch bedwar cyfiawnhad dros gyfraith camwedd.
16. Esboniwch bedair beirniadaeth o gyfraith camwedd.

# Atebolrwydd o ran esgeuluster

| Yn y fanyleb | Yn yr adran hon bydd myfyrwyr yn datblygu eu gwybodaeth am y canlynol: |
|---|---|
| **CBAC UG/U2**<br>**2.2:** Atebolrwydd o ran esgeuluster mewn perthynas ag anafiadau i bobl a difrod i eiddo | • Dyletswydd gofal: pobl a difrod i eiddo; egwyddor cymydog; prawf Caparo<br>• Tor-dyletswydd: y dyn rhesymol; y safon gofal wrthrychol<br>• Achosiaeth difrod: prawf 'pe na bai'; achosiaeth gyfreithiol; rhagweladwyaeth; effaith gweithred ymyrrol; pellenigrwydd difrod<br>• Anaf seiciatrig: dioddefwyr cynradd ac eilaidd |

**CYSWLLT**

I gael rhagor o wybodaeth am atebolrwydd o ran esgeuluster, gweler tudalennau 136–142 yn *CBAC Safon Uwch Y Gyfraith Llyfr 1*.

## Gwella adolygu

Mae cwestiynau ar y testun hwn ac elfennau ar y testun hwn yn ymdrin â phob un o'r Amcanion Asesu, a gallen nhw gael eu gosod fel cwestiwn **esbonio, cymhwyso at senario** neu **werthuso**.

Ar gyfer cwestiynau marciau is sy'n profi **AA1 gwybodaeth** am y testun hwn, mae angen i chi allu esbonio elfennau esgeuluster neu atebolrwydd meddianwyr. Efallai hefyd y bydd angen i chi esbonio pa rwymedïau sydd ar gael, neu esbonio'r gyfraith mewn perthynas ag anaf seiciatrig.

Ar gyfer cwestiynau **AA2**, mae angen i chi **gymhwyso** elfennau esgeuluster neu atebolrwydd meddianwyr at senario i ddod i gasgliad ynghylch atebolrwydd y diffynnydd. Mewn gwirionedd, dwy ran yn unig o'r testun hwn fyddai'n gallu ymddangos fel cwestiwn **cymhwyso** at senario: esgeuluster, neu atebolrwydd meddianwyr. Dylech chi gynnwys enghreifftiau i gefnogi eich ateb. Mae'r mathau hyn o gwestiynau yn tueddu i ofyn am atebion hirach, ac maen nhw'n cynnig marciau uwch. Gan mai'r sgìl sy'n cael ei brofi yw **AA2**, mae'n hanfodol eich bod yn cymhwyso'r gyfraith at y senario penodol.

Ar gyfer cwestiynau **AA3 gwerthuso**, bydd angen i chi **ddadansoddi a gwerthuso** maes o'r gyfraith. Mae elfennau o'r testun hwn fyddai'n gallu ymddangos fel cwestiwn gwerthuso, gan gynnwys y gyfraith ar anaf seiciatrig, iawndal, ac elfennau esgeuluster. Dylech chi gynnwys enghreifftiau i gefnogi eich ateb. Eto, mae'r rhain yn tueddu i ofyn am atebion hirach i ennill marciau uwch. Gan mai'r sgìl sy'n cael ei brofi yw **AA3**, mae'n bwysig eich bod yn cynnwys cyflwyniad, prif gorff gyda pharagraffau sy'n cysylltu'n ôl â'r cwestiwn, a chasgliad.

## Lluniwch eich nodiadau adolygu o amgylch y canlynol…

Esgeuluster

- Gall ddeillio o weithred neu anwaith: ***Blyth v Birmingham Waterworks (1865)***
- Y tair elfen sydd eu hangen i brofi atebolrwydd: **dyletswydd gofal, tor-dyletswydd ac achosiaeth**
- **Dyletswydd gofal:** perthynas gyfreithiol rhwng y partïon.
  - Prawf i ddangos a oes dyletswydd gofal yn bodoli:
    - ***Yr Arglwydd Atkin yn Donoghue v Stevenson (1932)***: egwyddor y cymydog
    - ***Caparo v Dickman (1990)***: prawf cynyddol mewn tri cham
  - **Cam 1:** A oedd y difrod neu'r niwed yn rhesymol ragweladwy? ***Kent v Griffiths (2000)***
  - **Cam 2:** A oedd perthynas ddigon agos rhwng y ddau barti? ***Bourhill v Young (1943)***
  - **Cam 3:** A yw'n gyfiawn, yn deg ac yn rhesymol i osod dyletswydd gofal? Dadl y llifddorau: ***Mulcahy v Ministry of Defence (1996)***; ***Hill v CC of West Yorkshire Police (1990)***; ***Kent v Griffiths (2000)***
- **Tor-dyletswydd gofal:** ***Blyth v Birmingham Waterworks (1865)***
  - **1a:** Prawf y dyn rhesymol: man cychwyn
  - **1b:** Categorïau arbennig o bobl: diffynyddion â sgìl arbennig: ***Bolam v Friern Barnet HMC (1857)***; dysgwyr dibrofiad: ***Nettleship v Weston (1971)***; plant a phobl ifanc: ***Nettleship v Weston (1971)***
  - **2:** Ffactorau risg: cymhwyso'r rhai sy'n berthnasol yn unig: nodweddion arbennig y diffynnydd: ***Paris v Stepney Borough Council (1951)***; maint y risg: ***Bolton v Stone (1951)***; rhagofalon: ***Latimer v AEC Ltd (1953)***; risgiau hysbys: ***Roe v Minister of Health (1954)***; buddion y risg i gymdeithas: ***Day v High Performance Sports (2003)***
- **Achosiaeth:** mae hwn yn gofyn am brawf bod y difrod wedi'i achosi gan y tor-dyletswydd (achosiaeth ffeithiol) ac nad oedd y golled neu'r difrod yn rhy bellennig: rhaid ei fod yn rhesymol ragweladwy (achosiaeth gyfreithiol).
  - **Achosiaeth ffeithiol:** Prawf 'pe na bai': ***Barnett v Chelsea & Kensington Hospital Management Committee (1969)***
    - ***Novus actus interveniens***: gweithred ymyrrol sydd wedi torri'r gadwyn achosiaeth
  - **Achosiaeth gyfreithiol:** Rhaid bod y math o anaf yn rhagweladwy ac nad oes gormod o bellter rhwng y difrod a'r weithred wreiddiol: ***Wagon Mound (No1) (1951)***
    - Does dim rhaid i **faint yr anaf** fod yn rhagweladwy: mae'n rhaid i'r math o anaf fod yn rhagweladwy ond nid yw hyn yn wir am ddifrifoldeb na maint yr anaf: ***Hughes v Lord Advocate (1963)***
    - Egwyddor y benglog denau: rhaid i chi gymryd eich dioddefwr fel y mae: ***Smith v Leech and Brain and Co (1962)***
  - Esgeuluster cyfrannol: mae hyn yn gostwng iawndal yr hawlydd fesul canran

## Cyd-destun

Gall person hawlio rhwymedi am esgeuluster dim ond os oes gan y diffynnydd ddyletswydd gofal tuag ato. Mae camwedd esgeuluster wedi datblygu drwy gyfraith achosion, ac un o'r dyfarniadau allweddol cyntaf ar y mater oedd achos ***Donoghue v Stevenson (1932)***. Tŷ'r Arglwyddi oedd yn gyfrifol am sefydlu 'egwyddor y cymydog'. Dywedodd yr Arglwydd Atkin fod gan y gwneuthurwyr ddyletswydd gofal tuag at 'unrhyw un a allai gael ei effeithio gan eu gweithredoedd' (hynny yw, eu cymdogion).

Cafodd cysyniad sylfaenol egwyddor y cymydog ei ailddiffinio yn achos allweddol ***Caparo Industries plc v Dickman (1990)***. Mae'n cael ei alw'n brawf 'Caparo' neu'r 'dull cynyddol'.

## Gweithgaredd 3.4 Dyletswydd gofal

Copïwch a chwblhewch y tabl i roi trosolwg o ddyletswydd gofal a dull cynyddol ***Caparo v Dickman (1990)***.

| Elfen | Esboniad | Achos(ion) ategol | Egwyddor gafodd ei sefydlu |
|---|---|---|---|
| Rhaid bod y difrod yn **rhagweladwy** | Er mwyn i ddyletswydd gofal fodoli, rhaid bod modd rhagweld yn rhesymol y byddai difrod neu niwed yn cael ei achosi i'r diffynnydd penodol, neu i ddosbarth o bobl maen nhw'n perthyn iddo (yn hytrach na phobl yn gyffredinol) | ***Kent v Griffiths (2000)*** | Roedd y llys o'r farn ei bod yn 'rhesymol ragweladwy' y byddai'r hawlydd yn dioddef rhyw niwed yn sgil yr oedi hwn |
| Rhaid bod **perthynas ddigon agos** rhwng yr hawlydd a'r diffynnydd | | ***Bourhill v Young (1943)*** | |
| Mae'n **gyfiawn, yn deg ac yn rhesymol** i osod dyletswydd gofal. | | | Roedd y Llys Apêl o'r farn, er bod ffactorau rhagweladwyaeth ac agosrwydd i'w cael, fod ffeithiau'r achos yn golygu bod rhaid trin yr achos fel mater polisi. Felly, doedd gan y Weinyddiaeth Amddiffyn ddim dyletswydd gofal tuag at filwyr mewn sefyllfaoedd tebyg ar faes y gad |

## Cyd-destun

Ar ôl sefydlu bod dyletswydd gofal yn bodoli, rhaid profi tor-dyletswydd gofal: mewn geiriau eraill, profi nad yw'r diffynnydd wedi cyflawni ei ddyletswydd gofal. Safon y gofal sydd i'w ddisgwyl yw safon y dyn rhesymol, sy'n rhywun 'arferol', heb fod yn berffaith. Prawf gwrthrychol yw hwn yn gyffredinol, sy'n gofyn 'beth byddai rhywun rhesymol wedi'i ragweld yn y sefyllfa benodol hon?' yn hytrach na gofyn 'beth gwnaeth y diffynnydd penodol hwn ei ragweld yn y sefyllfa benodol hon?' Ond mae'r ddyletswydd wedi datblygu drwy gyfraith achosion er mwyn ystyried safonau gofal arbennig – ar gyfer diffynyddion â sgìl, er enghraifft – a ffactorau perthnasol eraill fel maint y risg hefyd.

## Gweithgaredd 3.5 Tor-dyletswydd

Mae'r llysoedd wedi sefydlu gwahanol brofion i benderfynu a yw diffynnydd wedi cyflawni tor-dyletswydd gofal. Cwblhewch y tabl isod ar y ffactorau risg ar gyfer tor-dyletswydd gofal.

| Ffactor risg | Esboniad | Achos(ion) ategol | Egwyddor gafodd ei sefydlu |
|---|---|---|---|
| I ba raddau mae hi'n debygol y bydd niwed yn cael ei achosi | Os yw'r risg yn fach iawn, efallai y penderfynir nad yw'r diffynnydd wedi torri'r ddyletswydd. Rhaid cymryd gofal hefyd yn achos risg lle mae niwed neu anaf yn rhesymol ragweladwy | ***Bolton v Stone* (1951)** | Mae tebygolrwydd bach iawn o niwed yn golygu nad yw'n bosibl sefydlu tor-dyletswydd |
| Maint y niwed tebygol | | ***Paris v Stepney Borough Council* (1951)** | |

Parhad

| | | | |
|---|---|---|---|
| Cost ac ymarferoldeb atal risg | Yn y prawf hwn, mae'r llys yn ystyried a fyddai'r diffynnydd wedi gallu cymryd rhagofalon yn erbyn y risg. Os nad yw'r gost o gymryd rhagofalon i ddileu'r risg yn gwbl gymesur â maint y risg ei hun, ni fydd y diffynnydd yn cael ei ystyried yn atebol | | |
| Buddion posibl y risg | | | Yr Arglwydd Ustus Asquith: 'Pe bai holl drenau'r wlad hon yn cael eu cyfyngu i gyflymder o bum milltir yr awr, byddai llai o ddamweiniau, ond byddai'n achosi i'n bywyd cenedlaethol arafu mewn ffordd annioddefol. Mae pwrpas y weithred, os yw'n ddigon pwysig, yn cyfiawnhau'r rhagdybiaeth o risg anarferol...' |

## Gweithgaredd 3.6 Nodweddion arbennig

**Geiriau i'w defnyddio**
oedran
nodweddion
blentyn
profiad
Mullin
gwrthrychol
proffesiwn
sgìl
medrus
Weston

**Cwblhewch y geiriau sydd ar goll gan ddefnyddio'r rhestr a roddwyd.**

Mewn rhai sefyllfaoedd, nid yw'r safon yn un                yn unig. Gall y llysoedd roi ystyriaeth i rai o                arbennig y diffynnydd. Yn ddiddorol, yn achos gyrwyr, y safon dan sylw yw safon y gyrrwr cyffredin, arferol (gan anwybyddu eu                a'u blynyddoedd wrth y llyw). Cadarnhawyd hyn yn achos ***Nettleship v                (1971)***.

### Pobl broffesiynol

Os bydd gan y diffynnydd                proffesiynol, bydd y llys yn disgwyl i'r diffynnydd ddangos bod ganddo'r lefel cymhwysedd sydd fel arfer yn ddisgwyliedig gan aelod                nodweddiadol o'r                hwnnw. Golyga hyn, er enghraifft, y bydd disgwyl i feddyg teulu ddangos lefel sgìl arferol meddyg teulu yn unig, yn hytrach nag uwch ymgynghorydd neu lawfeddyg.

### Plant

Os yw'r diffynnydd yn blentyn, y safon gofal yw'r safon gofalus a rhesymol arferol sy'n cael ei roi i                o'r un                fel yn achos                ***v Richards (1991)***.

## Gweithgaredd 3.7 Croesair difrod o ganlyniad

Ewch ati i ddatrys cliwiau'r croesair a'u gosod yn y grid.

*Cofiwch fod llythrennau fel Ch, Dd, Th etc. yn cyfrif fel un llythyren yn y Gymraeg.*

**I Lawr**

1. Mae'n rhaid i'r math o niwed gafodd ei ddioddef a'i raddfa fod yn hyn. [10]
2. Enw'r gadwyn sy'n cysylltu gweithred y diffynnydd gyda'r difrod o ganlyniad. [8]
3. Yr ymadrodd cyffredin ar gyfer profi a yw diffynnydd yn atebol lle bydd anafiadau i'r hawlydd yn fwy difrifol na'r hyn y gellid ei ragweld oherwydd ffactorau sy'n benodol i'r dioddefwr. [7,5]
4. Beth yw'r Lladin am 'mae'r peth yn siarad drosto'i hun'? [3,4,8]
5. Yr achos gafodd ei ddirymu gan ***Wagon Mound***. [2,7]
6. Yr achos lle cafodd y prawf pellenigrwydd ei sefydlu. [5,5]

**Ar Draws**

7. Mae gweithred sy'n gallu torri'r gadwyn achosiaeth yn cael ei galw'n 'novus ________'. [5,12]
8. Un achos sy'n dangos y prawf 'pe na bai' yw ________ ***v Chelsea and Kensington Hospital Management Committee (1968)***. [7]
9. Mae'n rhaid i'r hawlydd brofi nad oedd y difrod yn rhy ________. [8]
10. 'Pe na bai am dor-dyletswydd y diffynnydd, ni fyddai difrod neu anaf wedi digwydd.' Yr enw ar hwn yw'r prawf ________. [2,2,3]

## Cyd-destun

Efallai bydd rhaid i chi gymhwyso'r gyfraith ar esgeuluster at senario er mwyn cynghori rhywun ynghylch ei atebolrwydd tebygol. Wrth ateb cwestiynau fel hyn, mae'n hanfodol eich bod yn **nodi**'r mater cyfreithiol (**N**), yn **disgrifio**'r gyfraith (**D**) ac yna'n **cymhwyso**'r gyfraith at y ffeithiau er mwyn dod i gasgliad (**C**). Yr enw ar y dull hwn yw **NDC**.

Mae ffyrdd gwahanol o ddefnyddio'r fframwaith NDC. Efallai bydd yn well gennych chi nodi'r mater (e.e. esgeuluster) ac yna disgrifio pob elfen o'r gyfraith hon (dyletswydd, tor-dyletswydd a difrod o ganlyniad) gyda'i gilydd, cyn ei chymhwyso at y senario a dod i gasgliad ar y diwedd. Er nad oes dim o'i le gyda hyn, bydd yn haws sicrhau eich bod chi'n disgrifio ac yn cymhwyso'r holl elfennau angenrheidiol ar y gyfraith os byddwch yn ystyried pob elfen ar esgeuluster ar ei phen ei hun ac yn ei chymhwyso yn unigol. Yn achos rhai o'r elfennau, efallai bydd angen i chi gymhwyso elfennau ychwanegol hefyd. Dylai'r tabl ar y dudalen nesaf eich helpu. Mae'n hanfodol eich bod yn cefnogi eich ateb gyda chyfraith achosion. I ddangos eich bod chi'n cymhwyso'r gyfraith, gallech chi ddefnyddio ymadroddion fel 'yn yr achos hwn... '. Mae'r adrannau cymhwyso ar gyfer y marciau **AA2** pwysig hynny wedi'u dangos mewn lliw llwyd yn y tabl sy'n dilyn.

## Gweithgaredd 3.8 Enghraifft o sut i ateb cwestiwn cymhwyso'r gyfraith at broblem

**Senario**

Mae Johnny yn gyrru ei gar, ac mae'n cofio bod angen iddo decstio ei fam i ddweud wrthi na fydd adref mewn pryd i gael swper y diwrnod hwnnw. Mae'n tecstio ei fam drwy ddal ei ffôn symudol yn ei law chwith gan ddefnyddio ei law dde i lywio'r car. Wrth iddo droi ger cyffordd, mae'n gweld Alan yn gyrru tuag ato mewn fan. Mae Johnny yn gollwng ei ffôn symudol ac yn brecio'n galed, ond mae'r car yn llithro i mewn i fan Alan gan wneud difrod mawr i flaen y ddau gerbyd. Mae Alan yn dioddef anafiadau difrifol i'w ben.

Cynghorwch Johnny ynghylch a yw'n atebol am anafiadau Alan.

### Mater

Y mater dan sylw yw ystyried a fyddai Alan yn llwyddo yn ei hawliad am esgeuluster yn erbyn Johnny am ei anafiadau a'r difrod i'w fan. Y gyfraith berthnasol yw cyfraith esgeuluster, ac yn benodol, hawliad am anaf personol oherwydd yr anafiadau i'w ben. Mae'n rhaid sefydlu tair elfen er mwyn cyflwyno hawliad llwyddiannus am esgeuluster. Yn gyntaf, rhaid profi a oedd gan Johnny ddyletswydd gofal tuag at Alan.

### Disgrifiwch gefndir dyletswydd gofal

Nid oes gan Johnny ddyletswydd i'r byd i gyd, dim ond i'r personau hynny y gellid rhagweld yn rhesymol y bydd ei weithredoedd neu ei anwaith yn effeithio arnyn nhw, fel sydd wedi ei bennu yn ***Donoghue v Stevenson (1932)***. Mae'r prawf ar gyfer pennu a oes gan rywun ddyletswydd gofal tuag at rywun arall neu beidio yn seiliedig ar brawf tair rhan, fel cafodd ei nodi yn ***Caparo Industries PLC v Dickman (1990)***.

### Disgrifiwch elfen 1 o ddyletswydd gofal

A oedd y difrod neu'r niwed yn rhesymol ragweladwy? Rhaid bod modd rhagweld yn rhesymol (neu ragfynegi) y byddai difrod neu niwed yn cael ei achosi i'r diffynnydd penodol, neu i ddosbarth o bobl mae'r diffynnydd yn perthyn iddo (yn hytrach na phobl yn gyffredinol). Yn achos ***Kent v Griffiths (2000)***, cafodd claf drawiad ar y galon wrth aros am ambiwlans a oedd yn hwyr yn cyrraedd. Ystyriwyd bod hyn yn rhesymol ragweladwy.

### Cymhwyswch

O ran penderfyniad Johnny i ddefnyddio ei ffôn symudol wrth droi'r gornel, gellid rhagweld yn rhesymol y gallai hyn arwain at effaith ar unigolion eraill.

**Symudwch ymlaen at yr elfen nesaf**

Os sefydlir bod rhywfaint o 'ragweladwyaeth' yn bodoli, yna rhaid ystyried pa mor agos yw'r partïon dan sylw.

### Disgrifiwch elfen 2 o ddyletswydd gofal

A oes perthynas ddigon agos rhwng yr hawlydd a'r diffynnydd? Mae hyn yn golygu agosrwydd o ran perthynas, gofod neu amser. Dangosir hyn yn achos ***Bourhill v Young (1943)***, lle roedd menyw feichiog yn dod oddi ar fws. Clywodd hi ddamwain beic modur, ac yna gwelodd waed ar y ffordd. Ganwyd ei baban yn farw-anedig, ond roedd y llysoedd o'r farn nad oedd hi'n ddigon agos at y fan lle digwyddodd y ddamwain. Cyferbynnwch hyn ag achos ***McLoughlin v O'Brian (1983)***. Yn yr achos hwn, cafodd gŵr a thri o blant yr hawlydd ddamwain car; bu farw un o'r plant. Aeth yr hawlydd i'r ysbyty ar unwaith a gweld canlyniadau'r ddamwain. Dioddefodd sioc o ganlyniad. Er nad oedd hi wedi bod yn y ddamwain ei hun, roedd hi'n ddigon agos oherwydd ei bod hi wedi gweld y canlyniadau yn syth wedyn.

Parhad

## Cymhwyswch elfen 2 o ddyletswydd gofal

Mae 'agosrwydd' yn cael ei bennu ar sail y berthynas rhwng y partïon dan sylw. Mae agosrwydd clir yn y berthynas rhwng Johnny a defnyddwyr eraill y ffordd, fel Alan.

**Symudwch ymlaen i'r elfen nesaf**

Bydd y llysoedd hefyd yn ystyried a yw'n rhesymol gosod dyletswydd gofal ar Johnny ar sail tegwch neu bolisi.

## Disgrifiwch elfen 3 o ddyletswydd gofal

A yw'n gyfiawn, yn deg ac yn rhesymol i osod dyletswydd? Yr enw arall ar hyn yw'r prawf 'polisi' neu'r prawf 'llifddorau', sy'n ceisio lleihau'r nifer o hawlyddion posibl yn y dyfodol pe bai'r 'llifddorau' yn cael eu hagor ar ôl i un hawliad lwyddo. Yn achos ***Mulcahy v MOD (1996)***, roedd milwr wedi dioddef niwed i'w glyw yn Rhyfel y Gwlff. Byddai caniatáu hawliad yn yr amgylchiadau hyn o bosibl yn agor y llifddorau i lawer rhagor o hawliadau gan filwyr wedi'u hanafu; felly, penderfynwyd nad oedd dim dyletswydd mewn sefyllfaoedd ar faes y gad. Digwyddodd rhywbeth tebyg yn achos ***Hill v Chief Constable of West Yorkshire (1988)*** (achos y 'Yorkshire Ripper'). Ceisiodd mam y ferch olaf i gael ei llofruddio hawlio na fyddai ei merch wedi cael ei lladd, o bosibl, pe bai'r heddlu wedi gweithredu'n gynt ar y dystiolaeth oedd ganddyn nhw. Doedd dim dyletswydd gofal yn yr achos hwn, oherwydd roedd perygl i hyn agor y llifddorau i hawlyddion eraill posibl.

## Cymhwyswch elfen 3 o ddyletswydd gofal

Does dim rheswm polisi dros wrthod hawliad yn yr achos hwn. Mae hynny gan fod Alan yn hawlydd unigol ac mae'n deg, yn gyfiawn ac yn rhesymol i osod dyletswydd. Ar sail cymhwyso prawf Caparo, gallwn ddod i'r casgliad bod gan Johnny ddyletswydd gofal i Alan.

**Symudwch ymlaen at dor-dyletswydd gofal**

Ar ôl sefydlu bod dyletswydd gofal yn bodoli, nesaf mae'n rhaid ystyried a yw'r diffynnydd wedi torri ei ddyletswydd gofal tuag at yr hawlydd.

## Disgrifiwch dor-dyletswydd (safon gwrthrychol)

Wrth benderfynu a wnaeth y diffynnydd dorri ei ddyletswydd gofal neu beidio, rhaid i ni farnu yn ôl y safon wrthrychol: 'dyn rhesymol', nid y diffynnydd penodol. Mae'r diffiniad presennol yn dod o achos ***Blyth v Birmingham Waterworks (1856)***: 'anwaith, sef peidio â gwneud rhywbeth y byddai dyn rhesymol yn ei wneud, neu wneud rhywbeth na fyddai dyn pwyllog a rhesymol yn ei wneud.'

Y cwestiwn gwrthrychol yw 'beth byddai rhywun rhesymol wedi'i ragweld yn y sefyllfa benodol hon?' yn hytrach na gofyn 'beth gwnaeth y diffynnydd penodol hwn ei ragweld yn y sefyllfa benodol hon?'. Gall y safon wrthrychol hon gael ei haddasu i ystyried pobl broffesiynol a nodweddion arbennig eraill. Er enghraifft, mae pobl broffesiynol yn cael eu barnu yn ôl safon y proffesiwn cyfan (***Bolam (1957)***, ***Montgomery (2015)***). Mae plant yn cael eu barnu yn ôl safon rhywun rhesymol o oedran y diffynnydd (***Mullin v Richards (1998)***), ac mae pobl sy'n dysgu gyrru yn cael eu barnu yn ôl safon y gyrrwr cymwys, profiadol (***Nettleship v Weston (1971)***).

## Cymhwyswch dor-dyletswydd (nodweddion arbennig)

Yn yr achos hwn, dydy hi ddim yn ymddangos bod unrhyw nodweddion arbennig yn gysylltiedig â Johnny er mwyn addasu'r safon ddisgwyliedig. Felly, mae'n cael ei farnu yn ôl safon y gyrrwr rhesymol. Mae'n ymddangos ei fod wedi ymddwyn yn is na'r safon ddisgwyliedig, gan ei fod wedi tecstio ei fam wrth afael yn ei ffôn symudol yn ei law chwith a defnyddio ei law dde i lywio'r car, gan achosi'r gwrthdrawiad ag Alan.

**Symudwch ymlaen at ffactorau risg**

Parhad

## Disgrifiwch dor-dyletswydd (ffactorau risg): yn yr enghraifft hon, cymhwyswch bob un yn ei dro.

Mae ffactorau risg yn codi neu'n gostwng y safon sy'n ddisgwyliedig gan rywun rhesymol yn y sefyllfa honno. Er enghraifft, fel hawlydd, dylai unrhyw nodweddion arbennig gael eu hystyried. Dangosir hyn yn achos ***Paris v Stepney (1951)***, lle dylai'r cyflogwr fod wedi ystyried nodwedd arbennig ei weithiwr, a gweithredu safon gofal uwch drwy roi sbectol ddiogelwch iddo. Mae'n ofynnol hefyd i weithwyr proffesiynol gadw at y safonau sy'n ddisgwyliedig gan eu proffesiwn (e.e. meddyg, trydanwr, ac ati).

**Cymhwyswch:** Does gan Alan ddim nodweddion arbennig y mae angen eu hystyried.

Nesaf, beth yw maint y risg?

- Risg bach = does dim rhaid i'r diffynnydd gymryd cymaint o ragofalon.
- Risg mwy = dylid cymryd rhagor o ragofalon.

Rhaid cymryd gofal hefyd yn achos risg lle mae niwed neu anaf yn rhesymol ragweladwy. Dangosir hyn yn achos ***Bolton v Stone (1951)***, lle barnwyd nad oedd y clwb criced yn atebol gan ei fod wedi cymryd yr holl ragofalon angenrheidiol, a bod y risg yn fach.

**Cymhwyswch:** Yn yr achos hwn, mae'n bosibl bod maint y risg o yrru heb dalu sylw yn uchel (ac mae'n ymddangos i Johnny wneud hyn drwy decstio ei fam), oherwydd gallai gwrthdrawiad ddigwydd gan achosi marwolaeth neu anaf difrifol i ddefnyddwyr eraill y ffordd a cherddwyr.

Dyma'r ffactor nesaf: A yw'r holl ragofalon priodol wedi cael eu cymryd, o ystyried cost ac ymarferoldeb atal y risg? Os nad yw'r gost o gymryd rhagofalon i ddileu'r risg yn gymesur â maint y risg ei hun, ni fydd y diffynnydd yn cael ei ystyried yn atebol. Mae hyn i'w weld yn achos ***Latimer v AEC Ltd (1953)***, lle roedd llifogydd wedi bod mewn ffatri ac roedd y llawr yn llithrig. Rhoddodd y cyflogwr flawd llif ar y llawr i amsugno'r dŵr, ond llithrodd rhywun. Doedd y ffatri ddim yn atebol gan ei bod wedi cymryd camau rhesymol i leihau'r risg.

**Cymhwyswch:** Yn yr achos hwn, byddai wedi bod yn hawdd i Johnny osgoi'r risg, ac ni fyddai wedi costio dim, pe bai heb ddefnyddio ei ffôn symudol wrth yrru.

A oedd ffordd o wybod am y risgiau ar adeg y ddamwain? Os nad oes neb yn gwybod am y risg, does dim tor-dyletswydd. Er enghraifft, roedd achos ***Roe v Minister of Health (1954)*** yn ymwneud â chraciau anweledig mewn tiwbiau anaesthetig. Doedd neb yn gwybod amdanyn nhw, felly doedd dim tor-dyletswydd.

**Cymhwyswch:** Mae pawb yn gwybod am y risgiau o ddefnyddio ffôn symudol wrth yrru, ac maen nhw wedi arwain at sawl trosedd wahanol. Yn yr achos hwn, gallwn ragdybio bod Johnny yn gwybod am y risgiau.

Yn olaf, a oes budd i'r cyhoedd o gymryd y risg? Mae gan rai risgiau fuddion posibl (e.e. y gwasanaethau brys, trenau yn gyrru'n gyflym). Yn achos ***Watt v Hertfordshire CC (1954)***, doedd gan y gwasanaeth tân ddim jac, ond roedd y budd o gymryd y risg yn fwy na'r risg ei hun yn y sefyllfa o argyfwng.

**Cymhwyswch:** Yn yr achos hwn, doedd dim buddion i Johnny wrth gymryd y risg o ddefnyddio ei ffôn symudol i decstio ei fam wrth yrru. Felly, gallwn ddod i'r casgliad bod Johnny wedi torri ei ddyletswydd gofal tuag at Alan.

## Symudwch ymlaen at elfen nesaf esgeuluster

Yr elfen olaf o esgeuluster i'w sefydlu yw ystyried a wnaeth Alan ddioddef difrod o ganlyniad i dor-dyletswydd Johnny, a bod y difrod hwn ddim yn rhy bellennig.

## Disgrifiwch elfen 3 esgeluster

Yn olaf, mae'n rhaid i'r hawlydd ddangos difrod (colled neu anaf o ganlyniad i dor-dyletswydd gofal).

Parhad

Mae'n rhaid bod difrod (e.e. anaf corfforol neu ddifrod i eiddo) o ganlyniad i esgeuluster y diffynnydd. Mae'n rhaid i'r hawlydd allu profi bod y difrod wedi cael ei achosi gan dor-dyletswydd y diffynnydd, nad oedd y difrod yn rhy bellennig, a'i fod yn rhesymol ragweladwy.

Achosiaeth yw'r syniad mai tor-dyletswydd sydd wedi achosi'r anaf neu'r difrod sy'n destun yr hawliad. Mae'n rhaid bod cadwyn achosiaeth ddi-dor sy'n cysylltu'r weithred esgeulus a'r canlyniad cyfatebol. O ran achosiaeth ffeithiol, y man cychwyn yw'r prawf 'pe na bai': 'pe na bai am weithred neu anwaith y diffynnydd, ni fyddai'r anaf neu'r difrod wedi digwydd'. Dangosir hyn yn achos ***Barnett v Chelsea and Kensington Hospital Management Committee (1968)***, pan yfodd y dioddefwr baned o de wedi'i wenwyno ag arsenig. Cafodd ei drin yn esgeulus gan yr ysbyty, ond byddai wedi marw o'r gwenwyn beth bynnag – felly doedd yr ysbyty ddim yn atebol.

**Cymhwyswch:** Yn yr achos hwn, pe bai Johnny heb ddefnyddio ei ffôn symudol wrth yrru, ni fyddai'r gwrthdrawiad wedi digwydd, ac ni fyddai Alan wedi dioddef yr anafiadau a gafodd o ganlyniad.

Nesaf mae achosiaeth gyfreithiol, sy'n penderfynu a oedd yr anaf neu'r difrod yn rhesymol ragweladwy.

Gall gweithredoedd ymyrrol dorri'r gadwyn achosiaeth (*novus actus interveniens*), ond nid yw'n ymddangos bod unrhyw weithredoedd ymyrrol yn yr achos hwn.

Hefyd, mae rheol 'y benglog denau' (neu 'reol penglog plisgyn wy') yn berthnasol – sef bod 'rhaid i'r diffynnydd gymryd ei ddioddefwr fel y mae'. Os yw anaf yn fwy difrifol oherwydd cyflwr neu wendid sydd gan yr hawlydd yn barod, yna mae'r diffynnydd yn atebol am yr holl ganlyniadau a'r anafiadau, fel yn achos ***Smith v Leech Brain (1962)***. Nid yw'n ymddangos bod gan Alan unrhyw gyflyrau yn barod.

Rhaid i'r difrod beidio â bod yn rhy bellennig o esgeuluster y diffynnydd. Y prawf yw 'rhesymol ragweladwy', fel yn achos ***Wagon Mound No. 1 (1961)***, lle cafodd olew ei ollwng i harbwr ac yna aeth ar dân, gan achosi difrod. Roedd hyn yn rhy bellennig o'r weithred wreiddiol o ollwng yr olew.

**Cymhwyswch:** Yn yr achos hwn, mae'r difrod a gafodd Alan o ganlyniad uniongyrchol i'r gwrthdrawiad gyda char Johnny, o ganlyniad i yrru islaw'r safon fyddai'n ddisgwyliedig gan yrrwr rhesymol arall.

Yn olaf, rhaid bod y math o anaf yn rhagweladwy, fel yn achos ***Hughes v Lord Advocate (1963)***.

**Cymhwyswch:** Yn yr achos hwn, mae'r math o anaf (anaf i'r pen o ganlyniad i'r gwrthdrawiad) yn rhesymol ragweladwy. Felly, gallwn ddod i'r casgliad bod Alan wedi cael ei anafu o ganlyniad i yrru esgeulus Johnny, a bod y math o anaf (sef anaf i'r pen) yn rhagweladwy.

## Casgliad

I gloi, mae'n ymddangos bod gan Alan achos i gyflwyno hawliad am esgeuluster yn erbyn Johnny.

# 3.2 Cwestiynau cyflym

1. Ym mha achos cafodd **egwyddor y cymydog** ei sefydlu? Beth mae'r prawf yn ei ddweud?
2. Beth yw tair elfen esgeuluster?
3. Mae prawf Caparo ar gyfer dyletswydd gofal yn cael ei alw'n **brawf cynyddol**. Beth mae hyn yn ei olygu?
4. Wrth sefydlu a oes dyletswydd gofal yn bodoli, beth mae'n rhaid ei brofi?
5. Enwch achos ar gyfer pob elfen o ddyletswydd gofal.
6. Beth yw'r safon gofal disgwyliedig wrth ystyried tor-dyletswydd?
7. Pryd gall y safon gofal gael ei addasu?
8. Beth yw **dioddefwr cynradd**?
9. Beth yw **dioddefwr eilaidd**?

# Atebolrwydd meddianwyr

| Yn y fanyleb | Yn yr adran hon bydd myfyrwyr yn datblygu eu gwybodaeth am y canlynol: |
|---|---|
| **CBAC UG**<br>**2.3:** Atebolrwydd meddianwyr | • Atebolrwydd mewn perthynas ag ymwelwyr cyfreithlon (Deddf Atebolrwydd Meddianwyr 1957)<br>• Atebolrwydd mewn perthynas â thresmaswyr (Deddf Atebolrwydd Meddianwyr 1984)<br>• Categorïau arbennig o ymwelwyr, yn enwedig plant; achosiaeth gyfreithiol |

**CYSWLLT**

I gael rhagor o wybodaeth am atebolrwydd meddianwyr, gweler tudalennau 143–146 yn *CBAC Safon Uwch Y Gyfraith Llyfr 1.*

## Gwella adolygu

Ar gyfer cwestiynau marciau is sy'n profi **AA1 gwybodaeth** am y testun hwn, mae angen i chi wybod y gwahaniaethau rhwng ymwelwyr cyfreithlon ac anghyfreithlon a darpariaethau allweddol ***Deddfau Atebolrwydd Meddianwyr 1957*** ac ***1984***. At hynny, dylech chi allu trafod y gwahaniaethau rhwng y dyletswydd gofal tuag at ymwelwyr cyfreithlon ac anghyfreithlon, a chategorïau arbennig o ymwelwyr, yn enwedig plant.

Gallai'r testun ymddangos hefyd fel cwestiwn marc uwch sy'n profi sgiliau **AA2 cymhwyso**. Ar gyfer y mathau hyn o gwestiynau, mae angen i chi gynghori rhywun ynghylch y materion. Mae hyn yn debygol o ymwneud â'r ddyletswydd gofal sy'n ddyledus, felly byddai angen i chi nodi a yw'r ymwelydd yn y senario yn ymwelydd cyfreithlon neu anghyfreithlon, ac yna mynd ati i gymhwyso'r darpariaethau statudol a darpariaethau cyfraith gwlad/cyfraith gyffredin perthnasol at senario cyn dod i gasgliad. Ar gyfer yr atebion hirach hyn, dylech chi strwythuro eich ateb gyda chyflwyniad, sy'n rhoi trosolwg o atebolrwydd meddiannydd, a chasgliad sy'n clymu'r materion at ei gilydd ar sail eich gwaith cymhwyso. Gan mai'r sgìl sy'n cael ei brofi yw **AA2**, mae'n hanfodol eich bod yn cymhwyso'r gyfraith at y senario penodol gan ddarparu achosion a statudau i gefnogi eich ateb.

Gallai'r testun hwn ymddangos hefyd fel cwestiwn marc uwch sy'n profi sgiliau **AA3 dadansoddi a gwerthuso**. Meddyliwch am yr elfennau o bob testun fyddai'n gallu cyfiawnhau ymateb marc uwch, mwy gwerthusol. Dyma enghreifftiau o'r mathau o gwestiynau posibl:

- Dadansoddwch a gwerthuswch y gyfraith ar atebolrwydd meddianwyr.
- Dadansoddwch a gwerthuswch y ddyletswydd gofal sy'n ddyledus i ymwelwyr cyfreithlon ac anghyfreithlon.
- Dadansoddwch a gwerthuswch y lefel o amddiffyniad sy'n cael ei roi gan ***Ddeddfau Atebolrwydd Meddianwyr 1957*** ac ***1984***.

Ar gyfer yr atebion hirach hyn, dylech chi strwythuro eich ateb gyda chyflwyniad sy'n rhoi trosolwg o'r hyn mae'r ateb yn mynd i'w drafod, a sut bydd y prif gorff yn datblygu. Gallech gynnwys rhywfaint o gyd-destun cryno yma hefyd, ac esbonio termau allweddol mewn perthynas â'r testun neu'r cwestiwn. Yna, dylai eich ateb ddilyn strwythur rhesymegol gyda pharagraffau sy'n cysylltu'n ôl â'r cwestiwn ac sy'n defnyddio tystiolaeth i'w gefnogi. Yn olaf, dylai gynnwys casgliad sy'n clymu'r materion at ei gilydd ar sail y dystiolaeth rydych chi wedi'i chyflwyno mewn perthynas â'r cwestiwn. Er mwyn gwerthuso, mae'n rhaid i chi esbonio'r hyn rydych chi'n ei werthuso hefyd.

## Lluniwch eich nodiadau adolygu o amgylch y canlynol...

- Daw atebolrwydd meddiannydd o gyfraith statud a chyfraith gwlad/cyfraith gyffredin
- ***Deddf Atebolrwydd Meddianwyr 1957***:
  - Mae hon yn ymwneud â'r ddyletswydd gofal sy'n ddyledus i ymwelwyr cyfreithlon
  - Nid yw'n diffinio pwy yw'r meddiannydd, ond mae rheolau cyfraith gwlad yn gymwys ***Wheat v Lacon (1966)***: pwy sy'n rheoli'r eiddo?
  - Mae gan ymwelydd ganiatâd pendant neu ddealledig i ddod i mewn i eiddo
  - ***Adran 2(3)(a)***: rhaid disgwyl y bydd plant yn llai gofalus nag oedolion
  - ***Adran 2(3)(b)***: byddai disgwyl i ymwelwyr eu diogelu eu hunain yn erbyn unrhyw risgiau arbennig sy'n gysylltiedig â'r rheswm dros eu hymweliad
  - ***Adran 2(4)(a):*** gall rhybudd ryddhau'r ddyletswydd gofal
  - ***Adran 2(4)(b)***: nid yw'r meddiannydd yn atebol am fai contractwr annibynnol os yw wedi cymryd camau rhesymol i sicrhau bod y contractwr yn gymwys, a bod y gwaith wedi'i wneud yn iawn
  - Esboniad yr Arglwydd Reed o brawf 'y dyn rhesymol': ***Healthcare at Home Limited v The Common Services Agency (2014)***
  - Achosion allweddol: ***Haseldine v Daw (1941)***; ***Phipps v Rochester (1955)***; ***Wheat v Lacon & Co (1966)***; ***Glasgow Corporation v Taylor (1992)***
- ***Deddf Atebolrwydd Meddianwyr 1984***:
  - Mae hon yn ymwneud â'r ddyletswydd gofal sy'n ddyledus i ymwelwyr anghyfreithlon
  - Tresmaswyr: ***Addie v Dumbreck (1929)***; ***British Railways Board v Herrington (1972)***
  - ***Adran 1(3)***: mae gan feddiannydd eiddo ddyletswydd gofal tuag at ymwelydd anghyfreithlon os yw'n ymwybodol o'r perygl, yn gwybod bod yr ymwelydd anghyfreithlon yng nghyffiniau'r perygl, a'i bod yn rhesymol disgwyl i'r meddiannydd gynnig rhyw fath o amddiffyniad yn erbyn y risg
  - ***Adran 1(4)***: dyletswydd gofal y meddiannydd tuag at ymwelwyr anghyfreithlon yw cymryd gofal rhesymol na fyddan nhw'n cael eu hanafu
  - Achos allweddol: ***Tomlinson v Congleton Borough Council (2003)***

## Gweithgaredd 3.9 Egwyddorion cyfreithiol atebolrwydd meddianwyr

Tynnwch linellau i gysylltu'r achosion â'r ffeithiau cywir a'r egwyddor gyfreithiol gywir.

| Achos | Ffeithiau | Egwyddor gyfreithiol |
|---|---|---|
| *Wheat v E Lacon and Co (1966)* | Ffermwr oedd y meddiannydd, ac roedd wedi rhoi caniatâd i bobl gerdded ar draws ei dir am 35 mlynedd. Cafodd yr hawlydd ei anafu ar ôl i'r ffermwr roi ceffyl gwyllt ar y tir. Ymosododd y ceffyl ar yr hawlydd. | Doedd y diffynyddion ddim yn atebol gan eu bod wedi cyflogi cwmni cymwys i gynnal y lifft. Oherwydd natur dechnegol y gwaith, doedden nhw ddim yn gallu gwirio'r lifft eu hunain. |
| *Lowery v Walker (1911)* | Cafodd yr hawlydd ei ladd pan syrthiodd y lifft roedd ynddo ar y pryd i waelod y siafft. | Rhieni sydd â'r prif gyfrifoldeb am ddiogelwch eu plant ifanc. |
| *Glasgow Corporation v Taylor (1922)* | Cafodd bachgen 14 oed ei barlysu pan ddisgynnodd hen gwch ar ei ben wrth iddo ei drwsio ar dir y diffynnydd. | Roedd yr aeron yn atyniad, felly roedd y meddianwyr yn atebol am eu gadael yno. |
| *Phipps v Rochester (1955)* | Llithrodd yr hawlydd ar risiau rhewllyd, oedd wedi eu gorchuddio ag eira, y tu allan i ysgol. | Gall y llysoedd benderfynu bod caniatâd yn ddealledig os ydyn nhw'n teimlo ei bod yn rhesymol gwneud hynny. |
| *Jolley v Sutton (2000)* | Bu farw plentyn ar ôl bwyta aeron gwenwynig mewn gardd gyhoeddus. | Doedd y diffynyddion ddim yn atebol, oherwydd gall meddiannydd ddisgwyl bod rhywun sy'n dilyn ei alwedigaeth yn cymryd rhagofalon yn erbyn risgiau sy'n gysylltiedig â'u harbenigedd. |
| *Roles v Nathan (1963)* | Cafodd gŵr yr hawlydd ei ladd pan ddisgynnodd i lawr grisiau mewn tafarn. | Roedd y math hwn o ddamwain yn rhesymol ragweladwy, a doedd dim ots bod yr anafiadau'n fwy difrifol na'r hyn fyddai wedi bod yn bosibl ei ragweld. |
| *Haseldine v Daw (1941)* | Cafodd dau ddyn eu lladd gan nwyon gwenwynig wrth lanhau simnai. | Roedd y diffynyddion yn atebol, oherwydd er eu bod wedi cyflogi glanhawr, doedden nhw ddim wedi cymryd camau rhesymol i wirio bod y gwaith wedi cael ei wneud yn iawn. |
| *Woodward v Mayor of Hastings (1945)* | Syrthiodd plentyn i ffos ar dir y diffynnydd, gan dorri ei goes. | Y meddiannydd yw'r unigolyn sy'n rheoli'r eiddo. Mae'n bosibl cael mwy nag un meddiannydd ar yr un pryd. |

## Gweithgaredd 3.10 Gwiriwch eich gwybodaeth am y Deddfau Atebolrwydd Meddianwyr

Darllenwch yr adran am y ***Deddfau Atebolrwydd Meddianwyr*** ar dudalennau 143–146 yn *CBAC Safon Uwch Y Gyfraith Llyfr 1*, a defnyddiwch y wybodaeth i ateb y cwestiynau canlynol:

1. Mae James yn bostman sy'n casglu blodau yng ngardd Arnie ar ôl postio'i lythyrau. A fyddai James yn ymwelydd o dan ***Ddeddf Atebolrwydd Meddianwyr 1957***?

2. Mae Sallie yn gweithio i Nwy Prydain, ac mae hi wedi galw yn nhŷ Tina i ddarllen y mesurydd nwy. A fyddai Sallie'n ymwelydd o dan ***Ddeddf Atebolrwydd Meddianwyr 1957***?

3. Cyflwynodd ***Deddf Atebolrwydd Meddianwyr 1957*** 'ddyletswydd gyffredin' a fyddai'n gymwys i bob 'ymwelydd cyfreithlon'. Beth yw'r diffiniad o 'ymwelwyr cyfreithlon', a beth yw natur y 'ddyletswydd gyffredin' sy'n ddyledus iddyn nhw?

4. Mae Assan yn galw yn nhŷ ei ffrind Lia, oherwydd maen nhw wedi trefnu i wylio gêm bêl-droed. A fyddai Assan yn ymwelydd o dan ***Ddeddf Atebolrwydd Meddianwyr 1957***?

5. Pryd mae arwydd rhybudd yn annigonol?

6. Pam cafodd y penderfyniad yn achos ***Addie v Dumbreck (1929)*** ei ddirymu gan y penderfyniad yn achos ***British Railways Board v Herrington (1972)***, a pha 'ddyletswydd gyffredin' oedd gan feddiannydd tuag at dresmaswr o ganlyniad?

7. O dan ba amgylchiadau bydd gan feddiannydd ddyletswydd o dan ***Ddeddf Atebolrwydd Meddianwyr 1984***?

8. A yw hi'n bosibl i feddiannydd osgoi atebolrwydd o dan ***Ddeddf Atebolrwydd Meddianwyr 1984***? Os felly, sut mae osgoi atebolrwydd?

## Gweithgaredd 3.11 Cymhwyso Deddf Atebolrwydd Meddianwyr 1957

Cwblhewch y geiriau sydd ar goll gan ddefnyddio'r rhestri ar dudalennau 130 a 131 i ateb y cwestiwn.

Mae Kelly yn rhedeg amgueddfa fach sy'n arbenigo mewn gwrthrychau diwydiannol. Mae llawer o arwyddion mewn lleoedd amlwg sy'n dweud 'Peidiwch â chyffwrdd y gwrthrychau os gwelwch yn dda'. Mae rhaff o amgylch dau o'r peiriannau mwyaf prin hefyd, i'w hamddiffyn rhag y cyhoedd. Mae Libby yn gweithio yn y caffi sydd wedi cael ei adnewyddu'n ddiweddar gan Bill, saer lleol. Cafodd Bill drafferth gyda rhywfaint o'r gwaith weirio, oherwydd nad oedd yn brofiadol â gwaith trydanol. Mae hyn yn achosi ymchwydd pŵer sy'n gwneud i'r peiriant coffi ffrwydro, ac mae Libby yn cael ei llosgi'n ddifrifol.

**Cynghorwch Kelly ynghylch cryfder yr hawliadau posibl yn ei herbyn gan Libby yn ôl camwedd atebolrwydd meddianwyr.**

*Gallai'r math hwn o gwestiwn ymddangos yn arholiad CBAC Uned 2.*

**Geiriau i'w defnyddio**
1957
adran 2 (1)
cerbyd
contractwr
cyfreithlon
cytundebol
ddyletswydd gofal gyffredin
eiddo
gwahoddai
Lacon
meddiannydd x 2
pendant
statudol
symudol
trwyddedai
weithwyr

Mae'r achos hwn yn ymwneud â mater atebolrwydd meddianwyr, ac yn benodol Deddf Atebolrwydd Meddianwyr ______ gan fod Bill yn ymwelydd cyfreithlon.

______ yw rhywun sy'n rheoli'r tir, fel y barnwyd yn achos ***Wheat v ______***, a'r perchennog neu'r tenant yw hwn fel arfer – ond gall fod yn fwy nag un person.

Mae ______ wedi'i ddiffinio yn ***adran 1(2)*** fel unrhyw adeiledd sefydlog neu ______ gan gynnwys cwch/llong, ______ neu awyren.

Yr yr achos hwn, mae'n amlwg mai Kelly yw'r ______ gan mai hi yw rheolwr yr amgueddfa, a Libby, yr un sydd wedi dioddef colled, yw'r ymwelydd, gan fod ganddi ganiatâd ______ i fod yno fel un o ______ yr amgueddfa. Gan mai Bill yw'r trydanwr oedd yn gyfrifol am y gwaith sydd wedi achosi'r llosgiadau, rhaid gofyn y cwestiwn ai Kelly sy'n atebol fel y meddiannydd, neu Bill fel y ______ annibynnol.

Y peth cyntaf i'w sefydlu yw ystyried a oedd Libby yn ymwelydd ______ oherwydd, er mwyn i ddyletswydd gofal fodoli, mae'n rhaid i Libby fod yn ymwelydd cyfreithlon. Mae ______ ***Deddf Atebolrwydd Meddianwyr 1957*** yn diffinio ymwelydd cyfreithlon fel ______, trwyddedai, y rhai sydd â chaniatâd cytundebol a'r rhai sydd â hawl ______ fel darllenydd mesurydd nwy neu swyddog heddlu sy'n gweithredu gwarant.

Yn yr achos hwn, gallwn ddweud bod Libby yn ymwelydd cyfreithlon gan ei bod hi'n gweithio i'r amgueddfa, ac felly mae hi yno oherwydd bod ganddi ganiatâd cytundebol. Felly, o dan ***adran 2(1) Deddf Atebolrwydd Meddianwyr 1957***, mae gan y meddiannydd ______ iddi.

Roedd Bill yn ymwelydd cyfreithlon hefyd, oherwydd roedd ganddo ganiatâd ______ i fod yno ar ôl cael ei gyflogi i wneud gwaith trydanol. Felly mae gan Kelly ddyletswydd gofal tuag ato hefyd fel ______.

Y peth nesaf mae angen ei ystyried yw gofyn a yw'r meddiannydd wedi bodloni ei ddyletswydd gofal.

Parhad

O dan **Deddf Atebolrwydd Meddianwyr 1957**, mae'n rhaid i'r meddiannydd ofalu y bydd yr ymwelydd yn ddiogel wrth ddefnyddio'r eiddo at y diben y cafodd ei wahodd yno. Yn achos ***Laverton v*** barnwyd nad oes rhaid i'r eiddo fod yn ddiogel; mae'n rhaid i'r meddianwyr gymryd gofal yn unig.

Ymhellach, yn achos ***v Debell***, barnwyd nad yw mân nam a diffygion yn ddigon i orfodi atebolrwydd; mae'n rhaid bod gwir .

Yn yr achos hwn, gellid dadlau bod Kelly wedi gwneud yr hyn roedd disgwyl yn rhesymol iddi ei wneud o ran cadw'r eiddo yn ddiogel, gan fod rhaff o amgylch y peiriannau mwyaf prin, ac arwyddion wedi'u gosod mewn mannau amlwg. Gellid dadlau bod hyn yn ddigon i Kelly osgoi atebolrwydd, gan ei bod hi wedi gwneud yr eiddo yn ddiogel at y diben y mae ymwelwyr yn cael eu gwahodd i ddod yno.

Hefyd, o dan **Deddf Atebolrwydd Meddianwyr 1957**, gallai'r rhybudd roedd Kelly wedi ei osod weithredu fel amddiffyniad i ymwelwyr, gan ei fod yn ddigon i'w galluogi nhw i fod yn rhesymol ddiogel.

At hynny, ni fyddai disgwyl i feddiannydd rhesymol ddeall mecanwaith a gwaith trydanol peiriant coffi, ac felly byddai'n bosibl dadlau ei bod hi wedi gwneud yr eiddo yn rhesymol ddiogel ar gyfer Bill hefyd, cyn iddo ddechrau ar ei waith. Felly, y peth olaf i'w ystyried yw Bill fel contractwr annibynnol, gan ofyn a yw Kelly yn gallu trosglwyddo'r atebolrwydd am y peiriant coffi diffygiol yn ôl iddo ef. Mae hyn yn cael ei reoli gan **Deddf Atebolrwydd Meddianwyr 1957**, lle gall yr atebolrwydd gael ei basio i'r contractwr annibynnol, os yw'r meddiannydd yn bodloni maen prawf o dan y Ddeddf.

Y maen prawf yw bod rhaid iddi fod yn i'r meddiannydd roi'r gwaith i'r contractwr annibynnol, fel sydd i'w weld yn achos ***v Daw (1941)***, pan oedd y gwaith heb ei roi i gwmni arbenigol.

Yn yr achos hwn, nid oedd Kelly yn wrth roi'r gwaith i Bill, oherwydd roedd yn ymddangos ei fod yn weithiwr lleol heb lawer o brofiad o waith trydanol. Byddai wedi bod yn rhesymol i Kelly gyflogi trydanwr arbenigol i wneud y gwaith atgyweirio.

Yr faen prawf yw bod yn rhaid bod y contractwr wedi bod yn i wneud y gwaith, fel sydd i'w weld yn achos ***v Todmorden Cricket Club (2003)***, lle roedd y clwb criced yn atebol am arddangosfa tân gwyllt a aeth o chwith, ar y sail eu bod nhw'n amaturiaid.

Unwaith eto, yn yr achos hwn, roedd Bill yn i wneud y gwaith ac roedd yn ymddangos ei fod yn cael trafferth gyda'r gwaith weirio, felly roedd yn amlwg nad oedd yn gymwys i wneud y gwaith.

Y maen prawf, a'r olaf, yw bod rhaid i'r meddiannydd bod y gwaith wedi ei wneud yn iawn. Dangoswyd hyn yn achos ***v The Mayor of Hastings (1945)***, lle roedd y meddianwyr yn gan nad oedden nhw wedi cymryd camau rhesymol i sicrhau bod y gwaith wedi ei wneud yn iawn.

Yn yr achos hwn, wnaeth Kelly bod Bill wedi gwneud y gwaith trwsio yn iawn, ac nid yw'n glir a oedd hi wedi cymryd camau rhesymol i sicrhau bod hyn wedi digwydd.

Felly, nid oedd Kelly yn bodloni'r meini prawf gafodd eu gosod yn ***adran 2(4)***, ac felly i Bill, gan olygu ei bod hi'n am anafiadau Libby.

**Geiriau i'w defnyddio**
adran 2 (2)
adran 2 (4) x 2
anghymwys
ail
atebol x 2
atebolrwydd
berygl
Bottomley
cyntaf
Dean of Rochester Cathedral
ddim gwirio
gymwys
Haseldine
Kiapasha Takeaway
llwyr x 2
ni fydd yn gallu trosglwyddo atebolrwydd
rhesymol x 5
rhybudd
tri
trydydd
wirio
Woodward

## Gweithgaredd 3.12 Cymhwyso Deddf Atebolrwydd Meddianwyr 1984

Cwblhewch y geiriau sydd ar goll gan ddefnyddio'r rhestri ar dudalennau 132 a 133 i ateb y cwestiwn.

Roedd Robbie yn berchen ar ardd hir, ac roedd hen garej ym mhen draw'r ardd. Ar ôl iddo weld plant yn ceisio dringo dros ffens yr ardd ger y garej, gosododd Robbie arwydd mawr ar y ffens yn dweud, 'Perygl. Cadwch Allan'. Yn ddiweddarach, fel tipyn o hwyl, dringodd Alistair a bachgen arall dros y ffens ac ar ben to'r garej. Dymchwelodd y to yn sydyn oherwydd ei fod wedi pydru, gan achosi i Alistair gwympo a rhwygo ei goesau ar y teils miniog.

**Ystyriwch hawliau a rhwymedïau Alistair yn erbyn Robbie mewn cysylltiad â'i anafiadau o dan gamwedd atebolrwydd meddianwyr.**

*Gallai'r math hwn o gwestiwn ymddangos yn arholiad CBAC Uned 2.*

**Geiriau i'w defnyddio**
1984
adran 1 (1)
adran 1 (2)
atebol
dresmaswr
dyletswydd dynoliaeth gyffredin
gyflwr yr eiddo
Herrington
llong
McConnell
meddiannydd
rheoli
tresmaswr
Wheat

Mae'r achos hwn yn ymwneud â mater atebolrwydd meddianwyr, ac yn benodol ***Deddf Atebolrwydd Meddianwyr*** ________, gan fod Alistair yn ________ ar eiddo Robbie.

Meddiannydd yw rhywun sy'n ________'r tir, fel y barnwyd yn achos ________ ***v Lacon***. Y perchennog neu'r tenant yw hwn fel arfer, ond gall fod yn fwy nag un person.

Mae eiddo wedi'i ddiffinio yn ________ fel unrhyw adeiledd sefydlog neu symudol, gan gynnwys ________, cerbyd neu awyren.

Yn achos ________ ***v British Railways Board***, barnodd Tŷ'r Arglwyddi fod ________ tuag at dresmaswyr pan fydd y meddiannydd yn gwybod am y perygl a'r tebygolrwydd y bydd rhywun yn tresmasu. Cafodd hyn ei gadarnhau yn ddiweddarach yn ________ ***Deddf Atebolrwydd Meddianwyr 1984***.

Yn yr achos hwn, mae'n amlwg mai Robbie yw'r ________, gan ei fod yn berchen ar yr ardd, a'r garej yn ôl pob tebyg. Fel yr un sydd wedi dioddef colled, Alistair yw'r ________. Y cwestiwn sy'n codi yw ystyried ai Robbie sy'n atebol am yr anafiadau a gafodd Alistair.

Y peth cyntaf i'w sefydlu yw gofyn a gafodd yr anaf ei achosi gan ________, oherwydd mae ***adran 1(1)(a) Deddf Atebolrwydd Meddianwyr 1984*** yn dweud y bydd dyletswydd yn gymwys mewn perthynas â thresmaswyr dim ond os cafodd yr anaf ei achosi gan gyflwr yr eiddo, yn hytrach na thwpdra'r hawlydd am gymryd risg amlwg. Dangoswyd hyn yn achos ***Ratcliff v*** ________ ***(1999)***, lle cymerodd yr hawlydd risg amlwg wrth blymio i bwll heb wybod pa mor ddwfn oedd y dŵr, ac felly nid oedd y meddiannydd yn ________.

Yn yr achos hwn, gellid dweud bod anafiadau Alistair wedi cael eu hachosi gan gyflwr yr eiddo gan fod y to wedi pydru. Felly, o dan ***adran 1(1)(a) Deddf Atebolrwydd Meddianwyr 1984***, mae gan Robbie ddyletswydd gofal tuag ato.

Y peth nesaf i'w ystyried yw gofyn a yw'r meddiannydd wedi bodloni ei ddyletswydd gofal.

Parhad

Er mwyn asesu hyn, mae maen prawf yn ***Neddf Atebolrwydd Meddianwyr 1984***. Mae'r o dan adran 1(3)(a), sy'n gofyn a oedd y meddiannydd yn . Does dim disgwyl i feddiannydd gynnig amddiffyniad yn erbyn peryglon os nad yw'n gwybod amdanyn nhw, fel yn achos ***v Astbury Water Park (2004)***, lle nad oedd y meddiannydd yn gwybod am fodolaeth bocs gwydr ffibr ar waelod ei lyn.

Yn yr achos hwn, byddai'n bosibl dadlau bod Robbie yn ymwybodol o'r perygl gan iddo osod arwydd rhybudd. At hynny, mae'r ffaith bod ffens o amgylch y garej yn awgrymu bod Robbie yn gwybod y gallai'r garej fod yn beryglus.

Yr ail beth i'w ystyried o dan ***adran 1(3)(b)*** yw gofyn a oedd gan y meddiannydd . Er mwyn i ddyletswydd gofal fodoli, mae'n rhaid bod gan y meddiannydd reswm i amau y bydd tresmaswyr yn defnyddio'r eiddo. Yn amlwg, does dim disgwyl i feddiannydd fod yn atebol am anafiadau i dresmaswyr os nad yw'n gwybod dim byd amdanyn nhw. Gwelwyd hyn yn achos ***Higgs v (2004)***, lle roedd y meddiannydd heb reswm i amau y byddai swyddog yr heddlu yn tresmasu ar ei eiddo wrth gynnal ymchwiliad troseddol.

Yn yr achos hwn, rydyn ni'n gwybod bod Robbie wedi gweld plant yn ceisio dringo dros ffens ei ardd yn y gorffennol. Felly mae'n debyg ei fod yn bodloni'r meini prawf o ran gwybod, neu amau, bod tresmaswyr ar ei eiddo.

Y trydydd peth, a'r olaf, y bydd angen ei ystyried yw'r cwestiwn o dan ***adran 1(3)(c)***, lle bydd y llys yn gofyn . Y prif achos ar gyfer hyn yw ***v Congleton Borough Council (2008)***, oedd yn cefnogi'r meddiannydd drwy ailddatgan y sefyllfa statudol. Roedd hefyd yn nodi y dylai'r meddiannydd wneud yr hyn sy'n ymarferol yn unig o dan yr amgylchiadau.

Yn yr achos hwn, roedd yn ymarferol ac yn rhesymol i Robbie gynnig rhywfaint o amddiffyniad. Yn wir, gwnaeth hyn drwy osod yn rhybuddio am y perygl, a chodi ffens i gadw pobl allan. Felly, gallwn ddweud bod Robbie wedi bodloni'r meini prawf ar gyfer . Ond nid yw hyn yn golygu yn awtomatig bod Robbie yn atebol.

O dan ***Deddf Atebolrwydd Meddianwyr 1984***, nodir bod rhaid i'r meddiannydd gymryd gofal sy'n yn unig er mwyn bodloni ei ddyletswydd gofal.

Unwaith eto, yn yr achos hwn, mae Robbie wedi bod yn fwy na rhesymol drwy osod rhybudd a chodi ffens. Yn wir, o dan ***Deddf Atebolrwydd Meddianwyr 1984***, ac fel cafodd ei gadarnhau yn ***Westwood v (1973)***, bydd arwydd rhybudd yn gweithredu fel amddiffyniad os yw'n ddigon i ddiogelu'r tresmaswr. Felly, byddai arwydd Robbie yn ddigon i ryddhau Robbie o bob atebolrwydd dros Alistair. Byddai'n bosibl dadlau hefyd fod Alistair yn esgeulus gan ei fod wedi anwybyddu'r rhybudd yn fwriadol ac wedi dringo ar ben y to er gwaethaf hynny.

Y mater olaf i'w ystyried yw'r ffaith bod Alistair yn 'dresmaswr ifanc'. Mae'r un rheolau statudol yn gymwys i dresmaswyr sy'n ag i dresmaswyr sy'n oedolion, fel y cadarnhaodd achos ***v Coventry NHS Trust (2006)***, ac yn ddiweddarach achos ***v West Wittering (2008)***.

Felly, does yn gymwys i Alistair fel plentyn; gan ystyried yr holl faterion felly, nid yw Robbie wedi torri ei ddyletswydd gofal, a drwy hynny am yr anafiadau a gafodd Alistair.

**Geiriau i'w defnyddio**

- a oedd yn ymarferol cymryd rhagofalon
- adran 1 (4)
- adran 1 (5)
- adran 1(3)
- arwydd
- Baldacchino
- blant
- cyntaf
- dim safon gofal is
- dyletswydd gofal
- Foster
- gyfrannol
- Keown
- llwyr
- nid yw'n atebol
- Post Office
- reswm dros amau tresmaswyr
- rhesymol
- Rhind
- Tomlinson
- tri
- ymwybodol o'r perygl

## Gweithgaredd 3.13 Traethawd gwerthuso atebolrwydd meddiannydd

Aildrefnwch y gosodiadau i greu nodiadau ar gyfer traethawd sy'n gwerthuso atebolrwydd meddiannydd. Rhifwch bob paragraff i ddangos ym mha drefn dylai pob un ymddangos.

| Rhif y paragraff | Paragraff |
|---|---|
| | Mae'r term 'eiddo' yn cael ei **ddiffinio'n eang** yn ***adran 1(3)*** ac yng nghyfraith gwlad/cyfraith gyffredin (***Wheeler v Copas (1981)***), felly mae hyn hefyd yn cynyddu'r posibilrwydd y bydd yr hawliad yn llwyddiannus. |
| | Er bod 'ymwelydd' yn cael ei ddiffinio, mae'n hawdd iawn i ymwelydd ddod yn dresmaswr drwy fynd y tu hwnt i delerau ei drwydded. |
| | Ond **nid yw'n glir pryd bydd rhiant yn peidio â bod yn atebol** am weithredoedd ei blentyn, gan fod cyfraith achosion yn anghyson. Roedd ***Phipps (1955)*** yn benderfyniad llym iawn gan fod gan blant 5 a 7 oed lefel o annibyniaeth – ond cafwyd y rhieni yn atebol. Ar y llaw arall, yn achos ***Moloney (1985)***, roedd y meddiannydd yn atebol am weithredoedd plentyn 4 oed. Mae ***Jolley (2000)*** yn ymddangos yn anghyson hefyd, oherwydd dylai plant 14 oed wybod y risgiau. |
| | Yn debyg i Ddeddf 1957, **mae'n eithaf hawdd i ddiffynyddion osgoi atebolrwydd**. Gallan nhw gael eu rhyddhau o'u dyletswydd os ydyn nhw wedi cymryd camau rhesymol i amddiffyn ymwelwyr anghyfreithlon. Nid yw hyn yn cael ei ddiffinio'n glir gan ei fod yn dibynnu ar ddisgresiwn barnwrol. |
| | Mae disgwyl i'r meddiannydd gymryd camau i warchod rhag unrhyw **atyniad**. Ond nid yw hyn yn cael ei ddiffinio'n glir, sy'n arwain at annhegwch (gweler ***Phipps*** a ***Jolley***). At hynny, nid oes diffiniad o uchafswm oedran ar gyfer yr amddiffyniad o ran atyniad – yn achos ***Jolley***, 14 oed oedd yr uchafswm, ond yn achos ***Glasgow (1992)***, 7 oed oedd yr uchafswm. |
| | Beth yw diben y Ddeddf os yw'n bosibl osgoi atebolrwydd mor hawdd? Ond mae'r egwyddorion yn deg i'r ddau barti:<br>• Rhybuddion: mae angen iddyn nhw fod yn rhesymol, ac ni fyddan nhw'n gymwys i blant.<br>• Eithriadau: oherwydd bod cynifer o eithriadau mae eu defnydd yn gyfyngedig. Ond maen nhw'n amddiffyn yr hawlydd, yn sicrhau ei fod yn derbyn iawndal ac nad yw'n rhy hawdd osgoi atebolrwydd.<br>• Amddiffyniadau: yr un peth ag yn achos esgeuluster, a rhaid bod yn deg; rhaid iddyn nhw dderbyn y risg yn llawn. |
| | Mae'r **rheolau arbennig ar waith contractwyr annibynnol** o dan ***adran 2(4)(b)*** yn deg i'r meddiannydd, ac efallai bydd yn bosibl i'r hawlydd ddwyn achos o esgeuluster yn erbyn y contractwr. Mae'n rhaid gwirio bod y contractwr yn gymwys. Ond mae'n annhebygol y byddai rhywun yn gwirio manylion yswiriant contractwr annibynnol nac yn gwirio ei waith. (Mae'r penderfyniad yn achos ***Haseldine (1941)*** yn deg, oherwydd na ddylai fod disgwyl i rywun wirio gwaith cymhleth neu wybod a yw'r gwaith wedi'i wneud yn gywir.) |
| | Pwrpas y Ddeddf oedd **creu dyletswydd gofal gyffredin tuag at bob ymwelydd cyfreithlon**, oherwydd cyn hyn roedd dyletswyddau gwahanol yn ddyledus i fathau gwahanol o ymwelwyr cyfreithlon. Mae'n amlwg bod hyn yn trin ymwelwyr cyfreithlon gwahanol yn fwy teg a chyson, ac mae'n bosibl ei fod yn fwy teg i'r meddiannydd hefyd. |

Parhad

| | |
|---|---|
| | Mae'r Ddeddf yn cynnig llai o amddiffyniad na Deddf 1957, sy'n adlewyrchu statws y tresmaswr, ac mae'n fwy anodd hawlio'n llwyddiannus gan fod rhaid sefydlu rhagor o ffeithiau (***adran 1(3)***). Mae'n rhaid bodloni'r holl feini prawf – er enghraifft, rhaid gwybod am y perygl a'r tebygolrwydd y byddai rhywun yn tresmasu, ac mae disgwyl i'r meddiannydd warchod yn erbyn y perygl. Hefyd, dim ond iawndal am anafiadau personol sy'n cael ei ddyfarnu; mae hyn yn deg ac yn cydbwyso buddion y ddau barti. |
| | Gall y ddyletswydd gofal sy'n ddyledus gael ei haddasu, ei hymestyn, ei chyfyngu a'i heithrio er mwyn osgoi bod â dyletswydd i ymwelwyr. Mae'r dulliau niferus sydd ar gael i'r meddiannydd er mwyn osgoi atebolrwydd yn fwy cynhwysfawr nag o dan gyfraith gwlad/cyfraith gyffredin. Efallai felly nad yw'n deg i ddarpar hawlyddion. |
| | Mae'r ddyletswydd arbennig sy'n ddyledus i blant o dan ***adran 2(3)(a)*** o'r Ddeddf yn amddiffyniad y rhai mwyaf agored i niwed. Ond heb yr egwyddor yn achos ***Phipps*** (rhieni sy'n gyfrifol am blant ifanc), gallai hyn fod yn annheg i'r meddiannydd. Ond mae hyn yn anghyson, gan ei fod hefyd yn rhoi hyblygrwydd i farnwyr benderfynu beth yw'r canlyniad gorau ar sail pob achos unigol. Mae hyn yn golygu y bydd nodweddion unigol y plentyn yn cael eu hystyried – er enghraifft, unrhyw anableddau neu anawsterau dysgu. |
| | Mae'r rheolau sy'n ymwneud â phobl sydd wrth eu gwaith o dan ***adran 2(3)(b)*** yn rhyddhau'r meddiannydd o'i atebolrwydd, ac mae hyn yn gwbl gyfiawn; dylai gweithwyr warchod yn erbyn y risgiau sy'n gysylltiedig â'u cyflogaeth. |
| | Cyn Deddf 1984, yr unig amddiffyniad ar gael i dresmaswyr oedd 'dynoliaeth gyffredin', a gafodd ei sefydlu yn achos ***BRB v Herrington (1972)***. Nid oedd wedi'i ddiffinio'n glir, ac roedd yn gyfyngedig. Roedd Deddf 1984 yn angenrheidiol er mwyn cynnig rhywfaint o amddiffyniad i dresmaswyr. |
| | Dim ond ar gyfer cyflwr yr eiddo y mae'r atebolrwydd, a gall hyn gyfyngu ar hawliadau posibl. Ond mae achos arall, yn ymwneud ag esgeuluster, yn dal i fod yn bosibl (gweler ***Ogwo v Taylor (1987)*** a ***Salmon v Seafarers Restaurant (1983)***). Felly mae'n dal i ymddangos yn deg i'r holl bartïon. Mae'n rhaid iddo fod yn deg, heb rwymedigaeth i newid yr eiddo, ac mae'n edrych ar yr hyn sy'n rhesymol i'w hamddiffyn nhw (er enghraifft, ***Tomlinson (2003)***, – nid oedd er budd y cyhoedd ac roedd yn rhy gostus; byddai ***Scott (1855)*** wedi tresmasu o hyd, hyd yn oed pe bai ffens yno). |

## 3.3 Cwestiynau cyflym

1. Beth yw safon y gofal sy'n ddyledus i ymwelwyr cyfreithlon?
2. Pwy sy'n cael ei ystyried yn ymwelydd cyfreithlon?
3. Pam mae cynifer o ddarpariaethau statudol gwahanol ar gyfer atebolrwydd meddianwyr?
4. Beth yw'r gwahaniaeth rhwng ymwelwyr cyfreithlon ac anghyfreithlon?
5. Pwy sy'n feddiannydd?
6. Pa fath o ddyletswydd gofal sy'n ddyledus i dresmaswyr?
7. A yw meddiannydd yn atebol am fai contractwr annibynnol?
8. Sut mae'n rhaid i feddiannydd drin plant o dan ***Ddeddf Atebolrwydd Meddianwyr 1957***?

# Rhwymedïau: Camwedd

| Yn y fanyleb | Yn yr adran hon bydd myfyrwyr yn datblygu eu gwybodaeth am y canlynol: |
|---|---|
| **CBAC UG**<br>**2.4:** Rhwymedïau | • Iawndal, gan gynnwys iawndal cydadferol<br>• Lliniaru colled<br>• Gwaharddebion |

**CYSWLLT**

I gael rhagor o wybodaeth am rwymedïau camwedd, gweler tudalennau 147–149 yn *CBAC Safon Uwch Y Gyfraith Llyfr 1*.

## Gwella adolygu

Ar gyfer cwestiynau marciau is sy'n profi **AA1 gwybodaeth** am y testun hwn, mae angen i chi wybod pa fathau gwahanol o iawndal sy'n daladwy, a'r gwahaniaethau rhwng iawndal cyffredinol ac iawndal arbennig.

Gallai'r testun hwn ymddangos hefyd fel cwestiwn marc uwch sy'n profi sgiliau **AA2 cymhwyso**. Ar gyfer y rhain, mae angen i chi gynghori rhywun ynghylch y materion – o bosibl y mathau o iawndal y gallen nhw eu hawlio, sut bydd iawndal yn cael ei gyfrifo a'i dalu, ac a allai unrhyw rwymedïau eraill fod yn gymwys; er enghraifft, gwaharddeb. Ar gyfer yr atebion hirach hyn, dylech chi strwythuro eich ateb gan ddefnyddio cyflwyniad sy'n rhoi trosolwg o'r rhwymedïau yng nghyfraith camwedd, a chasgliad sy'n clymu'r materion at ei gilydd ar sail eich gwaith cymhwyso. Gan mai'r sgìl sy'n cael ei brofi yw **AA2**, mae'n rhaid i chi gymhwyso'r gyfraith at y senario penodol gan ddefnyddio achosion a statudau i gefnogi eich dadl.

Gallai'r testun hwn ymddangos hefyd fel cwestiwn marc uwch sy'n profi sgiliau **AA3 dadansoddi a gwerthuso**. Meddyliwch am yr elfennau o bob testun fyddai'n gallu gofyn am ymateb marc uwch, mwy gwerthusol. Dyma enghreifftiau o'r mathau o gwestiynau posibl:

- Dadansoddwch a gwerthuswch y gwahaniaethau rhwng iawndal arbennig ac iawndal cyffredinol.
- Dadansoddwch a gwerthuswch y mathau gwahanol o iawndal yn ôl cyfraith esgeuluster.

Ar gyfer yr atebion hirach hyn, dylai eich ateb gynnwys cyflwyniad sy'n rhoi trosolwg o'r hyn mae'r ateb yn mynd i'w drafod, a sut bydd y prif gorff yn datblygu. Gallai gynnwys rhywfaint o gyd-destun cryno hefyd, ac esboniad o dermau allweddol mewn perthynas â'r testun neu'r cwestiwn. Yna, dylai eich ateb ddilyn strwythur rhesymegol gyda pharagraffau sy'n cysylltu'n ôl â'r cwestiwn, gan ddefnyddio tystiolaeth i'w gefnogi. Dylai casgliad glymu'r materion at ei gilydd ar sail y dystiolaeth rydych chi wedi'i chyflwyno mewn perthynas â'r cwestiwn. Er mwyn gwerthuso, mae'n rhaid i chi hefyd esbonio beth rydych chi'n ei werthuso.

## Lluniwch eich nodiadau adolygu o amgylch y canlynol...

- Iawndal: y diben yw rhoi'r hawlydd yn y sefyllfa y byddai wedi bod ynddi pe na bai'r camwedd wedi digwydd
- Lliniaru colled: mae iawndal yn ddyledus i hawlydd am golledion ond rhaid iddo gymryd camau rhesymol i liniaru colledion o'r fath
- Mae'n bosibl cyfrifo iawndal arbennig ar adeg y treial e.e. colli enillion, treuliau meddygol presennol
- Ni ellir cyfrifo iawndal cyffredinol cyn y treial e.e. colli enillion yn y dyfodol, poen a dioddefaint (*PSLA* neu 'pain, suffering, loss of amenity')
- Iawndal mewn enw: symiau bach ar gyfer achosion cyfreithadwy *per se* lle nad oedd angen llawer o dystiolaeth o ddifrod, neu ddim tystiolaeth o gwbl, e.e. tresmas
- Iawndal dirmygus: iawndal bach iawn yn dilyn niwed bach
- Iawndal gwaethygedig: dyfarnu iawndal ychwanegol gan fod ffactor waethygol wedi gwneud y niwed cychwynnol yn waeth e.e. difenwad
- Iawndal esiamplaidd (cosbedigol): cosbi a rhwystro'r diffynnydd

## Gweithgaredd 3.14 Chwarae rôl iawndal

Trefnwch eich hunain yn barau, a dyfeisiwch senarios chwarae rôl lle mae un unigolyn yn chwarae rôl y cleient, ac un arall yn chwarae rôl y cynghorydd cyfreithiol sy'n rhoi cyngor ar ba iawndal neu rwymedïau fyddai'n briodol yn y senario ffug. Gallai'r senarios ddod o achosion go iawn ac eitemau amlwg yn y newyddion.

**Gallech chi ddefnyddio'r senario canlynol.**

Roedd Gavin, 26, ar gefn ei feic pan gafodd ei daro gan yrrwr meddw oedd yn gyrru'n rhy gyflym. Dyma'r ail waith i'r gyrrwr gael ei ddal yn yfed a gyrru. Collodd Gavin ei goes dde o ganlyniad i'r ddamwain. Mae'r diffynnydd yn cyfaddef ei fod yn atebol, felly yr unig gwestiwn i'r llys yw mater yr iawndal. Daw Gavin i'r llys yn rhestru'r holl gostau sydd wedi dod i'w ran.

Prynodd Gavin ei brosthesis newydd yn breifat. Mae'n un o'r mathau gorau sydd ar gael. Mae model canolig ar gael am ddim gan y GIG.

Cyn y ddamwain, roedd Gavin yn seiclwr brwd ac roedd yn talu ffioedd misol i felodrom seiclo lleol. Mae ei feddyg wedi ei gynghori y bydd seiclo yn ffordd dda iddo adfer, ac y dylai barhau i seiclo am weddill ei fywyd, os yw'n bosibl. Felly, mae'n hawlio am ei ffioedd felodrom a chost addasu ei feic i weithio gyda'i brosthesis newydd.

Mae Gavin yn gweithio gartref ac yn seiclo i bob man. Er hynny, mae wedi prynu car sydd wedi'i addasu ar gyfer ei brosthesis.

Roedd Gavin yn arfer mwynhau loncian hefyd, ac mae ei feddyg wedi dweud wrtho na fydd yn gallu gwneud hyn mwyach oherwydd ei anaf.

Cynghorwch Gavin ynghylch sut i gyfrifo ei iawndal. Rhagdybiwch fod ei hawliad yn ddilys.

## Gweithgaredd 3.15 Achosion yn ymwneud ag iawndal

Tynnwch linellau i gysylltu'r achosion â'r ffeithiau cywir.

| Achos | Ffeithiau |
|---|---|
| ***Cunningham v Harrison* (1973)** | Cafodd yr hawlydd arian am gost lifft hydrolig arbennig i godi cadair olwyn i mewn ac allan o gar. |
| ***West v Shepherd* (1964)** | Yn yr achos hwn, dywedwyd bod iawndal esiamplaidd yn wahanol i iawndal cyffredin: 'Bwriad iawndal esiamplaidd yw cosbi a rhwystro.' |
| ***Povey v Rydal School* (1970)** | Yn yr achos hwn dywedwyd mai dyma'r amgylchiadau lle gellir dyfarnu gwaharddeb *quia timet* (gwaharddeb a gafwyd cyn i gamwedd gael ei gyflawni): rhaid i'r perygl fod ar fin digwydd, rhaid i'r difrod posibl fod yn sylweddol, a'r unig ffordd i'r hawlydd ei ddiogelu ei hun yw drwy waharddeb *quia timet*. |
| ***Rookes v Barnard* (1964)** | Llwyddodd yr hawlydd i hawlio am y golled ariannol roedd ei fam wedi ei dioddef, o ganlyniad i orfod gofalu amdano. |
| ***Fletcher v Bealey* (1884)** wedi'i ddyfynnu yn ***London Borough of Islington v Elliott and Morris* (2012)** | Dywedodd yr hawlydd fod arno angen gofalwraig a dwy nyrs i fyw yn ei gartref a gofalu amdano. |

## 3.4 Cwestiynau cyflym

1. Beth yw ystyr **lliniaru colled**?
2. Beth yw ystyr **iawndal ariannol**?
3. Beth yw ystyr **iawndal anariannol**?
4. Sut mae'r lluosydd a'r lluosyn yn gweithio?
5. Beth yw ystyr **colli mwynderau**?
6. Beth yw **gwaharddeb waharddiadol**?
7. Beth yw **gorfodeb**?
8. Beth yw prif nod iawndal?
9. Sut gallai esgeuluster cyfrannol effeithio ar ddyfarnu iawndal?
10. Beth yw rôl y Coleg Barnwrol (*Judicial College*) wrth ddyfarnu iawndal yn ymwneud ag esgeuluster?

# PENNOD 4 CYFRAITH TROSEDD

# Rheolau a damcaniaeth cyfraith trosedd

| Yn y fanyleb | Yn yr adran hon bydd myfyrwyr yn datblygu eu gwybodaeth am y canlynol: |
|---|---|
| **CBAC UG/U2**<br>**3.12:** Rheolau a damcaniaeth cyfraith trosedd | • Diffinio trosedd a diben cyfraith trosedd<br>• Baich a safon y prawf<br>• Codeiddio cyfraith trosedd |

## Gwella adolygu

Ar gyfer cwestiynau marciau is sy'n profi **AA1 gwybodaeth** am y testun hwn, mae angen i chi wybod sut mae trosedd yn cael ei diffinio a bod cyfraith trosedd i'w chael mewn statudau a chyfraith gwlad/cyfraith gyffredin. Efallai bydd yn rhaid i chi hefyd esbonio'r term 'baich y prawf' ac elfennau trosedd (*actus reus* a *mens rea*).

Mae'n annhebygol y byddwch chi'n cael cwestiynau uniongyrchol ar reolau a damcaniaeth cyfraith trosedd, ond maen nhw'n egwyddorion sylfaenol hanfodol sy'n gymwys i'r holl droseddau y byddwch yn dysgu amdanyn nhw o fewn cyfraith trosedd. Ar gyfer y cwestiynau marciau uwch sy'n profi sgiliau **AA2 cymhwyso**, byddwch yn cymhwyso elfennau trosedd (*actus reus* a *mens rea*) at senario penodol, felly mae'n hanfodol eich bod chi'n deall y rheolau a'r termau allweddol hyn.

**CYSWLLT**

I gael rhagor o wybodaeth am reolau a damcaniaeth cyfraith trosedd, gweler tudalennau 150–153 o *CBAC Safon Uwch Y Gyfraith Llyfr 1*. I gael trafodaeth fwy manwl ar elfennau cyffredinol atebolrwydd troseddol, gan gynnwys *actus reus* a *mens rea*, gweler tudalennau 154–163.

## Lluniwch eich nodiadau adolygu o amgylch y canlynol...

- ***Actus reus*** ('gweithred euog'): rhan weithredol/allanol y drosedd
  - Bydd rhywun yn atebol am anwaith, neu beidio â gweithredu, dim ond os oes dyletswydd gyfreithiol i weithredu e.e. oherwydd cyflogaeth
- **Prawf y benglog denau**
  - Rhaid i chi gymryd eich dioddefwr fel y mae
  - Os yw'r anaf yn fwy difrifol na'r hyn a fwriadwyd, mae'r diffynnydd yn dal i fod yn gyfrifol am y canlyniad
  - Yn berthnasol i anafiadau corfforol a meddyliol
- ***Mens rea*** ('meddwl euog'): rhan feddyliol/mewnol y drosedd
  - Bwriad: yr hyn rydych chi'n bwriadu ei wneud; cymhelliad: pam gwnaethoch chi hyn
    - Bwriad uniongyrchol: nod, diben neu ddymuniad y diffynnydd
    - Bwriad anuniongyrchol: roedd bron yn sicr o ddigwydd, ac roedd y diffynnydd yn gwybod hyn
    - Byrbwylltra: roedd y diffynnydd yn gwybod am y risg, ond cymerodd y risg beth bynnag
  - **Achosion allweddol:** ***R v White (1910)***, ***R v Blaue (1975)***, ***R v Mohan (1975)***, ***R v Woollin (1998)***, ***R v Cunningham (1957)***, ***R v Gemmell and Richards (2003)***
- **Achosiaeth**
  - Ai gweithred y diffynnydd oedd achos 'ffeithiol' yr anaf neu'r farwolaeth?
    - 'Pe na bai' am weithredoedd y diffynnydd, a fyddai'r dioddefwr wedi marw/cael anaf?
    - Na fyddai: ***R v White (2010)***
  - Ai gweithredoedd y diffynnydd oedd 'achos gweithredol a sylweddol y farwolaeth' – h.y. a wnaeth unrhyw beth dorri'r gadwyn?
    - Na: ***R v Blaue (1975)***, ***R v Smith (1959)***; Ie: ***Jordan (1956)***
- **Malais trosglwyddedig**: Gall *mens rea* gael ei drosglwyddo o'r dioddefwr a fwriadwyd i'r gwir ddioddefwr
  - Gall malais gael ei drosglwyddo o un unigolyn i'r llall, neu o wrthrych i wrthrych, ond nid o unigolyn i wrthrych na'r ffordd arall (***R v Latimer (1986)***)
- **Atebolrwydd caeth:** rhaid profi *actus reus* yn unig i fod yn euog
  - Y Senedd sy'n penderfynu'r rhain drwy basio Deddf
  - Mân droseddau, troseddau rheoleiddiol e.e. trosedd yn ymwneud â diogelwch y cyhoedd
  - Mae'n annog pobl i gymryd mwy o ofal
  - Fodd bynnag, gall rhywun fod yn euog hyd yn oed os nad yw wir ar fai
  - **Achosion allweddol:** ***Pharmaceutical Society of Great Britain v Storkwain (1986)***, ***Meah v Roberts (1977)***

## Gweithgaredd 4.1 *Actus reus* mewn cyfraith trosedd

1. Meddyliwch am dair trosedd adnabyddus, a dychmygwch eich bod chi'n llunio'r gyfraith. Beth fyddai *actus reus* y troseddau hynny?

2. Dewch o hyd i enghreifftiau o droseddau 'sefyllfa' (*state of affairs*) go iawn yn y Deyrnas Unedig. Beth yw diben troseddau 'sefyllfa'?

3. Pam mae angen dyletswydd cyn gallwch gael anwaith? Meddyliwch am yr effaith pe byddem ni'n gosod y safon honno ar bawb – er enghraifft, pe bai rhywun yn boddi mewn llyn mewn parc prysur, a bod neb wedi taflu siaced achub at yr unigolyn.

4. Mae Louis yn ddyn tân. Mae'n gyrru heibio i adeilad sydd ar dân ar ei ddiwrnod i ffwrdd, ond nid yw'n gwneud dim gan ei fod yn ceisio cyrraedd yr ysbyty gyda'i wraig feichiog. Ar ei ffordd, mae'n aros i brynu petrol, ond nid yw'n diffodd y pwmp petrol. Dydy Roxanna, gweinydd yr orsaf betrol, ddim eisiau glanhau'r petrol oherwydd mae hi'n bwrw glaw ac mae hi ar fin gorffen ei gwaith am y diwrnod. Mae'r orsaf betrol yn cael ei dinistrio mewn tân y noson honno. Pwy sy'n atebol am beth?

## Gweithgaredd 4.2 Achosion *actus reus* i'w hadolygu a'u defnyddio

Cysylltwch enw'r achos â'r manylion, drwy ysgrifennu'r rhif cywir yn y golofn ar y chwith.

| | | |
|---|---|---|
| | *Greener v DPP (1996)* | 1. Cafodd y dioddefwr ei wasgu yn ystod trychineb pêl-droed Hillsborough, gan ei adael mewn cyflwr diymateb parhaol lle roedd yn cael ei fwydo yn artiffisial drwy diwbiau. Dyfarnodd y llys y gellid rhoi'r gorau i'w fwydo. |
| | *Pittwood (1902)* | 2. Ar ôl iddo gael ei saethu, cafodd y dioddefwr lawdriniaeth traceostomi, ond bu farw oherwydd cymhlethdodau. Er hynny, roedd gweithred y diffynnydd wedi cyfrannu at ei farwolaeth o hyd, felly doedd y gadwyn achosiaeth ddim wedi cael ei thorri. |
| | *Lowe (1973)* | 3. Cafodd y dioddefwr ei drywanu, a bu farw ar ôl iddo wrthod trallwysiad gwaed i achub ei fywyd oherwydd ei fod yn un o Dystion Jehofa. Cafodd y diffynnydd ei gyhuddo o lofruddiaeth. |
| | *Roberts (1971)* | 4. Roedd y diffynnydd wedi dal ei gyn-gariad feichiog yn wystl (*hostage*), a'i defnyddio hi i'w amddiffyn ei hun yn ystod brwydr saethu gyda'r heddlu. Cafodd hi ei tharo gan fwled yr heddlu a bu farw. Cafwyd y diffynnydd yn euog o ddynladdiad. |
| | *Cheshire (1991)* | 5. Roedd y diffynnydd wedi syrthio i gysgu wrth ysmygu, a phan ddeffrodd roedd ei fatres ar dân. Symudodd i ystafell arall a gwneud dim. Cafwyd ef yn euog o losgi bwriadol. |
| | *Smith (1959)* | 6. Wnaeth ceidwad y groesfan ddim cau gât y rheilffordd. Cafodd rhywun ei daro a'i ladd gan drên. Cafwyd y ceidwad yn euog o ddynladdiad. |
| | *Santana-Bermudez (2003)* | 7. Cafodd milwr ei drywanu wrth ymladd â milwr arall. Oherwydd iddo gael triniaeth esgeulus yn y fan a'r lle, aeth yr anaf yn waeth a bu farw'r dioddefwr. Ond er hynny, yr anaf gwreiddiol oedd prif achos y farwolaeth o hyd, ac nid oedd yn torri'r gadwyn achosiaeth. Felly cafwyd y milwr arall yn euog. |
| | *Airedale NHS Trust v Bland (1993)* | 8. Cafodd menyw ei hanafu ar ôl iddi neidio o gar oedd yn symud er mwyn dianc rhag awgrymiadau rhywiol y diffynnydd. Roedd yn ymateb rhagweladwy, felly roedd y diffynnydd yn atebol o dan ***Ddeddf Troseddau Corfforol 1861***. |
| | *R v Miller (1983)* | 9. Roedd tad a llysfam merch saith oed wedi peidio â'i bwydo hi yn fwriadol. Llwgodd y ferch i farwolaeth; cafwyd y diffynyddion yn euog o lofruddiaeth. |
| | *R v Blaue (1975)* | 10. Ni ddywedodd y diffynnydd wrth yr heddlu am nodwyddau oedd yn ei boced cyn i'r heddlu ei chwilio. Cafodd swyddog yr heddlu ei anafu gan y nodwyddau. Euogfarn adran 47. |
| | *R v Stone and Dobinson (1977)* | 11. Methodd â rheoli ei gi, er gwaethaf dyletswydd statudol o dan y Ddeddf Cŵn Peryglus. |
| | *Gibbins and Proctor (1918)* | 12. Roedd y diffynnydd eisiau lladd ei fam, felly rhoddodd wenwyn yn ei diod. Bu farw o achosion naturiol cyn i'r gwenwyn gael effaith arni. Achosiaeth ffeithiol, ond nid oedd y prawf 'pe na bai' wedi ei sefydlu eto; ymgais i lofruddio yn hytrach na llofruddio. |
| | *Pagett (1983)* | 13. Roedd y diffynnydd yn dad i fabi a aeth yn sâl ac a fu farw. Roedd ganddo IQ isel, ac nid oedd wedi mynd â'r babi at y meddyg. Doedd dim 'gweithred', felly cafodd yr euogfarn o ddynladdiad ei dileu. |
| | *White (1910)* | 14. Symudodd chwaer un o'r diffynyddion i fyw gyda nhw. Roedd hi'n dioddef o anorecsia, a bu farw o ddiffyg maeth yn y pen draw. Cafwyd y ddau ddiffynnydd yn euog o ddynladdiad; un oherwydd y berthynas, a'r llall oherwydd ei fod wedi ei bwydo neu ei golchi hi o leiaf unwaith. |

## Cyd-destun

Mae *mens rea* (bwriad meddyliol) yn elfen orfodol yn y rhan fwyaf o droseddau. Er enghraifft, os ydych chi'n gyrru car a bod rhywun yn ei daflu ei hun o flaen y cerbyd ac yn marw, dydych chi ddim yn euog o lofruddiaeth oherwydd mewn achosion o lofruddiaeth mae'n rhaid cael **bwriad** i ladd neu achosi niwed, a doedd y rhain ddim yn gymwys i chi. Ond efallai gallech chi gael eich cyhuddo o yrru'n beryglus neu o ddynladdiad.

Daw'r diffiniad gorau o achos ***Mohan (1975)***: 'penderfyniad i achosi [y canlyniad sydd wedi'i wahardd], cyn belled ag y mae o fewn pŵer y cyhuddedig, dim ots os oedd y cyhuddedig yn dymuno'r canlyniad hwnnw yn sgil ei weithred neu beidio.'

Cofiwch nad yw **cymhelliad** a **bwriad** yr un peth â'i gilydd. Ystyr bwriad yw ystyried a oeddech chi eisiau gwneud rhywbeth neu beidio. Ystyr cymhelliad yw ystyried pam gwnaethoch chi rywbeth. Does dim ots beth yw'r rheswm hwnnw, cyn belled â'ch bod wedi dewis cyflawni'r weithred.

## Gweithgaredd 4.3 Achosion *mens rea* i'w hadolygu a'u defnyddio

Nodwch yr achos a'r flwyddyn ar ôl darllen y disgrifiad, ac ysgrifennwch eich atebion yn y golofn ar y llaw dde.

| Manylion | Enw'r achos |
|---|---|
| Dyn ifanc a saethodd ei lystad ar ddamwain. Dyfarnodd y barnwyr ar sail canllawiau rhagweladwyaeth y canlyniad: 'ai dyna'r canlyniad naturiol?'. Dirymwyd gan Hancock v Shankland (1986). | |
| Gwthiodd dyn floc concrit o ben pont. Datganodd y barnwyr fod canllawiau Malony yn anniogel oherwydd diffyg 'tebygolrwydd' yn y canllawiau. | |
| Ni sylwodd yr anaesthetegydd ar y tiwb anadlu oedd heb ei gysylltu yn ystod llawdriniaeth. Cafodd y dioddefwr ddifrod i'r ymennydd, a bu farw. Dynladdiad drwy esgeuluster difrifol. | |
| Gollyngodd y diffynyddion y dioddefwr i'r afon, a wnaethon nhw ddim aros i sylwi ei fod wedi boddi. Awgrymwyd nad oedd rhagweladwyaeth yn brawf awtomatig o fwriad, er ei fod yn perthyn yn agos iawn. | |
| Penderfynodd y diffynnydd arllwys paraffin drwy flwch llythyrau tŷ, a llosgodd y tŷ i'r llawr gan ladd plentyn. Dyfarnodd y barnwyr y gall rheithgor 'dybio' bod bwriad os yw'r canlyniad bron yn sicr. | |
| Roedd y diffynnydd yn berchen ar eiddo oedd yn cael ei ddefnyddio gan ddefnyddwyr cyffuriau. Doedd hi ddim yn gwybod hyn, felly doedd y wybodaeth berthnasol ddim ganddi, a chafodd Tŷ'r Arglwyddi hi yn ddieuog o fynd yn groes i ***Ddeddf Cyffuriau Peryglus 1965***. | |
| Taflodd y diffynnydd fabi tuag at bram, gan fethu'r pram, a chafodd y babi ei ladd. Yn yr achos hwn, cafodd y gair 'tybio' ei ddisodli gan 'canfod', gan olygu fod y gwahaniaeth rhwng rhagweladwyaeth a bwriad bellach yn aneglur, er nad oedden nhw'n gysylltiedig yn uniongyrchol cyn hynny. | |
| Bu dau blentyn yn rhoi bwndeli o bapurau newydd ar dân mewn bin mewn iard. Ymledodd y tân i siop gerllaw, gan achosi difrod sylweddol. Doedden nhw ddim yn sylweddoli beth oedd y risg, felly doedden nhw ddim yn gallu bod yn fyrbwyll. Penderfynodd Tŷ'r Arglwyddi ddileu'r prawf gwrthrychol o ***Caldwell (1982)***. | |

Parhad

| Manylion | Enw'r achos |
|---|---|
| Dywedwyd wrth y diffynnydd i symud ei gar, a pharciodd ar droed yr heddwas ar ddamwain, ond dewisodd beidio â symud y car o'r ffordd. Nid oedd y weithred a'r *mens rea* yn gorgyffwrdd, ond roedd y weithred (curo) yn parhau, felly roedd *actus reus* a *mens rea* yn bresennol ac mae hyn yn gyfystyr ag ymosod. | |
| Ceisiodd y diffynnydd ddwyn o fesurydd nwy, gan ei ddifrodi a gwenwyno ei gymydog ar ddamwain. Cafwyd ef yn ddieuog yn seiliedig ar y ffaith nad oedd wedi cymryd risg roedd yn gwybod amdano, ac ar y ffaith nad oedd yn bwriadu achosi'r niwed. | |
| Tarodd y diffynnydd y dioddefwr yn anymwybodol wrth ymladd. Roedd yn credu ei bod hi wedi marw felly taflodd hi i mewn i afon, lle boddodd hithau yn ddiweddarach. Cafwyd y diffynnydd yn euog o ddynladdiad, er gwaethaf y ffaith fod ei fwriad gwreiddiol a'r weithred o daflu'r corff yn ddau beth ar wahân. | |

## Gweithgaredd 4.4 *Mens rea*: bwriad anuniongyrchol a bron yn sicr

Mae'r cysyniad bod rhywbeth bron yn sicr o ddigwydd, a sut mae hynny wedi esblygu, yn ddryslyd – ac mae angen i chi ei ddeall. Rhowch yr achosion canlynol yn eu trefn, ac ar gyfer pob un, esboniwch sut mae'r canllawiau ar gyfer canlyniad sydd bron yn sicr wedi cael eu haddasu. Gallech chi wneud hyn ar ffurf grid neu siart llif.

- ***R v Malony***
- ***R v Woollin***
- ***Hancock v Shankland***
- ***Mathews v Alleyne***
- ***R v Nedrick***

## Gweithgaredd 4.5 Senarios *actus reus* a *mens rea*

Nodwch yr *actus reus* a'r *mens rea* yn y sefyllfaoedd canlynol. A fyddech chi'n cael Simon yn euog o lofruddiaeth, dynladdiad, neu yn ei gael yn ddieuog?

1. Mae Simon allan gyda'i ffrindiau. Mae'n feddw iawn ac mae'n ymddwyn yn ymosodol. Mae'n taro i mewn i James wrth gerdded adref. Mae'n dechrau gweiddi ar James, ac yna mae'n ei daro. Mae James yn cwympo i'r llawr, yn taro ei ben ac yn marw o waedlif ar yr ymennydd.

   ***Actus reus*:**

   ***Mens rea*:**

   **Euogfarn:**

2. Mae Simon allan gyda'i ffrindiau. Mae'n aelod o gang ac mae'n cario cyllell yn rheolaidd. Wrth i ddyn o gang arall ddod tuag ato, mae'n gweld rhywbeth yn sgleinio yng ngolau'r stryd. Gan gredu mai cyllell sy'n sgleinio yno, mae'n tynnu ei gyllell ei hun ac yn trywanu'r dyn arall, sy'n marw cyn cyrraedd yr ysbyty.

   ***Actus reus*:**

   ***Mens rea*:**

   **Euogfarn:**



Parhad

**3.** Mae Simon allan gyda'i ffrindiau. Mae'n feddw iawn. Mae un o'i ffrindiau yn credu byddai'n ddoniol rhoi LSD yn ei ddiod. Mae Simon yn dechrau gweld rhithiau. Wrth gerdded adref, mae'n ymosod ar ddyn arall, gan gredu ei fod yn arth, ac mae'n ei guro i farwolaeth.

***Actus reus*:**

***Mens rea*:**

**Euogfarn:**

**4.** Mae Simon allan gyda'i ffrindiau. Mae'n aelod o gang ac mae'n cario cyllell yn rheolaidd. Wrth i ddyn o gang arall ddod tuag ato, mae'n gweld rhywbeth yn sgleinio yng ngolau'r stryd. Gan gredu mai cyllell sy'n sgleinio yno, mae'n tynnu ei gyllell ei hun ac yn trywanu'r dyn arall. Mae gan y dyn gredoau crefyddol caeth, ac mae'n gwrthod trallwysiad gwaed a allai achub ei fywyd. Mae'n marw.

***Actus reus*:**

***Mens rea*:**

**Euogfarn:**

**5.** Mae Simon allan gyda'i ffrindiau. Wrth gerdded adref o'r dafarn, mae'n gweld pobl yn ymladd. Mae un dyn wedi'i anafu'n ddifrifol ac mae'n amlwg ei fod wedi cael ei drywanu. Mae Simon yn tynnu ei ffôn symudol o'i boced ac yn ffilmio'r dyn sydd wedi cael anaf. Yna mae'n cerdded adref ac nid yw'n galw ambiwlans. Mae'r dyn yn marw yn ddiweddarach o ganlyniad i golli gwaed.

***Actus reus*:**

***Mens rea*:**

**Euogfarn:**

## 4.1 Cwestiynau cyflym

1. Pa **ddwy** elfen mae'n rhaid eu profi ar gyfer y rhan fwyaf o droseddau?
2. Beth yw'r prawf **pe na bai**?
3. Beth yw *actus reus* trosedd?
4. Beth yw *mens rea*?
5. Beth yw'r gwahanol fathau o *mens rea*?
6. Beth yw ystyr **bwriad anuniongyrchol**?
7. Beth yw troseddau **atebolrwydd caeth**?

# Elfennau cyffredinol atebolrwydd troseddol

| Yn y fanyleb | Yn yr adran hon bydd myfyrwyr yn datblygu eu gwybodaeth am y canlynol: |
|---|---|
| **CBAC UG/U2**<br>**3.13:** Elfennau cyffredinol atebolrwydd | • Baich a safon y prawf<br>• *Actus reus* (gan gynnwys ymddygiad gwirfoddol ac anwirfoddol, canlyniadau ac anwaith)<br>• *Mens rea* (esgeuluster, byrbwylltra, bwriad), bai<br>• Achosiaeth (cyfreithiol a ffeithiol)<br>• Atebolrwydd caeth |

**CYSWLLT**

I gael rhagor o wybodaeth am elfennau cyffredinol atebolrwydd, gweler tudalennau 154–163 yn *CBAC Safon Uwch Y Gyfraith Llyfr 1*.

## Gwella adolygu

Mae'r pwyntiau sy'n cael eu trafod yn y bennod hon ar *actus reus*, *mens rea* ac achosiaeth yn ymddangos drwy gydol y fanyleb cyfraith trosedd. Mae'r rhain yn gysyniadau sy'n sail i astudio'r holl droseddau yn y fanyleb. Felly, mae'r elfennau cyffredinol hyn yn annhebygol o ymddangos fel cwestiynau ar eu pen eu hunain, ond mae angen i chi wybod am y cysyniadau ar gyfer yr holl destunau eraill.

Wrth gymhwyso'r gyfraith ar elfennau cyffredinol atebolrwydd at gwestiwn ar ffurf senario, mae'n bwysig diffinio *actus reus* a *mens rea* pob trosedd (e.e. gwir niwed corfforol (ABH), llofruddiaeth), gan ddefnyddio awdurdod cyfreithiol i gefnogi eich diffiniad. Yna, mae angen i chi gymhwyso *actus reus* a *mens rea* pob trosedd at y ffeithiau, gan ddefnyddio awdurdod i'w cefnogi, ac yna dod i gasgliad. Cofiwch y gall fod angen i chi ymgorffori amddiffyniad hefyd, os yw'n gymwys.

Gall testun atebolrwydd caeth gael ei osod fel cwestiwn ar ei ben ei hun, ac mae'n fwy tebygol o godi fel cwestiwn traethawd sy'n gofyn i chi **ddadansoddi a gwerthuso**'r gyfraith ar atebolrwydd caeth.

# Lluniwch eich nodiadau adolygu o amgylch y canlynol...

**Elfennau trosedd**

- Rhaid i achos troseddol gael ei brofi gan yr erlyniad **tu hwnt i bob amheuaeth resymol**
- Mae *actus reus* a *mens rea* yn angenrheidiol er mwyn cyflawni trosedd
- Hefyd mae'n rhaid cael achosiaeth ffeithiol neu gyfreithiol
  - **Achosiaeth ffeithiol: prawf 'pe na bai'**: ***R v White (1910)***; **Rheol *de minimis***: ***Pagett (1983)***
  - **Achosiaeth gyfreithiol:** Rhaid mai'r anaf yw achos gweithredol a sylweddol y farwolaeth: ***R v Smith (1959)***; ***Jordan (1956)***; Prawf y benglog denau: ***R v Blaue (1975)***; *Novus actus interveniens*: ***Pagett (1983)***
- Rhaid i *actus reus* a *mens rea* **gyd-ddigwydd**: **rheol cyfoesedd**
  - Gweithredoedd parhaus: ***Fagan v MPC (1969)***
  - Un gyfres o ddigwyddiadau: ***Thabo Meli (1954)***
  - Malais trosglwyddedig: ***Latimer (1986)***
- ***Actus reus***: gweithred euog
  - Troseddau ymddygiad: anudon (*perjury*)
  - Troseddau canlyniad: llofruddiaeth
  - Troseddau sefyllfa: ***R v Larsonneur (1933)***
  - Anwaith
- **Anwaith:** yn gyffredinol, nid yw peidio â gweithredu yn drosedd oni bai bod dyletswydd i weithredu:
  - Statud: ***Deddf Traffig y Ffyrdd 1988***: sampl anadl
  - Contract: ***R v Pittwood (1902)***
  - Dyletswydd yn deillio o berthynas arbennig: ***R v Gibbins and Proctor (1918)***
  - Dyletswydd yn deillio o rywun yn cymryd cyfrifoldeb dros rywun arall: ***R v Stone and Dobinson (1977)***
  - Mae'r diffynnydd wedi creu sefyllfa beryglus drwy ddiffyg gofal, ac yn dod yn ymwybodol o'r sefyllfa, ond nid yw'n cymryd camau i'w hunioni: ***Miller (1983)***
- ***Mens rea***
  - Bwriad: uniongyrchol ac anuniongyrchol
    - Anuniongyrchol: prawf bron yn sicr ***Nedrick (1986)*** a ***Woolin (1998)***
  - Byrbwylltra: goddrychol: ***R v G and another (2003)***
  - Esgeuluster

**Atebolrwydd caeth**

- Troseddau lle nad oes raid cael prawf o *mens rea* ar gyfer o leiaf un elfen o'r *actus reus*
- Nid yw camgymeriad yn amddiffyniad
- Maen nhw'n tueddu i ymdrin â throseddau rheoleiddiol fel hylendid bwyd, troseddau parcio a llygru'r amgylchedd
- Mae'r troseddau yn tueddu i fod yn rhai **statudol**. Ond rhaid iddyn nhw gael eu **dehongli'n statudol** gan farnwyr, oherwydd efallai nad yw'n glir a yw'r drosedd yn un atebolrwydd caeth
- Y man cychwyn i'r barnwyr yw'r **rhagdybiaeth** bod *mens rea* bob amser yn ofynnol: ***Gammon (HK) Ltd v Attorney General (1985)***

- Gellir gwrthbrofi rhagdybiaeth drwy ystyried pedwar ffactor:
  - A yw'r drosedd yn rheoleiddiol ei natur, neu'n wir drosedd? ***Sweet v Parsley (1970)***
  - A yw'r drosedd yn ymwneud â mater o bwys cymdeithasol? ***Harrow London Borough Council v Shah (1999)***
  - A oedd y Senedd yn bwriadu creu trosedd atebolrwydd caeth drwy ddefnyddio rhai geiriau penodol mewn statud? Mae geiriau *mens rea* yn cynnwys: yn fwriadol, yn wybodus. Mae geiriau sydd ddim yn *mens rea* yn cynnwys: meddiant, achosi: ***Alphacell v Woodward (1972)*** a ***Cundy v Le Cocq (1884)***
  - Difrifoldeb y gosb: ***Callow v Tillstone (1900)***; ***Gammon (HK) Ltd v Attorney General (1985)***
- **Manteision:**
  - Amser a chost profi *mens rea*; Amddiffyn cymdeithas trwy hybu safon uwch o ofal; Hawdd gosod atebolrwydd caeth, a hynny'n gweithredu fel ataliad; Cymesuredd y gosb sy'n briodol am atebolrwydd caeth
- **Anfanteision:**
  - Posibilrwydd o anghyfiawnder; Gall rôl barnwyr wrth ddehongli statudau arwain at anghysondeb o ran penderfyniadau barnwrol; A yw atebolrwydd caeth yn gweithredu fel ataliad mewn gwirionedd, o ystyried y cosbau bach sy'n gysylltiedig? A yw atebolrwydd caeth yn torri'r ***Confensiwn Ewropeaidd ar Hawliau Dynol***? ***R v G (2008)***
- Cynigion ar gyfer diwygio

## Gweithgaredd 4.6 Elfennau cyffredinol trosedd

**Cwblhewch y geiriau sydd ar goll gan ddefnyddio'r rhestr ar y chwith i lenwi'r paragraffau.**

**Geiriau i'w defnyddio**
weithred
y tu hwnt
cadwyn
sifil
amheuaeth
ECHR
*facit*
euog
dieuog
cyswllt
*mens*
meddwl
rhagdybiaeth
erlyniad
canlyniad
*sit*
dreial

Mewn achos troseddol, ar yr ______ mae'r baich o brofi euogrwydd. Y safon er mwyn profi'r euogrwydd hwn yw ' ______ **i** ______ resymol'. Mae safon y prawf yn uwch mewn achos troseddol nag un ______, gan fod effaith cael rhywun yn euog o drosedd gymaint yn fwy. Mae hefyd yn cefnogi'r egwyddor ' ______ **nes caiff ei brofi'n euog**' ac ***Erthygl 6 yr*** ______ (hawl i ______ teg).

Yn gyffredinol, rhaid cael dwy elfen ar gyfer cyflawni trosedd: *actus reus* (y ______ euog) a ______ *rea* (y meddwl ______). Y ______ gyffredinol yw bod rhaid i ddiffynnydd fod wedi cyflawni gweithred euog, a bod â chyflwr meddwl euog ar yr un pryd.

Mae hyn yn cefnogi'r dywediad Lladin: ***actus non*** ______ ***reum nisi mens*** ______ ***rea***, sy'n golygu nad yw'r weithred yn gwneud rhywun yn euog, heblaw bod y ______ yn euog hefyd. Ar ôl sefydlu hyn, mae angen profi **achosiaeth**, sy'n edrych ar y ______ rhwng y canlyniad ac ymddygiad y diffynnydd. Yr enw ar hyn yn aml yw ' ______ **achosiaeth**', ac mae'n cysylltu'r actus reus â'r ______ cyfatebol. Er mwyn sicrhau atebolrwydd troseddol, rhaid bod cadwyn achosiaeth ddi-dor.

## Gweithgaredd 4.7 *Actus reus*

Llenwch y tabl isod i nodi beth fyddai'r *actus reus* posibl.

| Math o drosedd neu weithred ar gyfer *actus reus*. | Esboniad |
|---|---|
| Ymddygiad | |
| | Mae angen canlyniad penodol ar y weithred hon. Yn achos llofruddiaeth, mae'n rhaid bod y drosedd wedi arwain at y dioddefwr yn marw. Mae angen profi achosiaeth hefyd. |
| Sefyllfa | |
| | 'Peidio â gweithredu'. Fel rheol gyffredinol, nid yw'n drosedd i beidio â gweithredu, oni bai bod rhywun o dan ddyletswydd i weithredu. Gallai rhywun gerdded heibio, ar hap, i rywun yn boddi mewn ffynnon, ac ni fyddai unrhyw rwymedigaeth gyfreithiol iddo'i helpu. |

## Cyd-destun

Gall rhywun fod yn atebol yn droseddol dim ond os methodd weithredu pan oedd ganddo ddyletswydd gyfreithiol i wneud hynny, a bod modd cyflawni'r drosedd drwy anwaith. Mae sefyllfaoedd wedi'u nodi lle mae gan rywun ddyletswydd i weithredu.

## Gweithgaredd 4.8 Dyletswydd i weithredu

Tynnwch linellau i gysylltu'r gosodiadau, sy'n nodi pryd mae dyletswydd ar berson i weithredu, a'r esboniad cyfatebol.

| Sefyllfa 'dyletswydd i weithredu' | Esboniad |
|---|---|
| Statud | Os bydd rhywun yn dewis gofalu am unigolyn arall sy'n fethedig neu sydd ddim yn gallu gofalu amdano'i hun, mae ganddo ddyletswydd i wneud hyn heb esgeuluster. Mae achos ***R v Stone and Dobinson (1977)*** yn dangos hyn. |
| Mae'r diffynnydd wedi creu sefyllfa beryglus drwy ddiffyg gofal, ac yn dod yn ymwybodol o'r sefyllfa, ond nid yw'n cymryd camau i'w hunioni | Mae rhai mathau o berthynas deuluol yn arwain at ddyletswydd i weithredu, fel y berthynas rhwng rhiant a phlentyn a rhwng gŵr a gwraig. Mae achos ***R v Gibbins and Proctor (1918)*** yn enghraifft o'r pwynt hwn. |
| Contract | Gall rhywun fod o dan gontract i weithredu mewn ffordd arbennig, ac os yw'n peidio â gweithredu pan fydd ganddo ddyletswydd gontractol i wneud hynny, gall fod yn atebol am drosedd. Mae achos ***R v Pittwood (1902)*** yn enghraifft o hyn. |
| Dyletswydd yn deillio o rywun yn cymryd cyfrifoldeb dros unigolyn arall | Yn achos ***Miller (1983)***, roedd y diffynnydd yn sgwatio mewn fflat. Aeth i gysgu heb ddiffodd ei sigarét. Pan ddeffrodd, sylweddolodd fod y fatres ar dân, ond y cyfan a wnaeth oedd symud i'r ystafell nesaf a mynd yn ôl i gysgu. Gan ei fod heb weithredu na galw am help, achosodd hynny werth cannoedd o bunnoedd o ddifrod. Cafwyd ef yn euog o losgi bwriadol. |
| Dyletswydd yn deillio o berthynas arbennig | Os yw gweithred yn ofynnol yn ôl Deddf, mae'n anghyfreithlon peidio â gweithredu. Er enghraifft, o dan ***adran 6 Deddf Traffig y Ffyrdd 1988***, mae peidio â rhoi sampl o anadl neu sbesimen i'w ddadansoddi yn drosedd. |

## Gweithgaredd 4.9 Croesair *mens rea*

Ewch ati i ddatrys cliwiau'r croesair a'u gosod yn y grid.

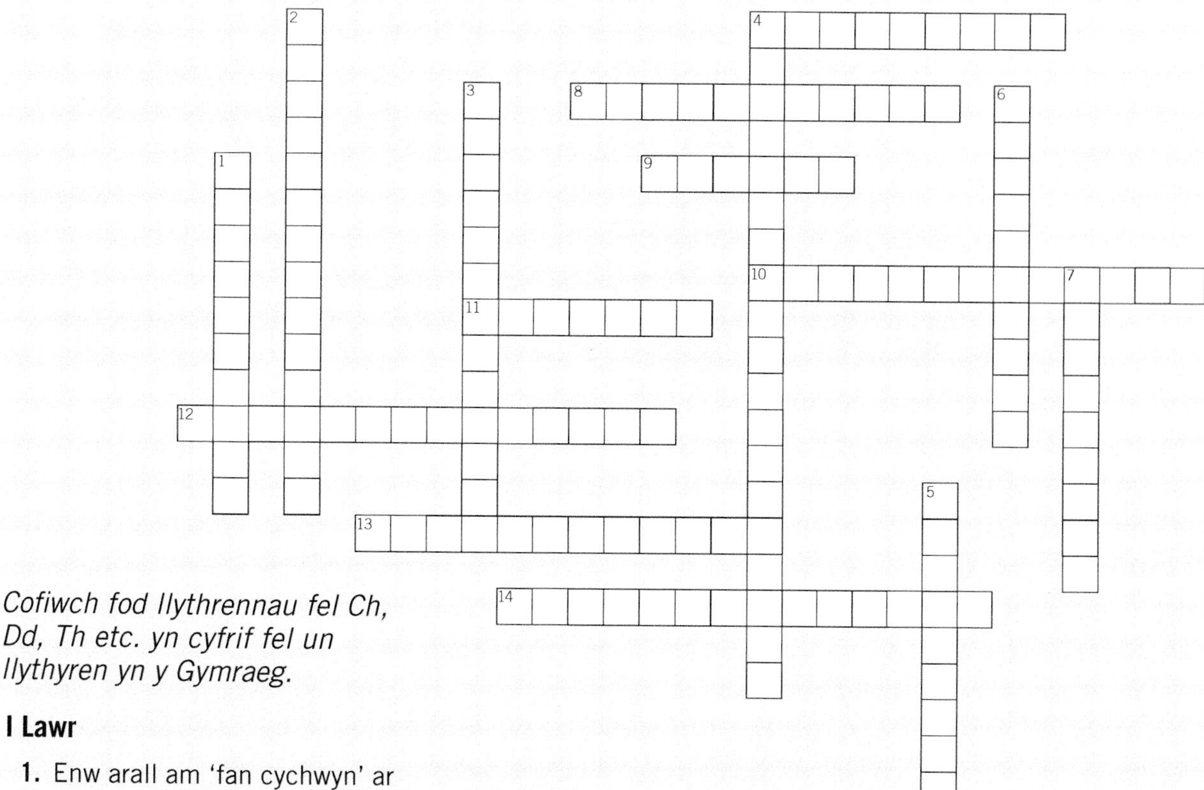

*Cofiwch fod llythrennau fel Ch, Dd, Th etc. yn cyfrif fel un llythyren yn y Gymraeg.*

### I Lawr

1. Enw arall am 'fan cychwyn' ar gyfer y llysoedd? [10]
2. Y math o drosedd gall achos fod os yw'r Senedd heb gynnwys geiriau *mens rea.* [10,4]
3. Y math o fwriad sydd ddim yn uniongyrchol. [13]
4. Yr ymadrodd sy'n cael ei ddefnyddio os bydd diffynnydd yn cael ei gyhuddo o anafu un dioddefwr ond mae wedi anafu un arall wrth geisio gwneud hynny. [6,13]
5. Mae angen prawf o hyn ar droseddau atebolrwydd caeth. [5,4]
6. Enw'r prawf ar gyfer bwriad anuniongyrchol. [4,2,4]
7. Yr achos wnaeth ddangos egwyddor 'un gyfres o ddigwyddiadau'. [5,4]

### Ar Draws

4. Ystyr '*mens rea*'. [5,4]
8. Enw'r math o *mens rea* sy'n golygu bod yn is na safon gofal penodol. [11]
9. Y math uchaf o *mens rea.* [6]
10. Yr achos o 2003 wnaeth gadarnhau byrbwylltra goddrychol. [1,1,1,3,7]
11. Yr achos wnaeth ddiffinio'r gyfraith bresennol ar fwriad anuniongyrchol. [7]
12. *Mens rea* llofruddiaeth. [6,8]
13. Er mwyn bod yn euog o drosedd sy'n gofyn am *mens rea*, y rheol gyffredinol yw bod rhaid i'r person a gyhuddir feddu ar y *mens rea* angenrheidiol pan fydd yn gwneud yr *actus reus*, a rhaid iddo fod wedi'i gysylltu â'r weithred neu'r anwaith penodol hwnnw. [4,8]
14. Mae achos ***Fagan v Metropolitan Police Commissioner*** yn dangos yr egwyddor hon mewn perthynas ag *actus reus* a *mens rea.* [8,6]

## Cyd-destun

Mae achosiaeth yn ymwneud â'r berthynas achosol rhwng ymddygiad a chanlyniad, ac mae'n agwedd bwysig ar *actus reus* trosedd. Mae angen cael cadwyn achosiaeth ddi-dor ac uniongyrchol rhwng gweithred y diffynnydd a chanlyniadau'r weithred honno. Mae'n rhaid gwneud yn siŵr nad oes *novus actus interveniens* sy'n torri'r gadwyn achosiaeth, neu ni fydd atebolrwydd troseddol am y canlyniad a ddaw yn sgil hynny.

## Gweithgaredd 4.10 Achosiaeth

Mae dau fath o achosiaeth: ffeithiol a chyfreithiol. Nodwch achos ar gyfer pob rhan o achosiaeth.

| Achosiaeth ffeithiol | Achos | Achosiaeth gyfreithiol | Achos |
|---|---|---|---|
| Y prawf 'pe na bai' | | Rhaid mai'r anaf yw achos gweithredol a sylweddol y farwolaeth | |
| Rheol *de minimis* | | Prawf y 'benglog denau' | |
| | | *Novus actus interveniens* | |

## Cyd-destun

Mae'r rhan fwyaf o droseddau yn gofyn am *actus reus* a *mens rea*, heblaw am droseddau **atebolrwydd caeth**, lle mae angen profi'r *actus reus* yn unig er mwyn sefydlu atebolrwydd. Does dim angen profi *mens rea*, a does dim 'bai' ar y diffynnydd. O ganlyniad, mae rhai pobl yn teimlo nad yw troseddau atebolrwydd caeth yn deg. Ond maen nhw'n cael eu derbyn yn gyffredinol am eu bod yn ymdrin â throseddau cymharol fân, a bod eu hangen er mwyn i gymdeithas redeg yn llyfn. Maen nhw'n tueddu i ymdrin â throseddau rheoleiddiol fel hylendid bwyd, troseddau parcio a llygru'r amgylchedd.

Mae troseddau **atebolrwydd llwyr** yn gofyn am brawf o *actus reus* yn unig, ond dydyn nhw ddim yn gofyn a oedd yr *actus reus* yn wirfoddol neu beidio. Maen nhw hefyd yn cael eu galw'n droseddau **'sefyllfa'**, ac fel mae achosion ***Winzar (1983)*** a ***Larsonneur (1933)*** yn ei ddangos, does dim rhaid i'r *actus reus* gael ei reoli gan y diffynnydd hyd yn oed.

## Gweithgaredd 4.11 Atebolrwydd caeth

Dewch o hyd i'r geiriau yn ymwneud ag atebolrwydd caeth yn y chwilair.

T M W R G S C M I J D L R L A G N A F A J M G

I T P I D P N E B C S P O G N S L N I Y S J W

J E G D U G J D G P A P O Y W P C R P P H O J

H R P L L O I D D I E L O E H R O B F T W F A

E C O B O R U I D N T J E A E R S N E M L M Y

Y G Y Y U D I A J B R T C A E C B A H I B H T

P F N Y R B U N H P V E B F E L I O S J T A O

Y T P J D N D T W P L A I P C R M U P E I G R

M M W G M R D T A L C F H N W R I G A S E L F

F T W I A T E R V T P M O D I O A I O C R O H

P C H Y J Y S W U T S G A O I M B H B B Y H B

P B M G B L O S A H T I E D M Y C S Y W P A B

M J D U E O R J W J L Y L O D A I R W B M Y J

T D B Y D E D G Y Y T S N G G P B B J B T H G

F A T W U R R O W P S A A I N W S S O F O S H

I R A S G E I G L E U H H J Y O G B M O C D J

E R B O A L W J W W R I D L A T H S Y T F A E

D T H Y J S G T J H M N L T T J W E A D B D D

L J D M R H B J J F E T J I B Y C J D M S T P

W N E J E W P T M J E D F N W W T A B F F L G

G M T S P S L R R S T I C W S H C F P A U T J

P B A G I S B E L T B G P D F O L Y E P T D P

**Geiriau i'w canfod**

ACTUS REUS
ALPHACELL V WOODWARD
ACHOSI
BAI
GAMMON
BWRIADOL
YMWYBODOL
MENS REA
RHEOLEIDDIOL
MEDDIANT
RHAGDYBIAETH
COSB
BYRBWYLL
PWYS CYMDEITHASOL
DEHONGLI STATUDOL
SWEET V PARSLEY
GWIR DROSEDD
GWYLIADWRIAETH

Nawr rhowch ddiffiniad o'r geiriau, neu brif bwyntiau'r achosion, rydych chi wedi eu canfod yn y chwilair.

| Gair | Diffiniad/prif bwyntiau |
|---|---|
| Rheoleiddiol | |
| *Mens rea* | |
| *Actus reus* | |
| Rhagdybiaeth | |

Parhad

| Gair | Diffiniad/prif bwyntiau |
|---|---|
| ***Gammon*** | |
| Dehongli statudol | |
| Gwir drosedd | |
| Pwys cymdeithasol | |
| ***Sweet v Parsley*** | |
| ***Alphacell v Woodward*** | |
| Bwriadol | |
| Byrbwyll | |
| Ymwybodol | |
| Gwyliadwriaeth | |
| Meddiant | |
| Achosi | |
| Cosb | |
| Bai | |

## Gweithgaredd 4.12 Manteision ac anfanteision atebolrwydd caeth

Cwblhewch y trefnwr graffeg drwy wneud y canlynol:

1. esbonio pob mantais ac anfantais isod
2. ychwanegu cysylltair gwahanol yn y canol i wella eich gwerthuso.

| MANTEISION | Cysylltair e.e. *'fodd bynnag'* | ANFANTEISION |
|---|---|---|
| Amser a chost profi *mens rea* | | Posibilrwydd o anghyfiawnder |
| Amddiffyn cymdeithas trwy hybu safon uwch o ofal | | Rôl barnwyr |
| Hawdd gosod atebolrwydd caeth, a hynny'n gweithredu fel ataliad | | A yw atebolrwydd caeth yn ataliad mewn gwirionedd? |
| Cymesuredd y gosb sy'n briodol am atebolrwydd caeth | | A yw atebolrwydd caeth yn torri'r Confensiwn Ewropeaidd ar Hawliau Dynol? |

## 4.2 Cwestiynau cyflym

1. Beth yw'r ddwy elfen y mae'n rhaid eu cael ar gyfer y rhan fwyaf o droseddau?
2. Beth yw'r enw sy'n cael ei roi ar droseddau lle mae'n rhaid cael *actus reus* yn unig?
3. Beth yw'r ddau fath o achosiaeth?
4. Esboniwch y **prawf 'pe na bai'**, gan roi enghraifft o achos.
5. Esboniwch **brawf y benglog denau**, gan roi enghraifft o achos.
6. Beth mae achos ***Smith v Leech Brain (1962)*** yn ei ddangos mewn perthynas ag achosiaeth gyfreithiol?
7. Pa achos wnaeth sefydlu'r pedwar ffactor i'w hystyried wrth benderfynu a yw achos yn un atebolrwydd caeth?
8. Beth yw ystyr **mater o bwys cymdeithasol**?
9. Rhowch 5 gair *mens rea*.
10. Beth yw rhai o fanteision ac anfanteision atebolrwydd caeth?

# Hierarchaeth troseddau corfforol nad ydynt yn angheuol

| Yn y fanyleb | Yn yr adran hon bydd myfyrwyr yn datblygu eu gwybodaeth am y canlynol: |
|---|---|
| **CBAC UG/U2**<br>**3.14:** Troseddau corfforol | • Troseddau nad ydynt yn angheuol: ***Deddf Cyfiawnder Troseddol 1988***: ymosod a churo<br>• Troseddau nad ydynt yn angheuol: ***Deddf Troseddau Corfforol 1861***: gwir niwed corfforol; clwyfo a niwed corfforol difrifol; clwyfo ac achosi niwed corfforol difrifol gyda bwriad |

**CYSWLLT**

I gael rhagor o wybodaeth am droseddau nad ydynt yn angheuol, gweler tudalennau 164–169 yn *CBAC Safon Uwch Y Gyfraith Llyfr 1*.

## Gwella adolygu

Mae pob Amcan Asesu yn cael ei asesu yn y testun hwn: **AA1 gwybodaeth a dealltwriaeth**, **AA2 cymhwyso** ac **AA3 dadansoddi a gwerthuso**.

Gallai'r testun hwn ymddangos fel cwestiwn **esbonio**, **cymhwyso** neu **werthuso** ar feysydd gwahanol yn y fanyleb. Efallai bydd rhaid i chi esbonio'r gwahanol droseddau nad ydynt yn angheuol (*actus reus* a *mens rea*, ynghyd â chyfraith achosion) a/neu efallai bydd rhaid i chi gymhwyso'r elfennau hyn at senario lle cafodd sawl trosedd nad yw yn angheuol ei chyflawni. Neu, efallai bydd rhaid i chi **ddadansoddi** a **gwerthuso**'r troseddau nad ydynt yn angheuol, ac ystyried a yw'r gyfraith yn addas neu a oes angen ei diwygio. Mae'n debygol y bydd mwy nag un drosedd nad yw'n angheuol yn ymddangos mewn senario, ac efallai bydd rhaid i chi gyflwyno amddiffyniad cyffredinol hefyd.

## Lluniwch eich nodiadau adolygu o amgylch y canlynol...

- **Troseddau nad ydynt yn angheuol:**
  - **Ymosod**
    - *Actus reus*: ofn y bydd trais anghyfreithlon yn cael ei beri yn ddi-oed. Trosedd cyfraith gyffredin. ***Adran 39 Deddf Cyfiawnder Troseddol 1988***
    - *Mens rea*: bwriad neu fyrbwylltra goddrychol sy'n gwneud i'r dioddefwr ofni y bydd grym anghyfreithlon yn cael ei beri yn ddi-oed

- **Curo**
  - *Actus reus*: defnyddio grym corfforol anghyfreithlon. Trosedd cyfraith gyffredin: ***adran 39 Deddf Cyfiawnder Troseddol 1988***
  - *Mens rea*: bwriad neu fyrbwylltra goddrychol i ddefnyddio grym anghyfreithlon yn erbyn rhywun arall.
- **Gwir niwed corfforol *(ABH)*: *adran 47 Deddf Troseddau Corfforol 1861***
  - *Actus reus*: i) ymosod neu guro, ii) sy'n achosi, iii) gwir niwed corfforol
  - *Mens rea*: yr un fath ag ar gyfer ymosod neu guro; does dim angen *mens rea* ychwanegol ar gyfer y gwir niwed corfforol
- **Niwed corfforol difrifol *(GBH)*: *adran 20 Deddf Troseddau Corfforol 1861***
  - *Actus reus*: peri niwed corfforol difrifol neu glwyfo (torri'r croen) yn faleisus
  - *Mens rea*: bwriad neu fyrbwylltra goddrychol i beri 'rhyw' niwed
- **Niwed corfforol difrifol *(GBH)* gyda bwriad: *adran 18 Deddf Troseddau Corfforol 1861***
  - *Actus reus*: clwyfo neu achosi niwed corfforol difrifol yn faleisus. Trosedd dditiadwy; uchafswm o garchar am oes
  - *Mens rea*: trosedd bwriad penodol; bwriad o achosi niwed corfforol difrifol yn faleisus

- **Safonau cyhuddo Gwasanaeth Erlyn y Goron *(CPS)***

## Cyd-destun

Mae pump o droseddau corfforol nad ydynt yn angheuol, ac mae'r rhain wedi'u trefnu mewn hierarchaeth – o ymosod a churo yn y pen isaf, i ***adran 18 Troseddau Corfforol 1861*** sef y drosedd fwyaf difrifol.

Mae'n bwysig sylwi ar y berthynas hierarchaidd rhwng y troseddau, gan y gall bargeinio ple ddigwydd rhwng troseddau. Mae Safonau Cyhuddo'r CPS yn rhoi canllawiau i erlynwyr o ran pa anafiadau sy'n cyfateb i ba droseddau nad ydynt yn angheuol.

## Gweithgaredd 4.13 Ymosod a churo

**Cwblhewch y geiriau sydd ar goll gan ddefnyddio'r rhestr ar yr ochr i ateb y cwestiwn.**

### Ymosod

Nid yw ymosod wedi'i ddiffinio mewn Deddf Seneddol, gan mai trosedd cyfraith ______ yw hi.

Yn ôl adran ______ ***Deddf Cyfiawnder Troseddol 1988***, mae ymosod yn drosedd ______. Y ddedfryd fwyaf y gellir ei rhoi o ddyfarnu rhywun yn euog yw ______ mis o garchar neu ddirwy.

*Actus reus* ymosod yw unrhyw weithred sy'n gwneud i'r dioddefwr y bydd yn ______ trais yn ddi-oed (hynny yw, yn syth), fel codi dwrn, anelu gwn neu fygwth rhywun, fel yn ***Logdon v ______ (1976)***.

**Geiriau i'w defnyddio**
39
ofni
gyffredin
DPP
dioddef
chwe
ynadol

Parhad

**Geiriau i'w defnyddio**
defnyddio
brawdlys
phlentyn
Burstow
Fagan
ddirwy
Haystead
di-oed
syth
anuniongyrchol
bwriadu
llythyrau
atebol
Seneddol
corfforol
risg
distaw
Smith
goddrychol
rwystro
Tuberville
anghyfreithlon
ffenestr
di-oed

Gall geiriau gael eu hystyried yn ymosod; felly hefyd o ran galwadau ffôn . Yn achos ***R v Ireland***, ***(1997)***, gwnaeth y diffynnydd alwadau ffôn distaw i dair o fenywod, a barnwyd bod y rhain yn ddigon i wneud i'r dioddefwr ofni y byddai grym anghyfreithlon yn cael ei ddefnyddio yn . Yn ***R v Constanza (1997)***, roedd y llys o'r farn bod bygythiol yn gyfystyr ag ymosod. Gall geiriau hefyd rhywun rhag bod yn atebol am ymosod fel yn achos ***v Savage (1669)***. Yn yr achos hwn, rhoddodd y person wedi'i gyhuddo ei law ar ei gleddyf, a dweud 'Oni bai ei bod hi'n amser y , fyddwn i ddim yn gadael i chi ddefnyddio'r fath iaith'. Y bygythiad oedd y weithred o roi'r llaw ar y cleddyf, a gallai hynny gyfateb i 'ymosod'; ond oherwydd iddo gysylltu hyn â'r datganiad nad oedd am ddefnyddio ei gleddyf am ei bod hi'n amser y brawdlys, roedd hyn yn ei rwystro rhag bod yn am yr ymosod.

Rhaid i'r bygythiad fod 'yn ddi-oed', er bod hyn wedi ei ddehongli yn llac gan y llysoedd, fel y gwelir yn achosion ***Ireland*** a ***Constanza*** uchod. Yn achos ***v Chief Superintendent of Woking Police Station (1983)***, roedd y ddioddefwraig yn ei gwisg nos wrth ei lawr grisiau. Roedd y diffynnydd, a oedd wedi tresmasu ar ei heiddo, yn syllu arni drwy'r ffenestr ac er bod y drws wedi'i gloi a'i bod hithau y tu ôl i'r ffenestr, ystyriwyd bod y bygythiad yn ddigon ' ' i gyfrif fel ymosod.

*Mens rea* ymosod, fel caiff ei ddiffinio yn achos ***R v Savage, Parmenter (1992)***, yw bod y diffynnydd naill ai wedi gwneud i'r dioddefwr ofni grym anghyfreithlon yn ddi-oed, neu wedi rhagweld y y byddai ofn o'r fath yn cael ei greu (byrbwylltra ).

# Curo

Yn debyg i ymosod, nid yw curo wedi ei ddiffinio mewn Deddf ; mae'n drosedd cyfraith gyffredin. Yn ôl ***adran 39 Deddf Cyfiawnder Troseddol 1988***, mae curo yn drosedd ynadol, a'r ddedfryd fwyaf y gellir ei rhoi ar ôl dyfarnu rhywun yn euog yw chwe mis o garchar, neu .

Er bod ymosod a churo yn ddwy drosedd ar wahân, mae'n bosibl eu cyfuno weithiau mewn cyhuddiad o'r enw 'ymosod cyffredin'.

*Actus reus* curo yw grym anghyfreithlon ar rywun arall. Mae pobl yn derbyn bod peth grym corfforol yn cael ei ddefnyddio mewn bywyd bob dydd (***Collins v Wilcock (1984)***). Er enghraifft, gall pobl daro i mewn i'w gilydd wrth gerdded i lawr stryd brysur. Er mwyn iddo gyfrif fel curo, rhaid i'r grym fod yn . Does dim rhaid i'r grym hwnnw fod yn uniongyrchol, fel yn achos ***v DPP (2000)***, pan ddyrnodd y diffynnydd fenyw, gan wneud iddi ollwng ei . Barnwyd bod hyn yn cyfrif fel curo'r plentyn yn anuniongyrchol, ond does dim rhaid i hyn fod yn anghydsyniol. Yn yr un modd, yn achos ***v Metropolitan Police Commissioner (1969)***, parciodd Fagan ei gar yn ddamweiniol ar droed heddwas pan ofynnodd yr heddwas iddo barcio'r car ger y cyrb. Doedd Fagan ddim yn bwriadu gyrru ei gar dros droed yr heddwas. Ond pan ofynnwyd iddo symud, gwrthododd. Cafodd y grym ei ddefnyddio yn wrth i'r car gael ei yrru ar droed yr heddwas ac roedd yn anghyfreithlon pan wrthododd y dyn symud.

Parhad

Mae'r term 'grym corfforol' yn awgrymu bod angen defnyddio llawer o rym, ond nid yw hyn yn wir. Yn achos ***Thomas (1985)***, roedd y llys o'r farn bod cyffwrdd â hem merch, a hithau'n ei gwisgo ar y pryd, yn gyfystyr â chyffwrdd â'r ferch ei hun. Does dim rhaid i'r dioddefwr fod yn ymwybodol ei fod ar fin cael ei daro chwaith; felly, mae 'curo' yn dal yn gallu digwydd os caiff rhywun ei daro o'r tu ôl. Cymharwch hyn ag ymosod, lle mae'n rhaid i'r diffynnydd ofni y bydd grym anghyfreithlon yn cael ei ddefnyddio, ac felly mae'n rhaid iddo fod yn ymwybodol o'r perygl.

**Geiriau i'w defnyddio**
ddefnyddio
Bermudez
anwaith
fyrbwylltra
sgert

Yn wahanol i ymosod, gall curo gael ei gyflawni trwy os oes dyletswydd i weithredu. Yn achos ***DPP v Santana- (2004)***, cafodd y diffynnydd ei archwilio gan heddwas, a gofynnodd hi a oedd ganddo unrhyw 'nodwyddau neu bethau miniog' arno. Ni ddywedodd yntau ddim wrthi, a phan chwiliodd hi ef, pigodd ei bys ar nodwydd hypodermig a oedd yn ei boced. Roedd ef heb roi gwybod iddi am bresenoldeb y nodwydd.

*Mens rea* curo yw bwriad neu goddrychol i grym anghyfreithlon ar rywun arall, fel y cadarnhaodd ***R v Venna (1976)***.

## Cyd-destun

Mae'r *mens rea* ar gyfer gwir niwed corfforol yr un peth ag ar gyfer curo neu ymosod. Does dim gofyniad i brofi unrhyw *mens rea* ychwanegol am y gwir niwed corfforol, fel yn achos ***R v Roberts (1971)***. Cadarnhaodd achos ***R v Savage (1992)*** hyn.

## Gweithgaredd 4.14 adran 47 (gwir niwed corfforol)

Rhowch esboniad ac enghraifft o achos ar gyfer pob *actus reus* sydd wedi'i rhestru isod.

| *Actus reus* | Esboniad | Enghraifft o achos |
|---|---|---|
| Ymosod neu guro | | |
| sy'n achosi | | |
| gwir niwed corfforol (ABH) | | |

## Cyd-destun

Mae'r *mens rea* ar gyfer niwed corfforol difrifol (GBH) wedi'i ddiffinio gan y gair 'yn faleisus', sy'n golygu 'gyda bwriad neu fyrbwylltra goddrychol'. Dangosodd achos ***R v Mowatt (1967)*** nad oes angen sefydlu a oedd y diffynnydd yn bwriadu peri GBH neu glwyfo neu a oedd wedi gweithredu'n fyrbwyll, cyn belled â bod modd profi ei fod yn bwriadu peri rhyw fath o niwed corfforol neu wedi bod yn fyrbwyll ynghylch hynny. Cafodd hyn ei egluro ymhellach yn achos ***DPP v A (2000)***, lle roedd y llys o'r farn ei bod yn ddigonol i brofi bod y diffynnydd yn bwriadu i ryw fath o niwed ddigwydd, neu ei fod wedi rhagweld hynny ac nad oedd angen dangos bod y diffynnydd yn bwriadu i niwed difrifol ddigwydd, neu ei fod wedi rhagweld hynny.

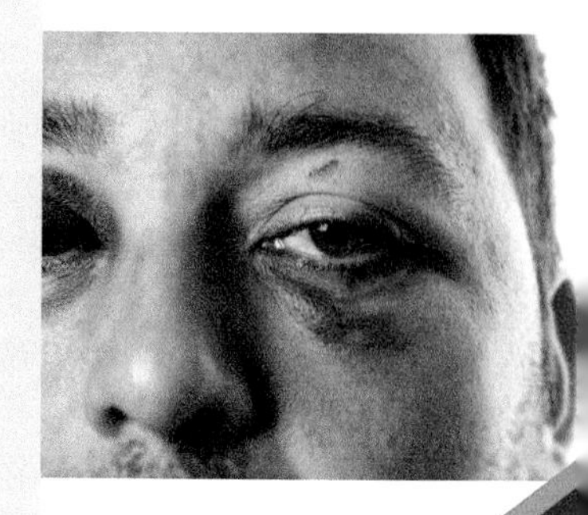

## Gweithgaredd 4.15 adran 20 (niwed corfforol difrifol)

Rhowch esboniad ac enghraifft o achos ar gyfer pob *actus reus* sydd wedi'i rhestru isod.

| *Actus reus* | Esboniad | Enghraifft o achos |
|---|---|---|
| Peri GBH | | |
| Ystyr GBH | | |
| Clwyfo | | |

## Gweithgaredd 4.16 adran 18 (GBH gyda bwriad)

**Geiriau i'w defnyddio**
dal
achosi
gadw
difrifol
dditiadwy
fwriadu
oes
anuniongyrchol
yn faleisus
Corfforol
fyrbwylltra
wrthsefyll
rhyw
penodol
statudol
clwyfo
clwyfo

Mae trosedd ______ 'niwed corfforol difrifol gyda bwriad' wedi'i nodi yn ***adran 18 Deddf Troseddau*** ______ ***1861***, sy'n dweud ei bod yn drosedd ______ neu achosi niwed corfforol difrifol neu i ______ neu rwystro unrhyw berson rhag cael ei ddal neu ei ______. Mae ***adran 18*** yn drosedd ______. Y ddedfryd fwyaf ar gyfer ***adran 18*** yw carchar am ______, gan adlewyrchu difrifoldeb ***adran 18*** o'i chymharu ag ***adran 20***.

Mae ***adran 18*** yn drosedd sydd â bwriad ______, sy'n golygu mai dim ond gyda bwriad fel y *mens rea* y gellir ei phrofi. Mae ***adrannau 47*** a ***20*** yn droseddau bwriad sylfaenol, gan y gallan nhw gael eu profi naill ai gyda bwriad neu ______.

Yn debyg i'r *actus reus* ar gyfer ***adran 20***, yr *actus reus* ar gyfer ***adran 18*** yw naill ai ______ yn faleisus neu achosi niwed corfforol ______ yn faleisus. Mae'n cyfeirio at y term '______' yn hytrach na 'peri', ac er nad ydyn nhw yr un fath (***R v Ireland, Burstow (1997)***) cymerwyd eu bod nhw'n golygu bod angen achosiaeth. Mae ystyr 'clwyfo' ac achosi 'niwed corfforol difrifol' yr un fath ag ar gyfer ***adran 20*** uchod.

Y gwahaniaeth allweddol rhwng ***adran 20*** ac ***adran 18*** yw ei bod yn bosibl profi ***adran 18*** gyda bwriad yn unig (uniongyrchol neu ______), ond ei bod yn bosibl profi ***adran 20*** gyda byrbwylltra neu fwriad i achosi ______ niwed. Mae dwy agwedd i'r *mens rea*: yn gyntaf, rhaid i'r diffynnydd glwyfo neu achosi niwed corfforol difrifol '______'. Yn ail, rhaid i'r diffynnydd fod â bwriad penodol, naill ai i achosi niwed corfforol difrifol i'r dioddefwr, neu i wrthsefyll neu rwystro unrhyw berson rhag cael ei ______ neu ei gadw yn gyfreithlon.

## Cyd-destun

Wrth gymhwyso'r gyfraith yn ymwneud â throseddau corfforol nad ydynt yn angheuol, rydych chi'n debygol o gael senario sy'n cynnwys mwy nag un drosedd. Bydd angen i chi ymdrin â phob un yn ei thro, gan **nodi** beth yw'r drosedd berthnasol, ac **esbonio** a **chymhwyso** yr *actus reus* a'r *mens rea* er mwyn dod i gasgliad a phenderfynu a gafodd y drosedd ei chyflawni. Mae'n bosibl y bydd yn rhaid i chi ystyried rhai amddiffyniadau cyffredinol hefyd, fel meddwdod.

## Gweithgaredd 4.17 Pa drosedd? Paratoi i gymhwyso

Nodwch yr elfennau ym mhob senario. Efallai yr hoffech drefnu eich gwaith gan ddefnyddio tabl fel hwn.

| Unigolyn | Trosedd | *Actus reus* | *Mens rea* | Achosion | Amddiffyniad posibl? |
|---|---|---|---|---|---|
| | | | | | |
| | | | | | |

### Senario enghreifftiol 1

Aeth Alexandra i barti pen-blwydd ei ffrind. Doedd Alexandra ddim yn yfed alcohol fel arfer, gan ei bod hi'n cymryd tabledi iselder. Yfodd wydraid mawr o bwnsh ffrwythau, ond doedd hi ddim yn gwybod ei fod yn cynnwys llawer o fodca. Aeth Alexandra yn feddw iawn. Yn ddiweddarach y noson honno, gwelodd hi ei chariad, sef Steve, yn cusanu ffrind, sef Leona. Collodd Alexandra ei thymer a thaflodd ei diod dros Steve. Rhoddodd Steve slap i Alexandra ar draws ei hwyneb, gan roi llygad ddu iddi. Rhuthrodd Alexandra at Steve â'r gwydr yn ei llaw. Plygodd Steve i lawr, a chafodd Leona ei tharo yn ei hwyneb gan y gwydr. Torrodd y gwydr yn ddarnau mân gan dynnu llygad Leona allan. (*CBAC LA3, 2010*)

### Senario enghreifftiol 2

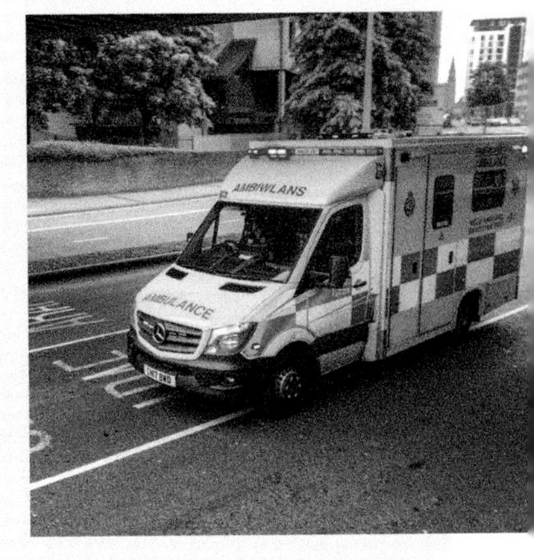


Mae Abdul yn byw ar drydydd llawr bloc o fflatiau. Roedd wrthi'n coginio ei bryd bwyd fin nos pan aeth y badell ffrio ar dân. Methodd Abdul â diffodd y fflamau, ac felly heb wybod beth arall i'w wneud, taflodd y badell ffrio danllyd allan drwy'r ffenestr. Tarodd y badell ffrio Deirdre, wrth iddi gerdded ar hyd y stryd yng nghwmni ei gŵr, Ken. Achosodd hynny i Deirdre ddioddef torasgwrn (*fracture*) i'w phenglog, a llosgiadau difrifol i'w hwyneb. Llewygodd Ken oherwydd y sioc. Wrth glywed Deirdre'n sgrechian, rhuthrodd Abdul i lawr y grisiau a rhoddodd gymorth cyntaf i'r ddau ohonyn nhw wrth aros i ambiwlans gyrraedd. Daeth Ken ato'i hun wrth i Deirdre gael ei rhoi yn yr ambiwlans. Yn ei ddryswch ceisiodd daro Abdul ond methodd, gan daro Nik, y parafeddyg, a rhoi llygad ddu iddo. (*CBAC LA3, Mehefin 2011*)

### Senario enghreifftiol 3

Aeth Tyrone a Percy i'r sinema gyda chariad newydd Percy, Natasha. Prynodd y tri ohonyn nhw gŵn poeth a diodydd pop i'w mwynhau wrth wylio'r ffilm. Roedd Percy eisiau bod ar ei ben ei hun gyda Natasha, ac felly gofynnodd i Tyrone fynd i eistedd yn rhywle arall. Gwnaeth Tyrone hynny'n ddigon bodlon, a chafodd sedd iddo'i hun rai rhesi y tu ôl i Percy a Natasha. Ond ar ôl i'r goleuadau ddiffodd, sleifiodd ymlaen yn raddol unwaith eto, nes ei fod yn eistedd yn union y tu ôl iddyn nhw. Arhosodd Tyrone nes bod Percy a Natasha wedi rhoi eu holl sylw i'r ffilm, ac yna yn ddistaw bach gollyngodd ei gi poeth i lawr gwddf crys-t Natasha. Rhoddodd Natasha sgrech, a daeth hynny ag un o'r swyddogion diogelwch, Austin, ar garlam i'w helpu hi. Gan gredu bod Percy wedi ymosod ar Natasha, dechreuodd Austin lusgo Percy o'i sedd, a dechreuodd ei ddyrnu yn ei wyneb, gan dorri ei drwyn. Ac yntau wedi dychryn yn ofnadwy oherwydd canlyniadau ei dric, taflodd Tyrone ei freichiau o gwmpas gwddf Austin a cheisiodd ei dynnu i ffwrdd oddi wrth Percy. Wrth iddo wneud hynny, rhoddodd fwy o bwysau nag roedd wedi'i fwriadu. Doedd Austin ddim yn gallu anadlu, a dioddefodd niwed i'r ymennydd.

## Gweithgaredd 4.18 Pa drosedd am achosi pa anaf?

Cwblhewch y tabl i ddangos pa anaf sy'n cyfateb i'r drosedd.

| Anaf | Trosedd |
|---|---|
| Llygad ddu | |
| Torri trwyn | |
| Trywanu'r bol | |
| Crafiad | |
| Torasgwrn (*fracture*) i'r benglog | |
| Chwyddo | |
| Ofni bod grym ar fin cael ei ddefnyddio, ond ni chafodd ei ddefnyddio | |
| Torri braich | |

## 4.3 Cwestiynau cyflym

1. Rhestrwch y troseddau nad ydynt yn angheuol, o'r lleiaf i'r mwyaf difrifol.
2. Pa ddedfrydau sydd ar gael ar gyfer pob trosedd nad yw'n angheuol?
3. Beth yw **bargeinio ple**?
4. Beth yw enw'r drosedd o gyffwrdd gwaelod sgert pan fydd rhywun yn ei gwisgo?
5. Ar gyfer ymosod, beth mae'n rhaid i'r dioddefwr ei ofni?
6. Sut mae ***adran 18*** yn wahanol i ***adran 20***?
7. Rhestrwch y prif broblemau ynglŷn â'r gyfraith ar droseddau nad ydynt yn angheuol.
8. Nodwch dair ffordd gallai'r gyfraith ar droseddau corfforol gael ei diwygio a'i gwella.

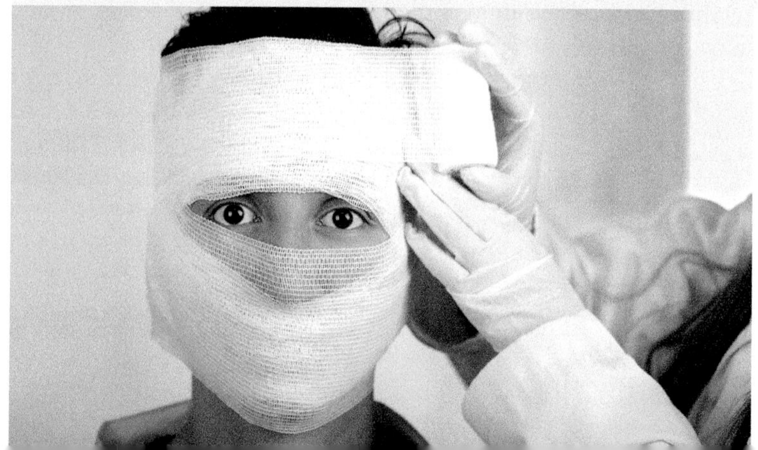

# Rheolau, damcaniaeth a diogelu cyfraith hawliau dynol

| Yn y fanyleb | Yn yr adran hon bydd myfyrwyr yn datblygu eu gwybodaeth am y canlynol: |
|---|---|
| **CBAC UG/U2**<br>**3.1:** Rheolau a damcaniaeth cyfraith hawliau dynol | • Rheolau cyfraith hawliau dynol a damcaniaeth ym maes cyfraith hawliau dynol; hawliau dynol a rhyddid sifil, ac ystyr hawliau<br>• Y gwahaniaeth rhwng hawliau a rhyddid<br>• Rôl y Senedd a'r llysoedd o ran eu rheoleiddio<br>• Y ddadl o ran natur ymwreiddiedig ***Deddf Hawliau Dynol 1998***<br>• Diogelu hawliau a rhyddid o fewn cyfansoddiad y Deyrnas Unedig<br>• Y Confensiwn Ewropeaidd ar Hawliau Dynol; ei hanes, ei gwmpas a sut caiff ei roi ar waith<br>• Effaith y ***Ddeddf Hawliau Dynol***; Bil Hawliau i'r Deyrnas Unedig<br>• Beirniadaethau mewn perthynas â hawliau dynol; natur ymwreiddiedig y ***Ddeddf Hawliau Dynol*** yn setliadau datganoli Cymru, yr Alban a Gogledd Iwerddon<br>• Natur dreiddiol y gyfraith a chymdeithas, y gyfraith a moesoldeb a'r gyfraith a chyfiawnder ar gyfraith hawliau dynol |

## Gwella adolygu

Mae'r pwyntiau sy'n cael eu trafod yn y bennod hon yn ymddangos drwy gydol y fanyleb hawliau dynol. Cysyniadau yw'r rhain sy'n sail i astudio'r holl faterion o fewn yr agwedd hon ar y fanyleb. Gallai'r testun hwn gael ei osod hefyd fel cwestiwn traethawd sy'n gofyn i chi werthuso diogelu hawliau dynol yn y DU, a sut mae hyn wedi datblygu; neu fel cwestiwn senario ar ffurf 'problem' lle bydd angen i chi gynghori cleient ynghylch y weithdrefn ar gyfer arfer ei hawliau.

**CYSWLLT**

I gael rhagor o wybodaeth am y testun hwn, gweler tudalennau 170–175 yn *CBAC Safon Uwch Y Gyfraith Llyfr 1*.

## Lluniwch eich nodiadau adolygu o amgylch y canlynol...

- **Hawliau dynol:** anamddifadwy, hollgyffredinol a rhyngddibynnol
- Rhyddid sifil
- Cafodd y ***Confensiwn Ewropeaidd ar Hawliau Dynol (ECHR)*** ei gytuno yn dilyn yr Ail Ryfel Byd
- Mae Cyngor Ewrop yn goruchwylio ymlyniad y gwladwriaethau i'r ***ECHR***

- Yr *ECHR* fel 'offeryn byw':
  - Hawliau absoliwt
  - Hawliau cyfyngedig
  - Hawliau amodol
  - Ei ddefnydd fel cymorth anghynhenid/allanol cyn y ***Ddeddf Hawliau Dynol***: ***Derbyshire County Council v Times Newspapers (1993)***
  - ***R v Secretary of State ex parte Brind (1990)***: 'nid yw'r ***ECHR*** yn gyfraith ddomestig'
- Cwmpas disgresiwn: ***Handyside v UK (1976)***
- Cymesuredd
- Rhyddid gweddillol: ***Malone v MPC (1979)***
- Llys Hawliau Dynol Ewrop: hawl yr unigolyn i ddeisebu (1966)
- ***McCann v UK (1995)***
- Roedd ***Deddf Hawliau Dynol 1998*** yn ymgorffori'r rhan fwyaf o'r ***ECHR*** o fewn cyfraith ddomestig
  - ***adran 7***: Hawlio yn y llysoedd domestig
  - ***adran 2***: Mae penderfyniadau Strasbourg yn berswadiol iawn, ond dydyn nhw ddim yn rhwymol: ***Leeds City Council v Price (2006), Ullah (2004)***
  - ***adran 3***: Mae gan farnwyr ddyletswydd i ddehongli cyfreithiau yn gydnaws â hawliau dynol 'cyn belled â bod hynny'n bosibl': ***Ghaidan v Godin-Mendoza (2004)***
  - ***adran 4***: Datganiad anghydnawsedd: ***Bellinger v Bellinger (2003)***
  - ***adran 10***: Gellir newid deddfwriaeth anghydnaws yn gyflym gan ddefnyddio gweithdrefn seneddol 'llwybr cyflym'
  - ***adran 6***: Gall unigolion siwio 'awdurdodau cyhoeddus' am dorri hawliau dynol. Arferol, swyddogaethol a llysoedd/tribiwnlysoedd. Effaith uniongyrchol llorweddol ymhlyg: ***Douglas and Jones v Hello! Ltd***
  - ***adran 19***: Datganiad cydnawsedd: ***Deddf Cyfathrebiadau 2003***
  - ***adran 8***: Gall llys ganiatáu 'unrhyw rwymedi cyfiawn a phriodol o fewn ei bwerau'
- Dadl y **Bil Hawliau**:
  - Wedi'i ymwreiddio
  - Yn ffrwyno pŵer y Weithrediaeth
  - Yn rhoi arweiniad mwy clir i farnwyr ar gydbwyso hawliau
  - Yn dileu'r weithdrefn llwybr cyflym
- Problemau:
  - Setliadau datganoli
  - Cytundeb Gwener y Groglith

## Cyd-destun

Yn aml, disgrifir hawliau dynol fel rhai sydd yn **anamddifadwy**, yn **hollgyffredinol** ac yn **rhyngddibynnol**. Maen nhw'n pwysleisio'r gred bod yr holl fyd yn rhannu rhyw fath o ddynoliaeth gyffredin. Mae gan bawb, ym mhobman yn y byd, yr hawl i gael hawliau dynol.

Mae gan y DU 'gyfansoddiad anysgrifenedig', ac ar hyn o bryd, does ganddi ddim Bil Hawliau ymwreiddiedig (*entrenched*). Ond mae sawl hawl a rhyddid penodol wedi ei warantu drwy aelodaeth y DU o wahanol sefydliadau rhyngwladol, fel y Cenhedloedd Unedig a Chyngor Ewrop. Mae gan hawliau ymwreiddiedig statws uwch, ac mae'n fwy anodd eu dileu. Felly maen nhw'n cynnig gwell amddiffyniad i ddinasyddion. Ond maen nhw'n sefydlog ac yn anodd eu diweddaru neu eu dileu, os oes angen gwneud hynny.

## Gweithgaredd 5.1 Damcaniaeth hawliau dynol

Tynnwch linellau i gysylltu'r gair â'r diffiniad cywir.

| Gair | Diffiniad |
|---|---|
| Anamddifadwy | Hawliau sy'n gymwys i bawb, gan fod pawb yn fodau dynol |
| Hollgyffredinol | Mae pob hawl dynol, mewn rhyw ffordd, yn cyfrannu at urddas yr unigolyn. Mae pob hawl yn dibynnu ar y llall |
| Rhyngddibynnol | Nid yw'n bosibl tynnu'r hawliau i ffwrdd na'u rhoi i rywun |
| Anwahanadwy | Ystyrir bod pob hawl dynol yn gyfartal ac nad oes trefn hierarchaidd ar eu cyfer |
| Cwmpas disgresiwn | Mae hyn yn rhoi pŵer i'r llys gydbwyso hawliau sy'n cystadlu yn erbyn ei gilydd, er enghraifft ***Erthygl 10*** yn erbyn ***Erthygl 8 yr ECHR*** |
| Cymesuredd | Mae'r gyfraith yn nodi'r pethau nad oes caniatâd i'r dinesydd eu gwneud, ond nid yw'r pethau sy'n cael eu caniatáu (hawliau a rhyddid) wedi eu nodi (***Malone v Metropolitan Police Commissioner (1979)***) |
| Gweddillol | Gall pob gwladwriaeth ddewis gweithredu'r hawliau yn yr ***ECHR*** mewn ffyrdd gwahanol, er mwyn adlewyrchu eu hanes a'u fframweithiau cyfreithiol unigryw |

## Gweithgaredd 5.2 Y Confensiwn Ewropeaidd ar Hawliau Dynol

**Cwblhewch y geiriau sydd ar goll gan ddefnyddio'r rhestr isod.**

**Geiriau i'w defnyddio**
1998
Confensiwn
Cyngor
Datganiad
Seneddol
breifatrwydd
Dynol
ymgorffori
byw
heddwch
Hawliau
Ail
Cenhedloedd
Unedig

Yn dilyn erchyllterau'r Ryfel Byd, daeth y gymuned ryngwladol at ei gilydd, gan gytuno i amddiffyn hawliau dynol a hyrwyddo . Ffurfiwyd y *__(United Nations: UN)__*, gan fabwysiadu'r **Cyffredinol o Hawliau Dynol *(Universal Declaration of Human Rights: UDHR)*** yn 1948. Mae hyn yn cael ei weld yn fan cychwyn y broses fodern o ddiogelu hawliau dynol. Yn dilyn hyn, sefydlwyd **Ewrop**, a fabwysiadodd y **Ewropeaidd ar Dynol *(ECHR)*** hefyd yn ei dro. Mae hwn yn sefydliad ar wahân i'r Undeb Ewropeaidd, ac mae'n cynnwys mwy o wledydd; ei nod yw cadw heddwch ac amddiffyn hawliau dynol yn Ewrop. Ers hynny, mae'r DU wedi 'r rhan fwyaf o'r *ECHR* i'r gyfraith ddomestig drwy ***Ddeddf Dynol*** .

Mae **Cyngor Ewrop** yn goruchwylio ymlyniad y gwladwriaethau i'r *ECHR*. Sefydliadau eraill sy'n goruchwylio'r *ECHR* yw **Pwyllgor y Gweinidogion** a'r Cynulliad .

Wrth i gymdeithas ddatblygu, mae hawliau dynol hefyd yn datblygu, ac mae'r *ECHR* (a chytuniadau hawliau dynol eraill) yn cael ei ystyried yn **'offeryn** '. Er enghraifft, pan ysgrifennwyd yr *ECHR* yn 1950, doedd y technolegau modern sydd erbyn hyn yn dylanwadu ar ddehongli'r hawl i , er enghraifft, ddim yn bodoli ar y pryd.

## Gweithgaredd 5.3 Hawliau'r *ECHR*

Cysylltwch erthyglau'r hawliau a'r rhyddid sy'n cael eu diogelu gan y Confensiwn gyda'u hesboniadau.

| Erthygl | Hawl |
|---|---|
| *2* | Yr hawl i fywyd |
| *3* | Yr hawl i ryddid a diogelwch yr unigolyn |
| *4* | Yr hawl i dreial teg |
| *5* | Rhyddid mynegiant |
| *6* | Rhyddid rhag arteithio, triniaeth annynol neu ddiraddiol |
| *7* | Rhyddid meddwl, cydwybod a chrefydd |
| *8* | Rhyddid rhag caethwasiaeth a llafur gorfodol |
| *9* | Yr hawl i briodi a sefydlu teulu |
| *10* | Rhyddid i ymgynnull ac ymgysylltu |
| *11* | Yr hawl i gael parch at fywyd teuluol a phreifat, y cartref a gohebiaeth |
| *12* | Gwahardd gwahaniaethu |
| *14* | Rhyddid rhag cyfraith ôl-weithredol |

## Gweithgaredd 5.4 Categorïau'r hawliau yn y Confensiwn Ewropeaidd ar Hawliau Dynol

Cysylltwch y categori gyda'i ddiffiniad ac enghraifft gyfatebol:

| Categori'r hawl | Diffiniad | Enghraifft |
|---|---|---|
| Absoliwt | Ni all y wladwriaeth wyro oddi wrth yr hawliau hyn; ni ellir byth eu torri yn gyfreithiol | ***Erthygl 10*** Rhyddid mynegiant |
| Cyfyngedig | Dyma'r hawliau gwannaf, ac mae'n bosibl eu tynnu 'pan gaiff hynny ei ragnodi gan y gyfraith, a phan fydd yn angenrheidiol a chymesur mewn cymdeithas ddemocrataidd, er mwyn cyrraedd nod cyfreithlon'. Mae'n bosibl eu cyfyngu er mwyn amddiffyn hawliau eraill, neu er lles y cyhoedd | ***Erthygl 6*** Yr hawl i dreial teg |
| Amodol | Gall y wladwriaeth wyro oddi wrth yr hawliau hyn, ond dim ond o fewn y cyfyngiadau sydd wedi'u rhagnodi yn yr hawl | ***Erthygl 5*** Yr hawl i ryddid |

## Gweithgaredd 5.5 Llys Hawliau Dynol Ewrop

**Cwblhewch y geiriau sydd ar goll gan ddefnyddio'r rhestr isod.**

Sefydlodd yr ECHR **Lys Hawliau ________ Ewrop** hefyd, sy'n eistedd yn ________. Dyma'r llys apêl olaf i unigolion sy'n teimlo bod eu hawliau dynol wedi cael eu tramgwyddo. Cyn ***Deddf Hawliau Dynol 1998***, roedd yn rhaid i unigolion ddefnyddio hawl deiseb ________, a sefydlwyd yn 1966, er mwyn apelio i ________ Hawliau Dynol Ewrop. Roedd yn rhaid mynd trwy'r holl rwymedïau ________ yn gyntaf, ac roedd hyn yn cymryd llawer o amser ac ________. Fodd bynnag, pan fyddai'r ECtHR yn dweud bod y DU wedi dileu hawliau dynol yn anghyfreithlon, byddai'r wlad fel arfer yn ymateb mewn ffordd gadarnhaol, er nad oedd ganddi rwymedigaeth gyfreithiol i ddiwygio'r gyfraith (roedd ganddi 'rwymedigaeth ________'). Er enghraifft, pasiwyd ***Deddf Dirmyg Llys 1981*** o ganlyniad i ***Sunday Times v UK (1979)***, pan farnodd y Llys Hawliau Dynol bod trosedd cyfraith gyffredin dirmyg llys yn mynd yn groes i ***Erthygl*** ________ yr ECHR.

Un enghraifft o achos lle'r aeth unigolyn ati i ddeisebu'r ECtHR yw ________ ***v UK (1995)***, a hynny ar fater polisi 'saethu i ladd' y DU, a mynd yn groes i ***Erthygl 2*** (yr hawl i fywyd).

**Geiriau i'w defnyddio:**
10
Lys
domestig
arian
Dynol
unigol
foesol
McCann
Strasbourg

## Cyd-destun

Rhoddodd ***Deddf Hawliau Dynol 1998*** hawliau cadarnhaol i ddinasyddion y DU, gan gryfhau eu hamddiffyniad mewn cyd-destun domestig. Roedd yn ymgorffori y rhan fwyaf o'r ***ECHR*** i gyfraith ddomestig, ac yn rhoi pwerau a dyletswyddau ychwanegol i farnwyr y DU er mwyn cynnal hawliau dynol dinasyddion.

Daeth rhyddidau gweddilliol yn hawliau cadarnhaol. Daeth y rhwymedigaeth 'foesol' i gynnal hawliau dynol yn un gyfreithiol.

Mae sawl adran allweddol o'r ***Ddeddf Hawliau Dynol*** sydd angen eu hystyried. Mae'n bwysig cynnwys enghreifftiau a/neu gyfraith achosion a/neu werthusiad i ategu eich atebion.

## Gweithgaredd 5.6 Adrannau o Ddeddf Hawliau Dynol 1998

Rhowch grynodeb o adrannau'r ***Ddeddf Hawliau Dynol*** sydd wedi'u rhestru yn y tabl, gan ddarparu enghraifft berthnasol o gyfraith achosion a phwynt gwerthusol ar gyfer pob un. Gallwch ysgrifennu eich atebion yn y templed sydd wedi'i ddarparu gyda'r atebion ar y we, neu gallwch ei ail-greu gan ddefnyddio cyfrifiadur.

| Adran | Crynodeb | Enghraifft o gyfraith achosion / enghraifft + pwynt gwerthusol |
|---|---|---|
| *Adran 7* | | |
| *Adran 2* | | |
| *Adran 3* | | |
| *Adran 4* | | |
| *Adran 10* | | |
| *Adran 6* | | |
| *Adran 19* | | |
| *Adran 8* | | |

## Cyd-destun

Mae cynigion cyson i greu Bil Hawliau Prydeinig i gymryd lle ***Deddf Hawliau Dynol 1998***. Deddf Seneddol yw'r ***Ddeddf Hawliau Dynol***, a byddai'n bosibl ei dileu ar unrhyw amser; nid yw wedi ymwreiddio, yn union fel nad yw'r ECHR chwaith. Mae'r DU yn un o lond dwrn o wledydd y Gorllewin sydd heb gael ei Bil Hawliau ei hun.

## Gweithgaredd 5.7 Croesair y Bil Hawliau

*Cofiwch fod llythrennau fel Ch, Dd, Th etc. yn cyfrif fel un llythyren yn y Gymraeg.*

**I Lawr**

1. Byddai Bil Hawliau yn rhoi gwell arweiniad i'r bobl hyn ar gydbwyso hawliau. [7]
2. Gair sy'n golygu nad yw pobl wedi cael eu hethol i rym, fel barnwyr yn y DU. [10]
3. Enw'r ddogfen lle gwnaeth y Blaid Geidwadol addo ystyried y mater o gyflwyno Bil Hawliau yn 2015. [9]
4. Byddai Bil Hawliau Prydeinig yn ffrwyno pŵer y gangen hon o'r llywodraeth. [1,11]
5. Y weithdrefn o dan ***adran 10 Deddf Hawliau Dynol 1998*** fyddai'n debygol o gael ei dileu gan Fil Hawliau. [5,6]
6. Enw'r Confensiwn sy'n gymwys pan fydd Senedd y DU eisiau deddfu ar fater o fewn sefydliad datganoledig. [4]
7. Mae'r gair hwn, sy'n cael ei gysylltu â Bil Hawliau Prydeinig, yn golygu byddai ganddo statws uwch ac yn fwy anodd ei ddileu. [12]

**Ar Draws**

8. Y setliadau, er enghraifft gyda Senedd yr Alban, a allai gael eu heffeithio gan Fil Hawliau. [9]
9. **a 12. ar draws.** Enw cytundeb heddwch Gogledd Iwerddon. [8,6 ac 1,7]
10. Mae'n rhaid cael cydsyniad dau Dŷ y sefydliad hwn er mwyn dileu cyfraith ymwreiddiedig. [5]
11. Y math o gyfansoddiad sydd gan y DU. [14]

## 5.1 Cwestiynau cyflym

1. Pa Ddeddf, a basiwyd yn 1998, oedd yn cryfhau'r broses o ddiogelu hawliau dynol yn y DU?
2. Pa fath o hawliau oedd gan unigolion cyn ***Deddf Hawliau Dynol 1998***? Beth sydd wedi digwydd iddyn nhw ers iddi gael ei chyflwyno?
3. Enwch wyth adran allweddol y ***Ddeddf Hawliau Dynol*** sydd wedi cael effaith ar ddiogelu hawliau dynol yn y DU. Rhowch grynodeb byr o bob un.

# Darpariaethau penodol yn y Confensiwn Ewropeaidd ar Hawliau Dynol

| Yn y fanyleb | Yn yr adran hon bydd myfyrwyr yn datblygu eu gwybodaeth am y canlynol: |
| --- | --- |
| **CBAC UG/U2** **3.2:** Darpariaethau penodol yn y Confensiwn Ewropeaidd ar Hawliau Dynol | • Darpariaethau Erthygl 8, yr hawl i gael parch tuag at fywyd teuluol a phreifat, y cartref a gohebiaeth; Eithriadau Erthygl 8; rhwymedigaethau negyddol a chadarnhaol<br>• Darpariaethau Erthygl 10, yr hawl i ryddid mynegiant. Eithriadau Erthygl 10<br>• Darpariaethau Erthygl 11, yr hawl i ymgynnull yn heddychlon ac i ymgysylltu ag eraill, gan gynnwys yr hawl i ffurfio undebau llafur ac i ymuno â nhw. Eithriadau Erthygl 11 |

**CYSWLLT**

I gael rhagor o wybodaeth am y testun hwn, gweler tudalennau 176–181 yn *CBAC Safon Uwch Y Gyfraith Llyfr 1*.

## Gwella adolygu

Mae'r pwyntiau sy'n cael eu trafod yn y bennod hon yn ymddangos drwy gydol y fanyleb hawliau dynol. Cysyniadau yw'r rhain sy'n sail i astudio'r materion o fewn y rhan hon o'r fanyleb. Mae'n bwysig eich bod yn cyfeirio at yr hawl berthnasol wrth drafod materion o fewn testunau eraill, fel pwerau'r heddlu, dirmyg llys, preifatrwydd, difenwad a phrotest.

## Lluniwch eich nodiadau adolygu o amgylch y canlynol...

- Hawliau Dynol: absoliwt, cyfyngedig, amodol
- ***Erthygl 8*** Yr hawl i gael parch at fywyd teuluol a phreifat, y cartref a gohebiaeth
  - **Hawl amodol:** pan ragnodir hynny gan y gyfraith, pan mae'n angenrheidiol ac yn gymesur mewn cymdeithas ddemocrataidd, a phan mae'n bodloni nod cyfreithlon
  - Enghreifftiau o nodau cyfreithlon
  - Enghreifftiau o'r cydbwysedd rhwng, e.e., ***Erthyglau 8 a 10***
- ***Erthygl 10*** Rhyddid mynegiant
  - **Hawl amodol:** pan ragnodir hynny gan y gyfraith, pan mae'n angenrheidiol ac yn gymesur mewn cymdeithas ddemocrataidd, a phan mae'n bodloni nod cyfreithlon
  - Enghreifftiau o nodau cyfreithlon
  - Cyswllt ag ***Erthygl 12***: ***PJS v News Group Newspapers (2012)***

- ***Erthygl 11*** Rhyddid i ymgynnull ac ymgysylltu
  - **Hawl amodol:** pan ragnodir hynny gan y gyfraith, pan mae'n angenrheidiol ac yn gymesur mewn cymdeithas ddemocrataidd, a phan mae'n bodloni nod cyfreithlon
  - Enghreifftiau o nodau cyfreithlon
- Enghreifftiau o gysylltiadau â phynciau eraill (e.e. pwerau'r heddlu, difenwad, dirmyg llys, preifatrwydd, etc.)

Gellir dosbarthu'r hawliau sydd wedi'u cynnwys yn y **Comisiwn Ewropeaidd ar Hawliau Dynol** yn rhai **absoliwt**, **cyfyngedig** neu **amodol**. Bydd y bennod hon yn ystyried ***Erthyglau, 8, 10 ac 11***.

## Gweithgaredd 5.8 Categorïau'r hawliau dynol yn y Confensiwn Ewropeaidd ar Hawliau Dynol

**Cwblhewch y geiriau sydd ar goll gan ddefnyddio'r rhestr ar y dde.**

**Hawliau absoliwt:** Y rhain yw'r hawliau cryfaf. Ni all y oddi wrth yr hawliau hyn; ni ellir byth eu torri yn gyfreithlon. Enghraifft: yr hawl i (***Erthygl 6***).

**Cyfyngedig:** Gall y wladwriaeth wyro oddi wrth yr hawliau hyn, ond dim ond o fewn y sydd wedi'u rhagnodi yn yr hawl. Enghraifft: yr hawl i (***Erthygl 5***).

**Hawliau** : Y rhain yw'r hawliau , ac mae'n bosibl eu dileu pan ' hynny gan y gyfraith, a phan fydd yn angenrheidiol a mewn cymdeithas ddemocrataidd, er mwyn bodloni cyfreithlon'. Mae'n bosibl eu cyfyngu er mwyn amddiffyn hawliau eraill neu er lles y . Enghraifft: rhyddid (***Erthygl 10***).

Wrth ystyried yr hawliau hyn, cofiwch egwyddor a hefyd disgresiwn.

**Geiriau i'w defnyddio**
nod
wyro
mynegiant
dreial teg
ryddid
cyfyngiadau
cwmpas
ragnodir
cymesuredd
chymesur
cyhoedd
Amodol
hawliau
wladwriaeth
gwannaf

## Cyd-destun

Mae ***Erthyglau 8, 10*** ac ***11*** yn **hawliau amodol**. Maen nhw wedi'u strwythuro mewn ffordd debyg: mae Rhan (1) pob Erthygl yn darparu ar gyfer yr hawl sylfaenol, a Rhan (2) yn darparu ffordd o ddileu'r hawl mewn rhai amgylchiadau: yr 'amodau'.

Gellir dileu hawliau amodol yn yr achosion canlynol:

- pan ragnodir hynny gan y gyfraith
- pan mae'n angenrheidiol mewn cymdeithas ddemocrataidd, ac yn gymesur, **a**
- pan mae'n bodloni nod cyfreithlon; er enghraifft, amddiffyn hawliau a rhyddid eraill.

Yn gyffredinol, mae cyfraith achosion yn canolbwyntio ar ystyried a oes cyfiawnhad dros ddileu'r hawl. Mae'n aml yn golygu cydbwyso un hawl yn erbyn un arall.

## Gweithgaredd 5.10 Ymchwilio i Erthyglau 8, 10 ac 11

Ymchwiliwch i'r cysylltiadau canlynol o wefan 'rightsinfo.org' a rhowch grynodeb o bob hawl.

Beth mae'r hawl yn ei amddiffyn? Pryd gall yr hawl gael ei dileu yn gyfreithlon?

Ewch ati i grynhoi rhywfaint o gyfraith achosion mewn perthynas â'r hawl ddynol (cliciwch ar 'rhagor o wybodaeth' ar ddiwedd pob ffeithlun).

**Erthygl 8 Yr hawl i gael parch at fywyd teuluol a phreifat, y cartref a gohebiaeth**

**Cyswllt:** https://rightsinfo.org/your-rights-infographic/family-and-privacy

**Crynodeb:**

**Achosion:**

**Erthygl 10 Rhyddid mynegiant**

**Cyswllt:** https://rightsinfo.org/your-rights-infographic/free-speech

**Crynodeb:**

**Achosion:**

Parhad

**Erthygl 11 Rhyddid i ymgynnull ac ymgysylltu**

**Cyswllt:** https://rightsinfo.org/your-rights-infographic/protest-and-association

**Crynodeb:**

**Achosion:**

## 5.2 Cwestiynau cyflym

1. Beth yw **hawl absoliwt**?
2. Beth yw ystyr y llythrennau **ECHR**?
3. Beth yw'r categori gwannaf o hawliau yn yr ECHR?
4. Pa Ddeddf yn y DU sydd yn ymgorffori'r ECHR?
5. Enwch dair hawl amodol.
6. Enwch ddwy hawl absoliwt.
7. Rhowch grynodeb o achos yn ymwneud ag ***Erthygl 10***.
8. Darparu ar gyfer beth mae ***adran 12 Deddf Hawliau Dynol 1998***?

# Diwygio hawliau dynol

| Yn y fanyleb | Yn yr adran hon bydd myfyrwyr yn datblygu eu gwybodaeth am y canlynol: |
| --- | --- |
| **CBAC UG/U2**<br>**3.5:** Y ddadl mewn perthynas â diogelu hawliau dynol yn y DU | • Diwygio'r broses o ddiogelu hawliau dynol yn y Deyrnas Unedig<br>• Yr angen am Fil Hawliau'r Deyrnas Unedig<br>• Rôl y Comisiwn Cydraddoldeb a Hawliau Dynol |

**CYSWLLT**

I gael rhagor o wybodaeth am ddiwygio hawliau dynol, gweler tudalennau 182–184 yn *CBAC Safon Uwch Y Gyfraith Llyfr 1*.

## Gwella adolygu

Ar gyfer cwestiynau marciau is sy'n profi **AA1 gwybodaeth** am y testun hwn, mae angen i chi wybod beth yw rôl yr ECHR a ***Deddf Hawliau Dynol 1998*** wrth amddiffyn hawliau dynol yn y DU, a rôl y Comisiwn Cydraddoldeb a Hawliau Dynol.

Gallai'r testun hwn ymddangos hefyd fel cwestiwn marc uwch sy'n profi sgiliau **AA3 cymhwyso a dadansoddi**. Meddyliwch am yr elfennau o bob testun fyddai'n gallu gofyn am ymateb marc uwch, mwy gwerthusol. Dyma enghreifftiau o'r mathau o gwestiynau posibl:

- Dadansoddwch a gwerthuswch a oes angen Bil Hawliau ar y DU.
- Byddai hawliau dynol yn cael eu hamddiffyn yn well yn y DU yn sgil cyflwyno Bil Hawliau Dynol Prydeinig. Trafodwch.
- Mae angen Bil Hawliau yn y DU. Trafodwch.

Ar gyfer yr atebion hirach hyn, dylai eich ateb gynnwys cyflwyniad sy'n rhoi trosolwg o'r hyn mae'r ateb yn mynd i'w drafod, a sut bydd y prif gorff yn datblygu. Gallai hefyd gynnwys rhywfaint o gyd-destun cryno, ac esboniad o dermau allweddol mewn perthynas â'r testun neu'r cwestiwn. Yna, dylai eich ateb ddilyn strwythur rhesymegol gyda pharagraffau sy'n cysylltu'n ôl â'r cwestiwn ac yn defnyddio tystiolaeth i'w gefnogi. Dylai casgliad glymu'r materion at ei gilydd ar sail y dystiolaeth rydych chi wedi'i chyflwyno mewn perthynas â'r cwestiwn. Er mwyn gwerthuso, mae'n rhaid i chi esbonio'r hyn rydych chi'n ei werthuso hefyd.

## Lluniwch eich nodiadau adolygu o amgylch y canlynol...

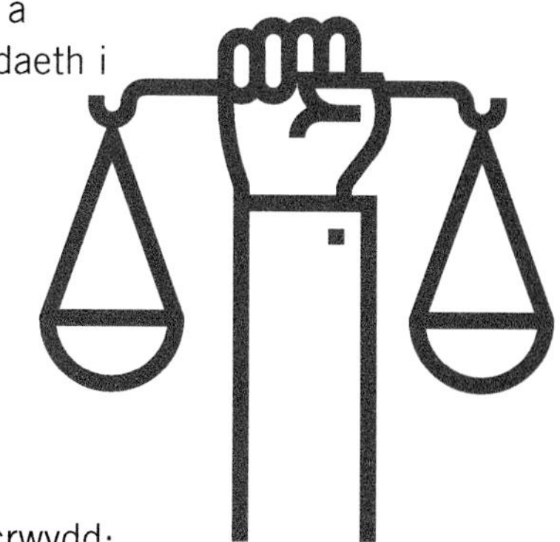

- **Cyngor Ewrop** a ddrafftiodd y Confensiwn Ewropeaidd ar Hawliau Dynol a Rhyddid Sylfaenol (ECHR). Cafodd ei gadarnhau gan y DU yn 1951 a daeth i rym yn 1953
- Roedd ***Deddf Hawliau Dynol 1998*** yn ymgorffori'r *ECHR* o fewn y gyfraith ddomestig yn 2000, ac mae'n gam tuag at Fil Hawliau i'r DU
- Daeth y **Comisiwn Cydraddoldeb a Hawliau Dynol** i'w lawn rym yn 2009
- **Manteision Bil Hawliau i'r DU**: rheoli'r Weithrediaeth; rhaid i'r Farnwriaeth gynnal yr hawliau; ymwreiddio hawliau; cyflwyno hawliau newydd
- **Anfanteision Bil Hawliau i'r DU**: diangen; anhyblyg; gallai arwain at ansicrwydd; aneffeithiol os yw'r llywodraeth yn wan; mwy o rym i'r farnwriaeth; anodd ei ddrafftio

## Gweithgaredd 5.11 Hanes hawliau dynol

Tynnwch linell i gysylltu'r eitem yn y golofn ar y chwith â'r esboniad yn y golofn ar y dde.

| | |
|---|---|
| Magna Carta | Gwrit cyfreithiol (gorchymyn) a gyhoeddir gan farnwr sy'n ei gwneud yn ofynnol i rywun a ddaliwyd i gael ei ddwyn gerbron y llys ar unwaith, i benderfynu a yw wedi cael ei garcharu yn gyfreithiol. |
| *Habeas corpus* | Llofnodwyd hwn yn 1215 gan y Brenin John a barwniaid canoloesol Lloegr. Dyma un o'r dogfennau pwysicaf yn hanes hawliau dinasyddion. |
| Bil Hawliau (y DU) | Daeth i rym yn y DU yn 2000. Mae'n galluogi unigolion i gyflwyno achosion yn ymwneud â thorri'r ECHR gerbron llysoedd y DU, ac mae'n ei gwneud yn ofynnol i ddeddfwriaeth y DU gael ei dehongli mewn ffordd sy'n gydnaws â'r ECHR. |
| Cyfansoddiad a Bil Hawliau UDA | Cafodd ei ddrafftio gan Gomisiynydd Hawliau Dynol y Cenhedloedd Unedig a'i fabwysiadu gan y Cenhedloedd Unedig yn 1948. Mae'n nodi 30 hawl sylfaenol ddylai fod ar gael i bob dinesydd mewn cymdeithas ddemocrataidd. |
| Datganiad Cyffredinol o Hawliau Dynol | Dechreuodd fel Erthyglau'r Conffederasiwn yn 1781, yna'i ddatblygu gan y sefydlwyr cyntaf yn 1789 er mwyn creu system lywodraethol fwy cryf a thair rhan y wladwriaeth, ac yna cafodd deg diwygiad eu gwneud yn 1791. |
| Confensiwn Ewropeaidd ar Hawliau Dynol (ECHR) | Wedi'i leoli yn Strasbourg, cafodd ei sefydlu o dan ***Erthygl 19 yr ECHR*** yn 1959, ac mae'n gwrando ar achosion gan unigolion sy'n dadlau bod gwladwriaeth sydd wedi ymrwymo i'r ECHR wedi torri ei rhwymedigaethau. |
| Llys Hawliau Dynol Ewrop | Cafodd ei lofnodi gan aelodau o Gyngor Ewrop yn 1950, a daeth i rym yn 1953. Mae'n galluogi dinasyddion sydd am gwyno yn erbyn gwladwriaeth sy'n aelod i ddod ag achos gerbron Llys Hawliau Dynol Ewrop (ECtHR). |
| Deddf Hawliau Dynol 1998 | Daeth i rym yn 1689 ar ôl i William a Mary gael eu coroni yn frenin a brenhines. Mae'n nodi hawliau sifil sylfaenol, fel cyfyngiadau ar bwerau'r brenin/y frenhines, hawliau'r Senedd, etholiadau rhydd a rhyddid barn yn y Senedd. |

## Cyd-destun

Mae cyflwyno ***Deddf Hawliau Dynol 1998*** wedi bod yn eithaf dadleuol, ac mae penderfyniadau barnwrol yn aml yn cael eu beirniadu gan y cyfryngau a'r llywodraeth. Mae'r Blaid Geidwadol a'r Blaid Lafur hyd yn oed wedi bygwth diddymu'r Ddeddf neu gyfyngu arni, os bydd barnwyr yn parhau i benderfynu pethau nad yw'r ddwy blaid yn cytuno â nhw.

## Gweithgaredd 5.12 Gwerthuso diogelu hawliau dynol

Ymchwiliwch i'r achosion canlynol, a phenderfynwch a ydych chi'n cytuno â'r canlyniad. Rhowch resymau dros eich atebion. Efallai gall gwefan 'RIGHTS Information' (http://rightsinfo.org) eich helpu gyda'ch gwaith ymchwil, ond defnyddiwch ffynonellau eraill hefyd i gael safbwynt cytbwys ar y ffeithiau.

### Hirst v the UK

Honnodd carcharor, John Hirst, fod peidio â chael pleidlais yn golygu nad oedd ganddo hawl i gymryd rhan mewn etholiadau rheolaidd, rhydd a theg. Penderfynodd y barnwyr fod pleidleisio yn hawl, yn hytrach na braint, ac na ddylai hawl gael ei dileu oherwydd bod rhywun wedi torri'r gyfraith. Ond dywedon nhw hefyd na ddylai pob carcharor gael yr hawl i bleidleisio – dylai'r rhai sydd wedi'u dyfarnu'n euog o'r troseddau mwyaf difrifol golli'r hawl honno.

**Ydych chi'n cytuno â'r safbwynt hwn? Pam?**

### Douglas Vinter, Jeremy Bamber a Peter Moore

Cafodd y dynion hyn eu dedfrydu i garchar am oes am lofruddio, felly doedd ganddyn nhw ddim gobaith o gael eu rhyddhau oni bai eu bod yn ddifrifol wael a/neu ar fin marw. Yn Llys Hawliau Dynol Ewrop, gwnaethon nhw ddadlau bod eu dedfrydau yn mynd yn erbyn eu hawliau i beidio â chael eu trin yn annynol. Cytunodd y llys fod carchar yn gosb ac yn gyfle i adsefydlu. Gall y rhesymau dros garcharu rhywun newid, felly dylai cyfle gael ei roi i adolygu eu dedfrydau.

Ond gall barnwyr y DU ddal i roi dedfrydau o garchar am oes os ydyn nhw'n dymuno gwneud hynny.

**Ydych chi'n cytuno â'r safbwynt hwn? Pam?**



Parhad

## Gillan and Quinton v the UK

Cafodd dau berson ar wahân eu stopio a'u chwilio gan yr heddlu o dan bwerau cyfraith gwrth-derfysgaeth y DU, pan oedden nhw ar eu ffordd i brotest. Doedd y deddfau ddim yn ei gwneud yn ofynnol i'r heddlu gael rheswm i amau eu hymddygiad. Er i'r hawlyddion gael eu rhyddhau ar ôl cyfnod byr, gwnaethon nhw gwyno bod y gweithredoedd wedi mynd yn groes i'w hawliau dynol, gan gynnwys yr hawl i barchu bywyd teuluol a phreifat, a bod deddfau o'r fath yn agored i gael eu cam-drin. Efallai dylai Deddf Hawliau Dynol 1998 gael ei diwygio o'r herwydd.

**Ydych chi'n cytuno â'r safbwynt hwn? Pam?**

## Gweithgaredd 5.13 Dadl Bil Hawliau

Mor gynnar â 2006, roedd y Blaid Geidwadol yn cynnig Bil Hawliau Prydeinig. Roedd maniffesto'r blaid yn etholiadau cyffredinol 2010 a 2015 yn addo cael gwared ar ***Ddeddf Hawliau Dynol 1998*** a rhoi Bil Hawliau yn ei lle.

Rhannwch yn ddau dîm. Bydd un tîm yn paratoi dadleuon o blaid y cynnig isod, a bydd y llall yn paratoi dadleuon yn ei erbyn. Bydd angen i chi wneud llawer o waith ymchwil i gefnogi eich dadleuon.

Cynnig: Mae'r tŷ hwn yn credu dylai'r DU dynnu allan o'r ECHR a diweddaru ei Bil Hawliau ei hun yn lle hynny.

## Gweithgaredd 5.14 Eich Bil Hawliau

Lluniwch eich Bil Hawliau eich hun. Pa fathau o hawl a rhyddid byddech chi'n eu cynnwys?

## Gweithgaredd 5.15 Ateb enghreifftiol i gwestiwn ar y Bil Hawliau

Darllenwch yr ateb, a nodwch lle mae'n rhoi sylw i amcan asesu **AA3, dadansoddi a gwerthuso**.

### Geiriau allweddol

- **Trafodwch**: Esboniwch y materion, gan gyflwyno'r dadleuon o blaid ac yn erbyn.
- **Testun:** Amddiffyn hawliau a rhyddid, ond gan ganolbwyntio ar y materion sy'n gysylltiedig â'r Bil Hawliau.
- **Mater**: Manteision rhoi Bil Hawliau ar waith (cofiwch y 'gair gwneud' – os ydych chi'n trafod y manteision, bydd raid i chi drafod y nodweddion negyddol hefyd er mwyn rhoi dadl gytbwys yn ôl y galw).

### Cynllun

- **Cyflwyniad**: Diffinio'r termau allweddol.
- **Datblygiad 1**: Esboniwch y materion cyfredol sy'n gysylltiedig â'r cysyniad o Fil Hawliau.
- **Datblygiad 2**: Trafodwch nodweddion cadarnhaol Bil Hawliau, a'u cymharu â'r Ddeddf Hawliau Dynol.
- **Datblygiad 3**: Trafodwch nodweddion negyddol Bil Hawliau, a'u cymharu â'r Ddeddf Hawliau Dynol.
- **Datblygiad 4**: Ystyriwch rai o'r trafodaethau diweddar sy'n gysylltiedig â'r Bil Hawliau.
- **Casgliad**.

### Ateb enghreifftiol

Gallwch ddarllen ateb enghreifftiol yn yr atebion sydd ar gael ar y we ar gyfer y llyfr hwn.

#### Cyflwyniad

*Fel bob amser, mae'r cyflwyniadau gorau yn gosod y llwyfan ar gyfer y traethawd drwy ddiffinio termau allweddol, fel beth yn union yw Bil Hawliau:*

Bil Hawliau yw dogfen sy'n amddiffyn rhyddid sylfaenol ac sydd wedi'i ymwreiddio, gan olygu nad yw'n hawdd i Seneddau olynol ei ddileu. Yr agwedd olaf hon sy'n ei wneud yn wahanol i'r ***Ddeddf Hawliau Dynol***. Mae rhai pobl yn dadlau, os yw'r Ddeddf Hawliau Dynol yn methu, yna dylen ni fabwysiadu Bil Hawliau fel sydd yn America.

#### Datblygiad 1

*Cam cyntaf y traethawd hwn yw amlinellu'r cynlluniau presennol, er mwyn sicrhau eich bod chi'n dangos y wybodaeth ddiweddaraf. Mae'n ddefnyddiol os ydych chi'n cadw llygad ar y newyddion, gan fod cynigion yn newid o hyd yn y maes hwn. Er enghraifft, ar gyfer y cwestiwn hwn, gallech chi drafod cynlluniau'r Ceidwadwyr i gyflwyno Bil Hawliau Prydeinig. Dechreuodd y cynlluniau hyn yn 2010, ond cawson nhw eu rhoi i'r naill ochr yn 2017 oherwydd pleidlais Brexit. Gallech chi hefyd ddisgrifio sut byddai Bil Hawliau Dynol Prydeinig yn edrych, a sut mae'n wahanol i Ddeddf Hawliau Dynol 1998.*

Parhad

### Datblygiad 2

*Y pethau nesaf i'w trafod yw'r rhesymau o blaid Bil Hawliau. Soniwyd am hyn yn barod yn Natblygiad 1, ond dim ond wrth gyfeirio at gynlluniau'r Ceidwadwyr. Dydy'r galwadau am Fil Hawliau ddim yn rhywbeth newydd, ac felly mae rhai dadleuon hanesyddol i'w harchwilio. Dylai'r drafodaeth ymdrin â pham mae angen Bil Hawliau, a byddai hyn yn debygol o gynnwys dadansoddi sut mae hawliau yn cael eu hamddiffyn ar hyn o bryd o dan y Ddeddf Hawliau Dynol.*

*Bydd yn rhoi cyfle i chi gysylltu â'r Ddeddf Hawliau Dynol hefyd, er mwyn datblygu eich defnydd o awdurdod cyfreithiol. Mae'r Ddeddf Hawliau Dynol yn cael ei defnyddio yma i ddadlau'n erbyn y dadleuon.*

### Datblygiad 3

*Mae'n bwysig parhau â'r wrth-ddadl ac ystyried y rhesymau eraill yn erbyn Bil Hawliau. Mae rhai o'r rhain yn hanesyddol, ac roedden nhw'n bodoli cyn y Ddeddf Hawliau Dynol – ond dylen nhw gael eu hystyried o hyd. Fel gwrth-ddadl i'r adran hon (ac er mwyn caniatáu i'r traethawd barhau i ddarllen fel dadl), byddwn ni'n trafod y problemau â'r Ddeddf Hawliau Dynol. Er enghraifft, dylai'r ateb gynnwys trafodaeth o'r rhesymau pam na ddylen ni gael Bil Hawliau, gan gyfeirio at brofiadau gwledydd eraill sydd â Bil Hawliau, e.e. UDA, Saudi Arabia a China.*

### Datblygiad 4

*Nawr, dewch â'ch dadl i ben drwy sôn am rai materion diweddar rydych chi wedi'u gweld yn y newyddion.*

*Yn 2015, cyfeiriwyd at y Bil Hawliau ym maniffesto'r Blaid Geidwadol, ac ar ôl i'r Ceidwadwyr ennill mwyafrif, roedd pobl yn rhagweld byddai hyn yn digwydd. Ond yn dilyn pleidlais Brexit, mae'r cynnig i gyflwyno Bil Hawliau yn lle'r Ddeddf Hawliau Dynol wedi cael ei roi i'r naill ochr nes bydd y DU wedi gadael yr UE.*

### Casgliad

*Atebwch y cwestiwn drwy roi eich barn ar sail y dystiolaeth a godwyd yn yr ateb.*

## 5.3 Cwestiynau cyflym

1. Pam cafodd ***Deddf Hawliau Dynol 1998*** ei chyflwyno i gyfraith y DU?
2. Pam byddai'n bosibl dadlau bod angen diwygio ***Deddf Hawliau Dynol 1998***? Rhowch o leiaf 3 rheswm
3. Beth yw ystyr 'ymwreiddio'?
4. Beth yw ystyr Bil Hawliau Prydeinig?
5. Pam gwnaeth y llywodraeth Geidwadol benderfynu gohirio ei chynigion ar gyfer Bil Hawliau i'r DU yn 2017?

# Cyfyngiadau'r Confensiwn Ewropeaidd ar Hawliau Dynol

| Yn y fanyleb | Yn yr adran hon bydd myfyrwyr yn datblygu eu gwybodaeth am y canlynol: |
|---|---|
| **CBAC UG/U2**<br>**3.3:** Cyfyngiadau, gan gynnwys cyfyngiadau a ganiateir gan y Confensiwn Ewropeaidd ar Hawliau Dynol | • Troseddau trefn gyhoeddus: rhyddid i gyfarfod, ymgasglu, gwrthdystio a phrotestio; y berthynas rhwng cadw trefn gyhoeddus a mynegi barn ac anfodlonrwydd yn gyfreithlon. Rheoli cynulliadau, cyfarfodydd a phrotestiadau cyhoeddus. Troseddau yn erbyn trefn gyhoeddus, gan gynnwys annog casineb hiliol a chasineb crefyddol<br>• Pwerau'r heddlu: y gyfraith yn ymwneud â phwerau'r heddlu i stopio a chwilio; chwilio eiddo; arestio; cadw yn y ddalfa; hawliau pobl sydd wedi'u cadw yn y ddalfa gan yr heddlu; derbynioldeb tystiolaeth. Rhwymedïau yn erbyn yr heddlu, gan gynnwys am achosion o erlyn maleisus a cham-garcharu<br>• Rhyng-gipio cyfathrebu: mynediad at wybodaeth sy'n ymwneud ag unigolion; tapio ffôn<br>• Dyletswydd cyfrinachedd: camddefnyddio gwybodaeth breifat; tor-cyfrinachedd<br>• Anweddustra (*obscenity*): dadleuon o blaid ac yn erbyn cyfyngu; problemau diffinio; dulliau rheoli; rheolaeth dros lyfrau, cylchgronau, ffilmiau, DVDs, perfformiadau byw, darlledu; diwygiadau<br>• Camweddau difenwi: diogelu enw da; difenwad<br>• Camweddau tresmasu, aflonyddu |

**CYSWLLT**

I gael rhagor o wybodaeth am y testun hwn, gweler tudalennau 183–221 yn *CBAC Safon Uwch Y Gyfraith Llyfr 1.*

## Gwella adolygu

Mae'r testun hwn yn cynnwys sawl is-destun fyddai'n gallu ymddangos yn yr arholiad ar ffurf cwestiwn traethawd neu gwestiwn 'problem', a hynny yn unrhyw un o unedau'r fanyleb. Gallai'r testun gael ei osod fel cwestiwn **esbonio**, **cymhwyso** neu **werthuso** ar feysydd gwahanol yn y fanyleb. Mae pob Amcan Asesu yn cael ei asesu yn y testun hwn: **AA1 gwybodaeth**, **AA2 cymhwyso** ac **AA3 dadansoddi a gwerthuso**.

## Lluniwch eich nodiadau adolygu o amgylch y canlynol...

- Trefn gyhoeddus
- Pwerau'r heddlu
- Rhyng-gipio cyfathrebu
- Dyletswydd cyfrinachedd
- Anweddustra
- Difenwad
- Camweddau tresmasu ac aflonyddu

## Cyd-destun

### Trefn gyhoeddus

Mae'r testun hwn yn ystyried y berthynas rhwng dwy hawl amodol – rhyddid mynegiant o dan ***Erthygl 10*** yr ECHR, a rhyddid i ymgysylltu ac ymgynnull o dan ***Erthygl 11*** yr ECHR.

Mae'r maes hwn o'r gyfraith yn rhoi pŵer i'r awdurdodau fonitro, rheoli a hyd yn oed gwahardd gwahanol fathau o brotestiadau.

Yn gyntaf, bydd y testun hwn yn ystyried y mesurau ataliol all gael eu cymryd cyn cynnal gorymdaith neu gyfarfod. Mae'r pwerau hyn yn dod o dan ***Ddeddf Trefn Gyhoeddus 1986***.

## Gweithgaredd 5.16 Chwilair gorymdeithiau

L P P M Y D F J E S T T N T J T R
P G C P P P Y Y G U D O G L B H M
I E J B T I I M B D F P W Y Y C T
A D R A N U N A R D D E G B G W G
M D D Y N F E R T E C W U C R D H
B R C M A J D F O O T D M H G D G
G A G G J C W E A H D R F W W Y H
N R C Y P J H R B Y W L L E A N M
J I C R T C T O M C U P R D H O F
F A J C E O I L S N J P A I A L N
C T W H T E A D O F R O G W R F U
B N D L G E D D U E D N A R D A M
J A O S N N M C L R Y M O N D B T
W R B L U T Y B P H B S B O S N C
T D L S B A R D U N A U M D L L J
A A L A Y N O P Y A C A L D O Y A
W H T N T A G R U S I N F I M Y J

**Geiriau i'w canfod**

RHYBUDD YMLAEN LLAW
GWAHARDD
YMGYRCH
ACHOS
GORFODAETH
AMODAU
AFLONYDDWCH
BYGWTH
YMARFEROL
GORYMDAITH
ANHREFN CYHOEDDUS
REED
LLWYBR
TREFNYDD
ADRAN UNARDDEG
ADRAN DEUDDEG
ADRAN TAIR AR DDEG
CHWE DIWRNOD
SYDYN
SBARDUNAU

Nawr rhowch esboniad ar gyfer rhai o'r geiriau y daethoch chi o hyd iddyn nhw yn y chwilair, mewn perthynas â gorymdeithiau o dan ***Erthygl 11*** yr ECHR.

## Gweithgaredd 5.17 Cyfarfodydd a chynulliadau

**Geiriau i'w defnyddio**
2
14
arestio
cydymffurfio
amodau
hyd
rybudd
uchafswm
agored
cyhoeddus
statig
adeg
sbardun

**Llenwch y bylchau gan ddefnyddio geiriau o'r rhestr a roddwyd.**

***Adran 16***: Mae hon yn diffinio cyfarfod neu gynulliad fel cynulliad o ______ neu ragor o bobl mewn man ______ sydd yn gyfan gwbl neu'n rhannol yn yr awyr ______.

Mae ***Adran*** ______ yn rhoi pwerau i'r heddlu osod ______ ar gyfarfodydd (gan ddefnyddio'r un pedwar ______ ag ar gyfer ***adran 12***). Rhoddir pŵer i'r heddlu osod amodau ar gynulliadau ______, sy'n cael eu cynnal yn gyfan gwbl neu'n rhannol yn yr awyr agored, os oes mwy na dau o bobl am fod yn bresennol. Yn ogystal â'r pŵer i osod amodau ymlaen llaw, mae'r adran hon yn galluogi'r heddlu i osod amodau ar ______ y cynulliad, ac yna i ______'r rhai sy'n methu ______. Mae'r mathau o amodau yn cynnwys lleoliad y cyfarfod, ei ______, ac ______ y bobl. **Nid** yw cynulliad yn gorfod ufuddhau i'r gofyniad am ______ sydd yn ***adran 11***.

## Gweithgaredd 5.18 Pwerau o dan Ddeddf Cyfiawnder Troseddol a Threfn Gyhoeddus 1994

Tynnwch linellau i gysylltu'r adran â'r pŵer cywir.

| Adran | Pŵer |
|---|---|
| ***Adran 14A*** | Ar gais meddiannydd, mae gan yr heddlu bŵer i fynnu bod tresmaswyr yn gadael tir lle roedden nhw'n bwriadu preswylio, yn ddibynnol ar rai amodau. |
| ***Adran 14B*** | Tresmasu gwaethygedig: prif dargedau'r drosedd hon oedd pobl sy'n ceisio atal pobl rhag hela. Erbyn hyn, gall fod yn gymwys i unrhyw dresmaswr sy'n amharu ar weithgaredd cyfreithlon ar dir. |
| ***Adran 69*** | Os yw'r heddlu'n credu yn rhesymol fod tresmaswyr wedi cyflawni, neu ar fin cyflawni, trosedd o dan ***adran 68***, gallan nhw eu cyfeirio i adael y tir hwnnw. |
| ***Adran 63*** | Mae gan yr heddlu'r pŵer i wasgaru neu atal cynulliadau yn yr awyr agored o 100 neu fwy o bobl lle mae chwarae cerddoriaeth uchel yn debygol o achosi trallod difrifol i'r cymdogion. |
| ***Adran 68*** | Gwahardd cynnal unrhyw gynulliad tresmasol, yn ddibynnol ar rai amodau: ***DPP v Jones (1998)*** |
| ***Adran 61*** | Mae'n drosedd i drefnu, annog neu gymryd rhan mewn cynulliad a chithau'n gwybod ei fod yn mynd yn groes i orchymyn gwahardd, a gallech gael eich arestio am wneud: ***Windle v DPP (1996)*** |

## Gweithgaredd 5.19 Pwerau o dan Ddeddf Trefn Gyhoeddus 1986

Tynnwch linellau i gysylltu'r adran â'r pŵer cywir.

| Adran | Pŵer |
|---|---|
| *Adran 1* | Anhrefn treisgar: yn debyg i derfysg, ond rhaid bod tri neu fwy o bobl yn bresennol, a does dim rhaid iddyn nhw fod yn gweithredu at unrhyw bwrpas cyffredin. |
| *Adran 2* | Yn debyg iawn i ***adran 4***, ond ar lefel is. Mae'n ymwneud ag aflonyddwch, braw neu drallod ac ymddygiad anhrefnus. Rhaid bod hyn yn digwydd o fewn clyw neu olwg rhywun sy'n debygol o deimlo'r aflonyddwch, y braw neu'r trallod. |
| *Adran 3* | Ofn trais neu gythruddo rhywun â thrais: cyflawnir y drosedd drwy ddefnyddio geiriau neu ymddygiad bygythiol, sarhaus neu ddifrïol tuag at rywun arall, neu drwy ddosbarthu unrhyw ysgrifen, arwydd neu gynrychiolaeth weledol arall sy'n fygythiol, yn sarhaus neu'n ddifrïol. Rhaid bod bwriad i gythruddo neu i achosi ofn o drais anghyfreithlon yn ddi-oed: ***R v Horseferry Road Justices, ex parte Siadatan (1990)***. |
| *Adran 4* | Aflonyddwch, braw neu drallod bwriadol: mae'r drosedd hon yn union yr un fath â'r un yn ***adran 5***, ond rhaid bod yr un sydd wedi'i gyhuddo yn bwriadu achosi aflonyddwch, braw neu drallod, a rhaid iddo ei gyflawni. Mae'r cosbau mwyaf hefyd yn llawer mwy na'r rhai yn ***adran 5***. |
| *Adran 4A* | Terfysg: 12 neu fwy o bobl yn bygwth neu'n defnyddio trais anghyfreithlon. Rhaid iddyn nhw fod yn gweithredu gyda'i gilydd at bwrpas cyffredin. Rhaid i ymddygiad y grŵp fod i'r fath raddau nes byddai rhywun o benderfyniad rhesymol yn y lleoliad yn ofni am ei ddiogelwch. |
| *Adran 5* | Affräe: mae hyn yn debyg i derfysg ac anhrefn treisgar. Mae rhywun yn cyflawni affräe drwy ddefnyddio neu fygwth trais anghyfreithlon i'r fath raddau nes byddai rhywun o benderfyniad rhesymol yn ofni am ei ddiogelwch. Does dim rhaid cael isafswm o bobl. |

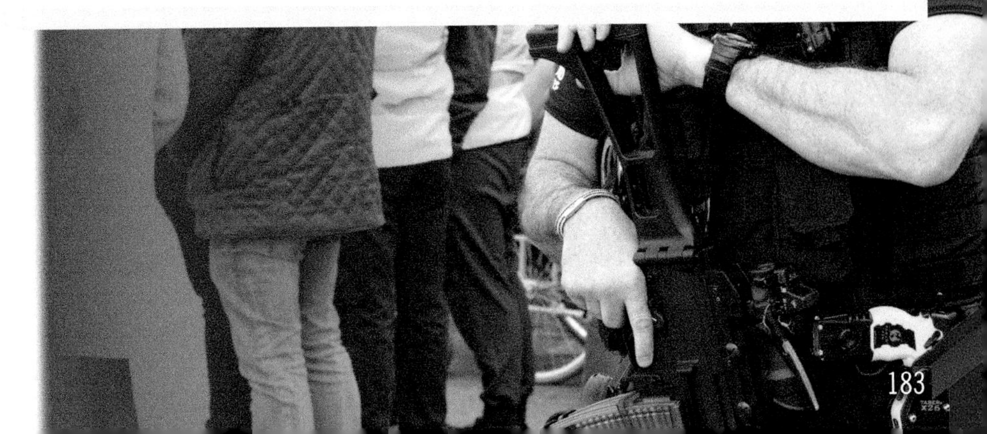

## Gweithgaredd 5.20 Deddf Troseddu Cyfundrefnol Difrifol a'r Heddlu 2005

### Tasg 1

Ymchwiliwch i'r mesurau gafodd eu cyflwyno yn ***Neddf Troseddu Cyfundrefnol Difrifol a'r Heddlu 2005*** mewn perthynas â chyfyngu ar y rhyddid i brotestio ger Senedd y DU a safleoedd 'sensitif' eraill. Gwnewch yn siŵr eich bod chi'n cynnwys ***adrannau 128–138***.

### Tasg 2

Ymchwiliwch i achos Brian Haw (***R (on the application of Haw) v Secretary of State for the Home Department (2006)***). Dylech gynnwys pwyntiau gwerthusol yn ymwneud â'r cydbwysedd rhwng hawliau rhyddid mynegiant a rhyddid i ymgynnull ac ymgysylltu.

## Gweithgaredd 5.21 Tor-heddwch

**Geiriau i'w defnyddio**
cyffredin
McLachlan
glowyr
rheidrwydd
Cyfundrefnol
dor-heddwch
resymol
ailadrodd
heb

Cwblhewch y geiriau sydd ar goll gan ddefnyddio'r rhestr ar y chwith.

Mewn cyfraith ______, mae gan yr heddlu bŵer i arestio ______ warant mewn achos o ______, os oes sail ______ dros gredu y bydd tor-heddwch yn digwydd, neu os ydyn nhw o'r farn y bydd yn cael ei ______ (cafodd ei ddefnyddio'n helaeth yn ystod streic y ______ 1984/85; gweler ***Moss v ______ (1985)***). Yn dechnegol, cafodd y pŵer, yn ôl cyfraith gyffredin, i arestio am dor-heddwch ei ddiddymu gan ***Ddeddf Troseddu ______ Difrifol a'r Heddlu 2005***, sy'n ei gwneud yn bosibl arestio pobl ar gyfer pob trosedd, os oes angen arestio yn ôl un o'r ffactorau ______.

## Gweithgaredd 5.22 Rhwystro'r briffordd a rhwystro'r heddlu

**Geiriau i'w defnyddio**
137
Duncan
cyflawni
Jenkins
cyfreithlon
palmant
Heddlu
posibl
rhesymol
statudol
yn fwriadol

O dan ***adran*** ______ Deddf Priffyrdd 1980, mae'n drosedd i 'unrhyw un sydd heb awdurdod neu esgus ______ rwystro tramwyo rhydd ar hyd priffordd ______'. At ddibenion y drosedd hon, mae'r briffordd yn cynnwys y ______ yn ogystal â'r ffordd. Os yw swyddog heddlu'n gorchymyn siaradwr, dosbarthwr, gwerthwr neu gynulleidfa i symud ymlaen, a'u bod nhw'n gwrthod gwneud hynny, maen nhw'n debygol o gael eu harestio am rwystro'r briffordd neu am rwystro cwnstabl wrth ______ ei ddyletswydd. Yn achos ***Arrowsmith v ______ (1963)***, cynhaliwyd cyfarfod gan heddychwyr mewn stryd oedd yn cysylltu dwy briffordd. Roedd y cyfarfod wedi cau'r stryd, a chydweithredodd y trefnydd â'r heddlu i adael iddi gael ei hailagor. Fodd bynnag, roedd y stryd wedi'i chau'n llwyr am 5 munud, ac yn rhannol am 15 munud. Roedd yr heddlu wedi cael rhybudd ymlaen llaw am y cyfarfod; eto i gyd, cafodd y trefnydd ei arestio a'i ganfod yn euog. Yn ***Nagy v Weston (1966)***, roedd defnydd ______ o'r briffordd yn gyfystyr ag esgus cyfreithlon. Un pwynt i'w ystyried yw **rhesymoldeb**, lle bydd y llys yn ystyried pa mor hir oedd y rhwystr, ei bwrpas, ei leoliad ac a oedd gwir rwystr neu rwystr ______.



Parhad

Mae rhwystro'r heddlu yn drosedd o dan ***adran 89 Deddf yr 1996***. Mae'r llysoedd wedi bod yn barod iawn i gefnogi defnydd eang o'r drosedd hon, hyd yn oed pan fydd hynny'n cyfyngu'n sylweddol ar ryddid i ymgynnull. Yn ***v Jones (1936)***, dywedwyd wrth siaradwr a oedd yn annerch torf o ben bocs ar y briffordd i roi'r gorau iddi, gan fod yr heddlu'n ofni tor-heddwch. Yr unig reswm dros yr ofn hwn oedd y ffaith bod cynnwrf wedi digwydd yn yr un fan flwyddyn ynghynt, ond cytunodd y llys â'r penderfyniad i arestio'r siaradwr am achosi rhwystr ar ôl iddi wrthod rhoi'r gorau i siarad.

## Cyd-destun

### Pwerau'r heddlu

Ystyrir pwerau'r heddlu yng nghyd-destun hawliau dynol gan eu bod weithiau'n golygu bod rhaid tynnu rhyddid rhywun a ddrwgdybir oddi arno (ac amharu ar ei breifatrwydd).

Y brif Ddeddf sy'n llywodraethu pwerau'r heddlu yw ***Deddf yr Heddlu a Thystiolaeth Droseddol 1984*** (*PACE: Police and Criminal Evidence Act*). O fewn y ***PACE*** a Deddfau eraill, rhoddir disgresiwn i'r heddlu o ran y ffordd maen nhw'n arfer eu pwerau, ac mae rhwymedïau ar gael os torrir y pwerau hyn. Mae Codau Ymarfer yn cyd-fynd â'r ***PACE*** ac yn rhoi canllawiau ar gyfer arfer rhai pwerau. Nid oes modd cymryd camau cyfreithiol os torrir y codau, ond os bydd achos 'difrifol a sylweddol' o dorri'r codau, gallai hyn arwain at eithrio tystiolaeth.

Mae'n rhaid i chi gyfeirio yn fanwl gywir at adrannau o'r ***PACE***, neu o ddeddfau eraill sy'n rhoi'r pwerau i'r heddlu i weithredu mewn ffordd arbennig, neu sy'n ganllaw i'w hymddygiad. Yn yr arholiad, pan fyddwch yn ateb cwestiwn 'problem', cofiwch wneud y canlynol:

- **nodi** a diffinio'r gyfraith
- **cymhwyso**'r gyfraith at y ffeithiau
- **dod i gasgliad** ynghylch a gafodd y pŵer ei ddefnyddio'n gywir.

Hyd yn oed os cafodd rhywbeth ei wneud yn gywir, mae angen i chi drafod y gyfraith sy'n rhoi'r pŵer hwnnw i'r heddlu er hynny.

Gellir rhannu pwerau'r heddlu yn 5 prif adran:

- Stopio a chwilio (pobl, cerbydau, ac adeiladau).
- Arestio.
- Cadw a holi.
- Derbynioldeb tystiolaeth.
- Cwynion yn erbyn yr heddlu, a rhwymedïau.

## Gweithgaredd 5.23 Stopio a chwilio pobl, cerbydau, ac adeiladau

A yw hi'n gyfreithlon i stopio a chwilio yn y senarios canlynol? Nodwch a chymhwyswch adrannau perthnasol deddf ***PACE***.

1. Mae'r heddlu'n gwybod bod Reena yn lleidr. Mae hi'n cael ei stopio a'i chwilio gan swyddog yr heddlu, PC Lee, ar ôl iddi gael ei gweld yn agos at rywle lle mae bwrgleriaeth newydd ddigwydd. Cyn dechrau ei chwilio hi, mae PC Lee, sydd ddim yn gwisgo ei iwnifform, yn dweud 'Wedi dy ddal di unwaith eto – dw i'n mynd i dy chwilio'. Mae PC Lee yn dweud wrth Reena am dynnu ei siaced yn y stryd er mwyn dechrau ei chwilio, ac nid yw'n rhoi cofnod i Reena ar ôl gorffen chwilio.

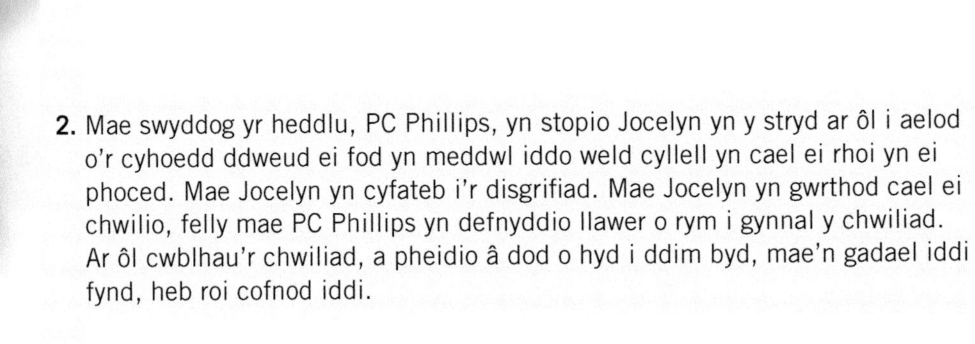

2. Mae swyddog yr heddlu, PC Phillips, yn stopio Jocelyn yn y stryd ar ôl i aelod o'r cyhoedd ddweud ei fod yn meddwl iddo weld cyllell yn cael ei rhoi yn ei phoced. Mae Jocelyn yn cyfateb i'r disgrifiad. Mae Jocelyn yn gwrthod cael ei chwilio, felly mae PC Phillips yn defnyddio llawer o rym i gynnal y chwiliad. Ar ôl cwblhau'r chwiliad, a pheidio â dod o hyd i ddim byd, mae'n gadael iddi fynd, heb roi cofnod iddi.

### Cyd-destun

Mae modd chwilio eiddo ac adeiladau gyda gwarant neu heb un. Gellir chwilio unrhyw eiddo os yw rhywun yn cydsynio i hynny. Mae'r pwerau hyn yn ***PACE 1984***.

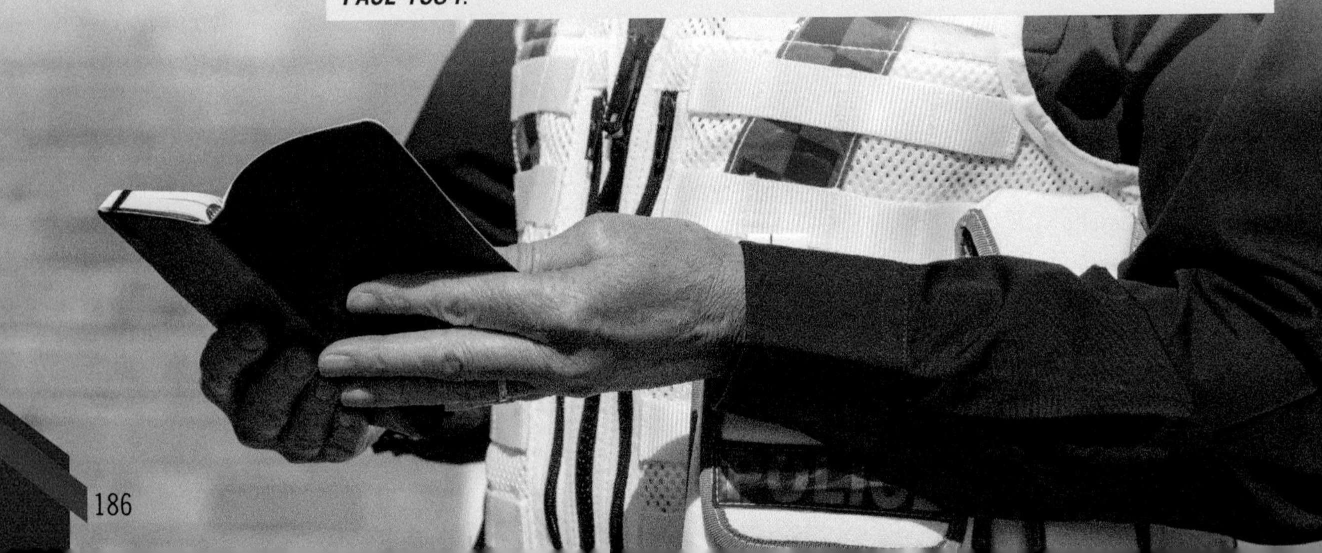

## Gweithgaredd 5.24 Chwilio eiddo ac adeiladau

Tynnwch linellau i gysylltu'r adran â'r pŵer cywir.

| Adran | Pŵer |
|---|---|
| *Adran 8* | Ar ôl dod i mewn i'r adeilad yn gyfreithlon, gall yr heddlu atafaelu a chadw unrhyw dystiolaeth berthnasol. |
| *Adran 17* | Mae'n rhoi canllawiau pwysig ynghylch defnyddio'r pŵer i chwilio eiddo ac adeiladau. Mae'n nodi y dylid gwneud y chwilio ar amser rhesymol gan ddefnyddio grym rhesymol, a gan ddangos ystyriaeth a chwrteisi priodol tuag at yr eiddo a phreifatrwydd y meddianwyr. |
| *Adran 18* | Gall yr heddlu gael mynediad er mwyn arestio gyda gwarant neu heb warant, er mwyn dal rhywun sydd â'i draed yn rhydd yn anghyfreithlon, neu er mwyn amddiffyn pobl neu atal difrod i eiddo. |
| *Adran 19* | Ar ôl arestio rhywun am drosedd dditiadwy, gall yr heddlu chwilio'r adeilad lle mae'r sawl sydd dan amheuaeth yn byw neu'n ei reoli, os oes ganddyn nhw sail resymol i gredu bod tystiolaeth o'r drosedd neu droseddau eraill yn yr adeilad. |
| *Adran 32* | Chwilio gyda gwarant. Mae'n rhoi pŵer i'r heddlu wneud cais i ynadon am warant chwilio. Rhaid i'r ynad fod yn fodlon bod gan yr heddlu sail resymol i gredu bod trosedd dditiadwy wedi cael ei chyflawni, a bod deunydd yn yr adeiladau sydd yn debygol o fod yn werthfawr iawn i'r ymchwiliad i'r drosedd ac sydd yn debygol o fod yn dystiolaeth berthnasol. |
| *Cod B* | Ar ôl arestio rhywun am drosedd dditiadwy, gall swyddog heddlu fynd i mewn a chwilio'r adeilad lle cafodd yr unigolyn ei arestio neu lle'r oedd yn union cyn iddo gael ei arestio, os oes gan y swyddog sail resymol i gredu bod tystiolaeth yn ymwneud â'r drosedd benodol yn yr adeilad. |

## Cyd-destun

**Arestio gyda gwarant:** Rhaid i'r heddlu wneud cais i'r ynadon am warant arestio. Dylid nodi enw a manylion y drosedd, ac unwaith i'r warant gael ei chaniatáu, bydd yn rhoi pŵer i gwnstabl fynd i mewn i eiddo neu adeilad a'i chwilio er mwyn arestio os oes angen.

**Arestio heb warant:** ***adran 24 PACE*** wedi'i diwygio gan ***adran 110*** o ***Ddeddf Troseddu Cyfundrefnol Difrifol a'r Heddlu 2005 (SOCPA).*** Gellir arestio heb warant os oes gan gwnstabl sail resymol dros gredu bod rhywun **yn** cyflawni, **wedi** cyflawni neu **ar fin** cyflawni trosedd, neu bod sail resymol dros amau bod y diffynnydd yn euog **ac**, yn bwysicach, bod arestio yn **angenrheidiol.**

**Arestio yn 'angenrheidiol':** O dan ***adran 24(5)***, rhaid bod gan gwnstabl sail resymol dros gredu ei bod yn **angenrheidiol arestio'r** unigolyn am resymau a roddir yn ***adran 24(5).***

## Gweithgaredd 5.25 Pwerau arestio

A yw hi'n gyfreithlon i arestio yn y senarios canlynol? Nodwch a chymhwyswch yr adrannau perthnasol.

1. Mae'r heddlu'n gwybod bod Jessica yn droseddwraig. Mae hi'n cael ei gweld yn yr ardal yn fuan ar ôl iddi gael ei rhyddhau o'r carchar. Mae hi'n cyfateb i'r disgrifiad o berson sy'n cael ei amau o gyflawni lladrad arfog mewn swyddfa bost gerllaw. Mae PC Ali yn ei harestio gan ddweud 'rydych chi wedi cael eich arestio' ac mae'n ei gwthio i mewn i gar yr heddlu i'w chludo i'r orsaf heddlu. Mae hi'n cael ei chwilio ar ôl iddi gyrraedd yr orsaf.

2. Mae Marco, swyddog diogelwch mewn archfarchnad, yn gweld Gaurav yn rhoi potel o wisgi ym mhoced ei siaced cyn cerdded allan o'r siop. Mae Marco yn stopio ac yn cadw Gaurav, ac yn galw'r heddlu.

3. Mae John yn cael ei ddal yn difrodi car. Mae PC Evans yn dweud wrtho ei fod yn cael ei arestio am achosi difrod troseddol, ac mae'n darllen ei hawliau iddo. Mae'n cael ei gymryd i orsaf yr heddlu.

4. Roedd Gethin yn cerdded adref ar ôl gweithio shifft hwyr. Roedd PC Asher wedi cael adroddiadau bod dyn mewn siaced lachar, yn debyg i'r un mae Gethin yn ei gwisgo, wedi bod yn ymddwyn yn amheus ger stad o dai. Mae PC Asher yn stopio Gethin, yn ei chwilio ac yn dod o hyd i oriawr yn ei boced. Mae PC Asher yn dweud: 'Lleidr! Rwyt ti'n dod gyda mi!', cyn ei roi mewn car heddlu a mynd ag ef i orsaf yr heddlu.

## Gweithgaredd 5.26 Cadw a holi

Tynnwch linellau i gysylltu'r adran â'r pŵer cywir.

| Adran | Pŵer |
|---|---|
| *Adran 30* | Pan fydd rhywun yn cael ei gadw yn y ddalfa ond heb ei gyhuddo eto, dylai swyddog y ddalfa adolygu'r sefyllfa wedi'r 6 awr gyntaf, ac yna bob 9 awr. |
| *Adran 36* | Uchafswm yr amser y gellir cadw rhywun yn y ddalfa yw 96 awr, os bydd ynadon yn cymeradwyo hynny. |
| *Adran 37* | Ar ôl cyrraedd gorsaf yr heddlu, bydd swyddog y ddalfa yn penderfynu a oes digon o dystiolaeth i gyhuddo'r sawl a ddrwgdybir. |
| *Adran 40* | Gall yr heddlu awdurdodi cadw rhywun yn y ddalfa heb gyhuddiad am hyd at 24 awr. Cafodd hyn ei gynyddu i 36 awr (***adran 42***) yn dilyn ***Deddf Cyfiawnder Troseddol 2003***. |
| *Adran 41* | Os nad oes digon o dystiolaeth ar gael eto i gyhuddo rhywun a ddrwgdybir, bydd yr heddlu yn asesu a fyddai modd cael y fath dystiolaeth drwy ei holi, ac os felly, gall y sawl a ddrwgdybir gael ei gadw at y pwrpas hwn. Os nad yw felly, dylid ei ryddhau. Os oes digon o dystiolaeth yn bod eisoes i gyhuddo wrth arestio, dylid rhoi mechnïaeth i'r sawl a ddrwgdybir o dan ***adran 38 PACE***. Ar ôl awdurdodi cadw'r unigolyn, rhaid i swyddog y ddalfa ddechrau cofnod cadwraeth ar gyfer y sawl sy'n cael ei gadw, a rhaid i'r cofnod hwnnw gofnodi'r rhesymau dros ei gadw. |
| *Adran 44* | Rhaid mynd â'r sawl a ddrwgdybir i'r orsaf heddlu mor fuan ag sy'n bosibl ar ôl ei arestio, oni bai fod ei angen yn rhywle arall. |
| *Adran 54* | Gall yr heddlu gynnal chwiliad cyffredin o'r sawl a arestiwyd pan fydd yn cyrraedd gorsaf yr heddlu. Gallan nhw atafaelu unrhyw eitem y gallai'r unigolyn a ddrwgdybir ei defnyddio i achosi anaf corfforol iddo ef ei hun neu unrhyw un arall yn eu barn nhw, neu i ddifrodi eiddo, ymyrryd â thystiolaeth, neu ei gynorthwyo i ddianc; neu unrhyw eitem y mae gan y cwnstabl seiliau rhesymol dros gredu y gallai fod yn dystiolaeth sy'n ymwneud â throsedd. |

## Gweithgaredd 5.27 Chwilio a samplau o natur bersonol

Tynnwch linellau i gysylltu'r adran â'r pŵer cywir.

| Adran | Pŵer |
|---|---|
| ***Adran 55*** | Gellir cymryd samplau sydd heb fod o natur bersonol, fel gwallt a darnau ewinedd, os yw arolygydd neu swyddog uwch yn awdurdodi hynny. |
| ***Adran 62*** | Gall yr heddlu gymryd olion bysedd y sawl a ddrwgdybir. |
| ***Adran 63*** | Gellir tynnu gwybodaeth DNA o'r samplau a gymerwyd, a'u gosod am amser amhenodol ar y gronfa ddata DNA genedlaethol. |
| ***Adran 64*** | Gall rhywun gael ei adnabod drwy samplau o natur bersonol yn ôl y diffiniad yn ***adran 65***, h.y. samplau'r corff, swabiau ac olion/argraffiadau. |
| ***Adran 65*** | Chwilio o natur bersonol: gydag awdurdod arolygydd neu swyddog uwch, mae gan yr heddlu y pŵer i gynnal chwiliad o natur bersonol o agorfeydd corff y sawl a ddrwgdybir, os oes gan yr uwch arolygydd seiliau rhesymol dros gredu bod yr unigolyn wedi cuddio rhywbeth y gallai ei ddefnyddio i achosi anaf corfforol iddo'i hun neu eraill wrth gael ei gadw gan yr heddlu neu yn nalfa'r llys; neu bod rhywun o'r fath wedi cuddio cyffuriau Dosbarth A ar ei gorff. Rhaid i'r chwilio gael ei wneud gan weithiwr meddygol proffesiynol neu nyrs gofrestredig. |
| ***Adran 61*** ac ***Adran 27*** | Gellir cymryd samplau o natur bersonol fel gwaed, poer a semen gan yr unigolyn a ddrwgdybir. |
| ***Adran 61A*** | Gellir cymryd argraffiadau o olion esgidiau. |

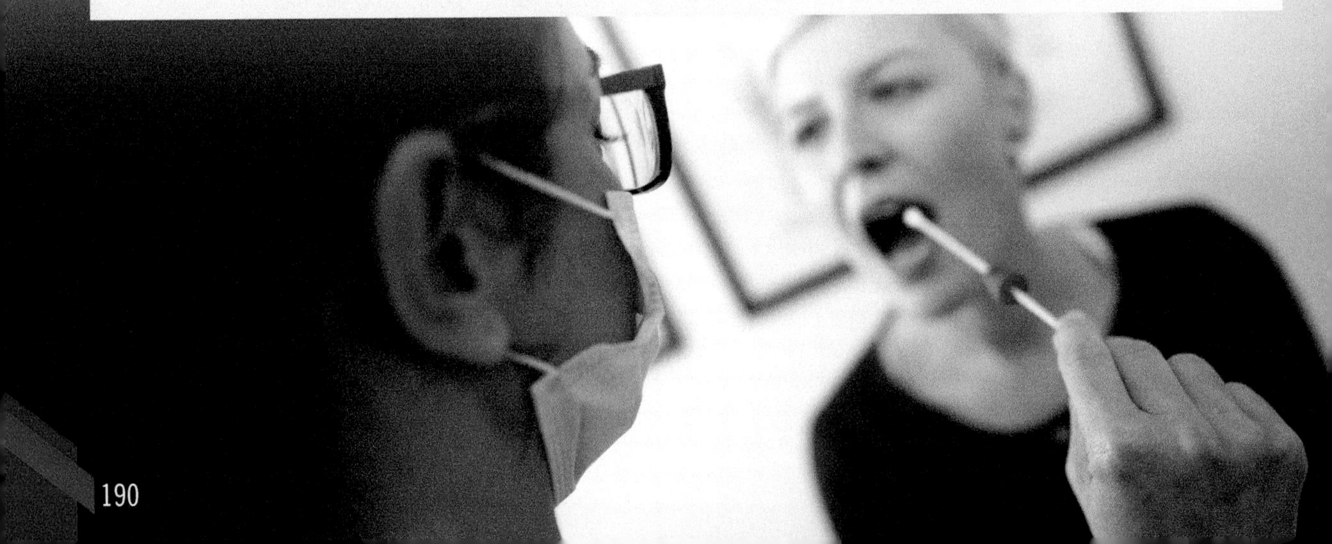

## Gweithgaredd 5.28 Hawliau pobl a ddrwgdybir, a'u triniaeth yn ystod y cyfnod cadw a holi

Nodwch a chymhwyswch y pŵer cywir.

| Senario | Esboniwch y pŵer | Cymhwyswch |
|---|---|---|
| **1.** Dydy Jacob ddim yn cael mynediad at gyfreithiwr wrth gyrraedd gorsaf yr heddlu. | | |
| **2.** Mae cyfweliad Kristi yn dechrau yng nghar yr heddlu. Ar ôl iddi gyrraedd gorsaf yr heddlu, dydy'r cyfweliad ddim yn cael ei recordio ar dâp, ond maen nhw'n ysgrifennu cofnod o'r cyfweliad ar ôl ei gynnal, gan ei gorfodi hi i'w lofnodi. | | |
| **3.** Mae Stacy yn cael ei harestio am 9 pm ar ei ffordd adref o'r gwaith. Mae hi'n cael ei chadw mewn cell dros nos, a dydy hi ddim yn cael ffonio ei gŵr, er ei bod hi eisiau gwneud hynny gan y bydd ef yn poeni amdani. | | |
| **4.** Mae Adam, aelod o gang, yn cael ei arestio ar ôl sawl lladrad yn yr ardal. Dydy Adam ddim yn cael ffonio ei ffrind Shahid. | | |
| **5.** Mae Angel, merch 14 oed sy'n cael ei hamau o ddwyn o siopau, yn cael ei chyfweld ar ei phen ei hun. | | |
| **6.** Yna mae Angel yn cael ei chadw mewn cell am 10 awr dros nos. | | |

## Gweithgaredd 5.29 Derbynioldeb tystiolaeth

Llenwch y bylchau gan ddefnyddio geiriau o'r rhestr a roddwyd.

**Geiriau i'w defnyddio**
17
77
derbyniol
andwyol
priodol
Canale
cyfaddefiad
amheuaeth
tegwch
gorthrwm
erlyn
Samuel
sylweddol
annibynadwy

Mae'n hanfodol bod pwerau'r heddlu yn cael eu harfer yn gywir er mwyn i'r dystiolaeth a gasglwyd allu cael ei defnyddio yn y llys (h.y. ). Gall y llysoedd wrthod derbyn tystiolaeth os nad yw wedi ei chael yn y modd priodol.

***Adran 76(2)(a):*** Gall tystiolaeth cyfaddefiad gael ei heithrio adeg y treial os cafodd y cyfaddefiad ei sicrhau drwy . Os codir y cwestiwn hwn, bydd rhaid i'r brofi y tu hwnt i bob resymol na chafodd y cyfaddefiad ei sicrhau drwy orfodaeth.

***Adran 76(2)(b):*** Gall tystiolaeth cyfaddefiad gael ei heithrio adeg y treial os cafodd ei sicrhau mewn amgylchiadau sy'n ei gwneud yn . Gweler achosion a ***R v Grant (2005)***, lle nad oedd mynediad at gyngor cyfreithiol, gan olygu bod y cyfaddefiadau yn annerbyniol.

***Adran 78***: Gall unrhyw dystiolaeth, gan gynnwys cyfaddefiad, gael ei heithrio o dan yr adran hon ar y sail y byddai'n effeithio'n ar y treial. Mae hyn yn cynnwys sefyllfaoedd megis peidio ag ysgrifennu cofnod y cyfweliadau yn syth ar ôl iddyn nhw orffen fel yn achos ***R v (1990).***

Rhaid i achosion o dorri'r Codau Ymarfer fod yn 'ddifrifol a ' cyn gallu ystyried eithrio'r dystiolaeth a gafwyd.

O dan ***adran 57***: mae'n rhaid i bobl a ddrwgdybir ac sy'n agored i niwed (gan gynnwys pobl sydd o dan oed) gael oedolyn gyda nhw yn ystod yr holi. Gall absenoldeb yr unigolyn hwn olygu bod unrhyw gyfaddefiad yn annerbyniol yn y llys. O dan ***adran*** , byddai'r rheithgor yn cael ei rybuddio bod cyfaddefiad wedi ei wneud gan rywun agored i niwed ag anhwylder meddyliol.

## Cyd-destun

### Rhyng-gipio cyfathrebu

Cafodd ***Deddf Rhyng-gipio Cyfathrebu 1985*** (*ICA*) ei phasio yn 1985 ac roedd yn gosod rheolau penodol ar ddulliau rhyng-gipio dros y ffôn a drwy'r post. Cafodd y Ddeddf ei chyflwyno yn rhannol o ganlyniad uniongyrchol i benderfyniad Llys Hawliau Dynol Ewrop (yr ECtHR) yn achos ***Malone v UK (1985)***, sef bod y weithdrefn warant bresennol yn mynd yn groes i ***Erthygl 8*** sef yr hawl i fywyd preifat.

Roedd y llys o'r farn nad oedd cyfraith y DU yn rheoleiddio'r amgylchiadau lle gellid tapio ffonau mewn ffordd ddigon clir, nac yn darparu unrhyw rwymedi yn erbyn camddefnyddio'r pŵer hwnnw. Ond yr unig beth wnaeth y penderfyniad oedd ei gwneud yn ofynnol i lywodraeth y DU gyflwyno deddfwriaeth i reoleiddio'r amgylchiadau lle gellid defnyddio'r pŵer i dapio ffonau, yn hytrach na chynnig canllawiau ar beth fyddai'n gyfyngiadau derbyniol ar breifatrwydd yr unigolyn.

Ymateb y llywodraeth i achos ***Malone*** oedd pasio ***Deddf Rhyng-gipio Cyfathrebu 1985***. Mae ***Rhan 1 Deddf Rheoleiddio Pwerau Ymchwilio 2000*** bellach wedi cymryd lle hon, sydd yn ei thro wedi cael ei diwygio gan ***Ddeddf Pwerau Ymchwilio 2016***.

## Gweithgaredd 5.30 Deddf Rheoleiddio Pwerau Ymchwilio 2000

Rhowch grynodeb o adrannau ***Deddf Rheoleiddio Pwerau Ymchwilio 2000***.

| Adran | Crynodeb |
| --- | --- |
| *Adran 1* | |
| *Adran 3* | |
| *Adran 5, Adran 5(2), Adran 5(3)* | |
| *Adran 6* | |
| *Adran 81(3)* | |
| *Adran 98* | |
| *Adran 65* | |
| *Adran 67* | |

## Gweithgaredd 5.31 Deddf Pwerau Ymchwilio 2016

**Geiriau i'w defnyddio**
asiantaethau
swmp
Comisiwn
cyfathrebu
dwbl
dyletswydd cyfrinachedd
farnwr
freintiedig
cosbau
Ysgrifennydd
ffynonellau
Gwladol
thargedu

**Cwblhewch y geiriau sydd ar goll gan ddefnyddio'r rhestr ar y chwith.**

Mae Deddf ***Pwerau Ymchwilio 2016*** yn dod â phwerau presennol ynghyd ac yn eu diweddaru. (Bydd ***RIPA 2000*** yn parhau nes iddi gael ei diddymu'n benodol.)

Dyma beth mae'r ***Ddeddf Pwerau Ymchwilio*** yn eu cyflwyno:

- 'clo ' ar gyfer y pwerau mwyaf ymyrrol, gan olygu bod rhaid i warantau sy'n cael eu cyhoeddi gan gael eu cymeradwyo gan uwch
- pwerau newydd ac ailddatgan pwerau presennol, ar gyfer cuddwybodaeth a gorfodi'r gyfraith yn y DU, i ryng-gipio mewn ffordd wedi'i , casglu data cyfathrebu mewn , a rhyng-gipio
- pwerau ymchwilio grymus newydd i oruchwylio sut defnyddir y pwerau
- amddiffyniadau newydd i ddeunydd newyddiadurol a chyfreithiol
- gofyn cael awdurdod barnwrol ar gyfer casglu data cyfathrebu sy'n enwi newyddiadurwyr
- llym, gan gynnwys creu troseddau newydd ar gyfer y rhai sy'n camddefnyddio'r pwerau.

## Gweithgaredd 5.32 Chwilair tor-cyfrinachedd

**Geiriau i'w canfod**
TOR-PREIFATRWYDD
PREIFATRWYDD
MYNEGIANT
YMYRRYD
TOR-CYFRINACHEDD
DATGELIAD
RHWYMEDI
PRINCE ALBERT V STRANGE
GWAHARDDEB
CYFRAITH SIFIL
COCO V A N CLARK
GWYBODAETH
RHWYMEDIGAETH
HEB EI AWDURDODI
LLES Y CYHOEDD
SPYCATCHER

| R | I | T | C | D | R | P | Y | D | U | G | I | H | S | T | E | L | P | N | F |
|---|---|---|---|---|---|---|---|---|---|---|---|---|---|---|---|---|---|---|---|
| D | G | D | E | O | P | E | A | M | W | G | T | B | O | N | D | L | R | T | B |
| B | P | O | O | T | C | I | H | A | Y | E | U | R | A | A | G | E | I | B | S |
| G | F | A | B | D | L | O | H | C | A | R | P | N | J | I | L | S | N | T | H |
| H | I | J | E | E | R | A | V | G | T | R | R | J | T | G | I | Y | C | W | P |
| R | S | D | G | P | R | U | I | A | E | A | J | Y | M | E | F | C | E | J | M |
| J | T | T | P | D | G | D | D | I | N | J | C | Y | D | N | I | Y | A | P | F |
| F | A | Y | D | T | E | Y | F | W | N | C | G | Y | C | Y | S | H | L | A | W |
| D | H | E | J | M | J | A | Y | R | A | R | L | O | P | M | H | O | B | W | T |
| F | B | H | Y | Y | T | H | I | N | T | I | O | A | T | S | T | E | E | W | D |
| J | O | W | T | R | G | Y | E | D | A | Y | E | G | R | G | I | D | R | L | M |
| Y | H | J | W | M | U | D | T | P | P | F | J | B | H | K | A | D | T | C | M |
| R | D | Y | H | T | E | A | D | O | B | Y | W | G | E | O | R | G | V | L | J |
| P | D | P | R | E | I | F | A | T | R | W | Y | D | D | H | F | W | S | M | G |
| D | D | E | H | C | A | N | I | R | F | Y | C | R | O | T | Y | A | T | O | Y |
| R | H | W | Y | M | E | D | I | C | N | L | P | T | Y | G | C | C | R | P | L |
| W | T | E | Y | B | G | P | T | S | N | J | S | C | T | Y | E | G | A | B | A |
| P | B | I | J | I | C | B | G | F | U | C | P | G | S | S | T | P | N | J | N |
| I | U | T | C | H | D | L | G | C | H | G | Y | N | P | R | N | M | G | T | T |
| T | C | G | L | B | A | G | C | D | T | R | B | F | D | U | L | W | E | W | S |

## Cyd-destun

Mae ***Erthygl 8*** yr ECHR, yr hawl i breifatrwydd, bellach wedi'i hymgorffori o fewn ***Deddf Hawliau Dynol 1998***. Pa mor sydyn neu ba mor bell bydd barnwyr yn symud y gyfraith i gyfeiriad amddiffyn preifatrwydd?

Nid yw'n bosibl ystyried preifatrwydd unigolyn ar ei ben ei hun. Rhaid pwyso a mesur preifatrwydd ochr yn ochr â rhyddid barn a mynegiant, sydd hefyd yn hawl bwysig o dan ***Erthygl 10*** y Confensiwn Ewropeaidd.

## Gweithgaredd 5.33 Tor-cyfrinachedd a phreifatrwydd ar ôl Deddf Hawliau Dynol 1998

Ymchwiliwch i'r achosion canlynol, ac ystyriwch a wnaeth y llysoedd amddiffyn yr hawl i breifatrwydd.

- ***Venables and Thompson v News Group Newspapers (2001)***
- ***Associated Newspapers Ltd v Prince of Wales (2006)***
- ***Murray v Express Newspapers (2008)***
- ***Mosley v News Group Newspapers (2008)***
- ***Author of a Blog v Times Newspapers (2009)***
- ***BBC v Harper Collins Ltd (2010); achos 'Stig' – Top Gear***

Parhad

- ***Hutchenson v News Group Newspapers (2011)***

- ***Ferdinand v MGN (2011)***

- ***CTB v News Group Newspapers (2011)***

- ***Von Hannover v Germany (No 2) (2012)***

- ***Springer v Germany (2012)***

## Cyd-destun

O dan ***Erthygl 10 yr ECHR***, mae gan unigolion yr hawl i 'ryddid mynegiant'. Fodd bynnag, mae'r hawl hon yn amodol, a gellir ei dileu am reswm cyfiawn, fel amddiffyn iechyd neu foesau neu er mwyn amddiffyn enw da neu hawliau eraill. Mae'r adran hon yn ystyried i ba raddau mae hawl i achosi sioc a/neu dramgwyddo o dan gyfraith Cymru a Lloegr a'r ECHR – mewn geiriau eraill, beth sy'n 'anweddus'? Gall hwn fod yn gwestiwn eithaf goddrychol, oherwydd efallai na fydd yr hyn sy'n cael ei ystyried yn anweddus gan un unigolyn yn anweddus i rywun arall, yn enwedig mewn cymdeithas sy'n fwy goddefol. Mae'r gyfraith wedi ceisio cynnig rhywfaint o eglurder.

Mae dwy statud allweddol yn rheoli'r maes hwn:

- ***Deddf Cyhoeddiadau Anweddus 1959*** (wedi'i diwygio gan ***Ddeddf Cyhoeddiadau Anweddus 1964***)
- ***Deddf Cyfiawnder Troseddol a Mewnfudo 2008.***

## Gweithgaredd 5.34 Anweddustra

Tynnwch linellau i gysylltu'r adrannau o ***Ddeddf Cyhoeddiadau Anweddus 1959*** â'u diffiniadau.

| Adran | Diffiniad |
|---|---|
| *Adran 2(1)* | **Cyhoeddi**. Ystyrir bod rhywun yn 'cyhoeddi' erthygl os yw'n '(a) dosbarthu, cylchredeg, gwerthu, gosod i'w logi, rhoi, neu ei fenthyca, neu'n ei gynnig ar werth neu i'w osod i'w logi; neu (b) yn achos erthygl sy'n cynnwys neu'n ymgorffori deunydd ar gyfer edrych arno neu ei recordio, ei ddangos, ei chwarae neu ei daflunio neu, lle mae'r deunydd yn cael ei storio'n electronig, yn darlledu'r data hwnnw'. Felly, mae darlledu data yn electronig drwy'r rhyngrwyd yn gyfystyr â chyhoeddi. |
| *Adran 1(1)* | **Erthygl**. Mae'n golygu unrhyw beth 'sy'n cynnwys neu'n ymgorffori deunydd ar gyfer ei ddarllen, edrych arno, neu'r ddau, ac unrhyw recordiad sain, ac unrhyw ffilm neu gofnod arall o lun neu luniau'. |
| *Adran 1(2)* | Mae'n drosedd cyhoeddi '**erthygl anweddus** i gael elw neu beidio' neu fod ag erthygl anweddus i'w chyhoeddi i gael elw. |
| *Adran 1(3)* | Amddiffyniad os nad oedd '**unrhyw achos rhesymol** dros amau bod yr erthygl yn anweddus'. |
| *Adran 2(5)* | Mae'n darparu ar gyfer amddiffyniad '**er lles y cyhoedd**', ond gellir ei ddefnyddio dim ond pan mae'r rheithgor wedi sefydlu bod yr erthygl yn anweddus. |
| *Adran 1(3)(a)* | Mae'n darparu **amddiffyniad cyfatebol** mewn perthynas â chyhuddiad o 'fod ag erthygl anweddus i'w chyhoeddi i gael elw'. |
| *Adran 4(1)* | Mae'n rhoi **diffiniad o 'anweddus'** at ddibenion y Ddeddf. Mae'n nodi: 'ystyrir bod erthygl yn anweddus os yw ei heffaith neu (lle bydd yr erthygl yn cynnwys dau neu fwy o eitemau ar wahân) os yw effaith unrhyw un o'i heitemau, o'u hystyried fel cyfanwaith, yn tueddu i lygru a difetha pobl sydd, o ystyried yr holl amgylchiadau perthnasol, yn debygol o ddarllen, gweld neu glywed y deunydd sydd wedi'i gynnwys neu ei ymgorffori ynddi.' |

## Gweithgaredd 5.35 Chwilair Deddf Cyfiawnder Troseddol a Mewnfudo 2008

**Geiriau i'w canfod**
MEDDIANT
EITHAFOL
BAICH
GWYLWYR
OFNADWY O DRAMGWYDDUS
AMDDIFFYNIADAU CYFFREDINOL
CYFREITHLON
NA OFYNNWYD AMDANO
CYFNOD AFRESYMOL
AMDDIFFYNIAD PENODOL
CYMRYD RHAN

A M D D I F F Y N I A D A U C Y F F R E D I N O L G
L G A L U S J M L S N T S Y U B E N E I T H A F O L
H Y U H J P T T F W F D F H H N U Y R I R O E N D T
N J A R U E C M J P I N O F I U L C D H J C E A O L
P W S J H L B I P D O P F S S G H P Y C J R E D N I
C T M E O J P P B D O P G G Y M Y M N G O H L W E T
G G P B D E S P A C G G U R S T B M U J G O N Y P U
F B H T T P J F I S R R P R T T F B M W R Y T O D B
J W N H F O R F G I A E J G O B P Y P O E M R D A T
T S P F P E J W N C N I L M F Y P B S T D J A R I M
D O D F S W A H L O N A D M A D Y W N N Y F O A N J
A T U Y S B C E Y L L P L H F E N A H R D Y R M Y C
G S M T J Y T O J E J H P D H N I G Y P D G N G F S
H O U J Y F J O P Y U O T J B D M W J L E P C W F C
L E C U I A N U I W E E J I D H L J J M I U E Y I N
E J T G D I Y P N J I Y C E E Y E G B N J A G D D J
F W H A E G N F D D O H M P W R P J J H L A E D D N
R P P U S J B P J C F I L G P P F O L G M M J U M B
J A E T G I W B H O P A J W I T O Y U F S C O S A T
R H C J F W G G C S C T T O O B A I C H B B B A J G

## Cyd-destun

Difenwad yw camwedd lle mae'r hawlydd yn ceisio iawndal am niwed i'w enw da.

Mae achosion difenwad yn gofyn i lys gydbwyso dwy hawl sy'n cystadlu yn erbyn ei gilydd: hawl yr hawlydd i amddiffyn ei enw da, a hawl y diffynnydd i ryddid mynegiant. Mae ***Erthygl 10*** yr ECHR yn darparu ar gyfer rhyddid mynegiant, ond mae hon yn hawl amodol y gellir ei dileu am reswm cyfiawn os yw hynny'n angenrheidiol ac yn gymesur.

Gellir rhannu difenwad yn ddwy ran:

- **Enllib (*libel*):** mae'r sylw difenwol yn ymddangos ar ffurf barhaol.
- **Athrod (*slander*):** mae'r sylw difenwol yn ymddangos ar ffurf nad yw'n barhaol.

Y brif Ddeddf ar gyfer y camwedd hwn yw ***Deddf Difenwad 2013***. Gan fod hon yn gyfraith eithaf newydd, gall achosion a gafodd eu dwyn o dan yr hen gyfraith fod yn berthnasol o hyd.

## Gweithgaredd 5.36 Difenwad

O dan ***adran 11 Deddf Difenwad 2013***, mae achosion difenwad bellach yn cael eu profi heb , oni bai fod y llys yn gorchymyn fel arall. Barnwr, felly, sy'n penderfynu ar y . yw'r prif rwymedi, ond gall fod yn hefyd.

Rhaid sefydlu nifer o elfennau er mwyn cael hawliad llwyddiannus:

1. Rhaid i'r datganiad fod yn . Does dim diffiniad statudol nac unigol, er bod diffiniad derbyniol i'w gael yn ***Sim v (1936).*** Mae'r llysoedd yn ystyried a fyddai'r datganiad yn 'tueddu i iselhau'r hawlydd yng aelodau cyffredinol synhwyrol o'r ?'. Gall hyn olygu pobl gyffredin, resymol ac nid eu ffrindiau na'u . Does dim rhaid profi colled na difrod, yn neu fel arall, yn y rhan fwyaf o achosion. Mae enghreifftiau o achosion yn cynnwys ***Byrne v (1937)*** a ***v Burchill (1996).***

   Does dim rhaid i ddatganiad feirniadu'r hawlydd yn uniongyrchol. Ond gallai wneud hynny yn anuniongyrchol, drwy oblygiad (*implication*). Yr enw ar hyn yw ' ' (*innuendo*). ***Tolley v J S & Sons Ltd (1931).*** Nid yw'n berthnasol os oedd y diffynnydd yn bwriadu cyhoeddi datganiad a fyddai'n effeithio'n andwyol ar enw da hawlydd, neu beidio.

2. Rhaid i'r datganiad gyfeirio at yr , neu rhaid gallu cymryd ei fod yn cyfeirio at yr hawlydd. Rhaid i'r hawlydd brofi y byddai darllenydd neu wrandäwr cyffredin, rhesymol yn cymryd bod y datganiad yn cyfeirio ato.

   Mae sawl ffordd i hyn ddigwydd. Gellir enwi'r hawlydd, un ai drwy roi ei go iawn neu enw (fel yn ***Hulton v Jones (1910)***). Gellir defnyddio o'r hawlydd ( ***v Macmillan Publishers Ltd and Others (2000)***). At hynny, gall y datganiad gyfeirio at yr hawlydd drwy gyd-destun (***Hayward v Thompson (1964)***).

   Gall datganiadau difenwol ymwneud â grŵp o bobl hefyd, ond efallai na fydd grwpiau mawr iawn yn gallu hawlio, fel yn achos ***Knupffer v London Express Newspapers (1944)***, oni bai fod modd adnabod yr hawlydd ar ei ben ei hun. Fodd bynnag, nid yw'r llysoedd wedi nodi uchafswm penodol o bobl ar gyfer cyflwyno hawliad llwyddiannus, fel yn achos ***v News Group (1986).***

3. Rhaid bod y datganiad wedi cael ei . Mae hyn yn ymwneud â mwy na phapur newydd, cylchgrawn neu deledu 'traddodiadol'. Mae 'cyhoeddi' yn golygu bod y wybodaeth wedi o'r diffynnydd i rywun arall ac eithrio'r hawlydd neu

4. Mae cyhoeddi'r datganiad wedi achosi niwed i 'r hawlydd (***adran Deddf Difenwad 2013***), neu mae'n debygol o'i achosi. Y nod yw ceisio lleihau nifer yr hawliadau am achosion dibwys o sarhau neu jôcs, ac mae'n amddiffyn hefyd. Niwed i enw da yn unig sydd wedi'i gynnwys, nid achosi niwed i deimladau, a gall y cyfryngau osgoi atebolrwydd drwy gyhoeddi buan; gweler ***Cooke and Another v MGN Ltd (2014).***

**Geiriau i'w defnyddio**
1(1)
ymddiheuriad
Berkoff
hawlydd
Deane
Dwek
ngolwg
mynegiant
ffuglennol
ariannol
rhyddid
Fry
ensyniad
enw
llun
gyhoeddi
rhwymedi
Riches
difrifol
cymdeithas
Stretch
reithgor
ddifenwol
pasio
ŵr/gwraig

Parhad

**Geiriau i'w defnyddio**
4
wneud iawn
onest
braint

Mae nifer o amddiffyniadau all fod yn gymwys hefyd.

- Gwirionedd: ***adran 2 Deddf Difenwad 2013.***
- Barn : ***adran 3 Deddf Difenwad 2013***
- Cyhoeddi cyfrifol ar fater o bwys i'r cyhoedd; ***adran Deddf Difenwad 2013.***
- absoliwt.
- Braint amodol.
- Cynnig i .

## Gweithgaredd 5.37 Camwedd aflonyddu

*Cofiwch fod llythrennau fel Ch, Dd, Th etc. yn cyfrif fel un llythyren yn y Gymraeg.*

### I Lawr

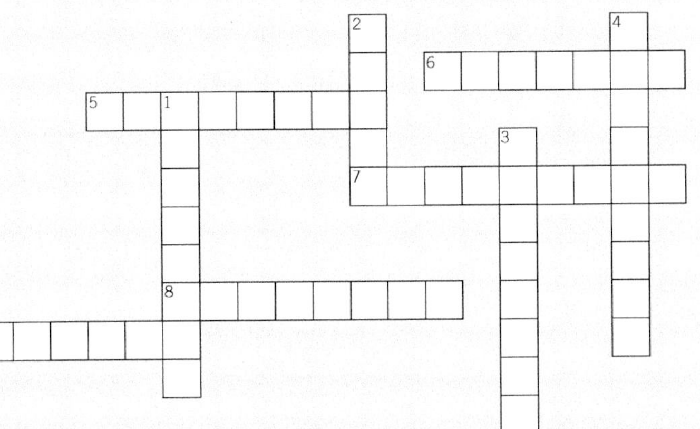

1. At ddibenion Deddf 1997, gall geiriau sy'n cael eu dweud gan y diffynnydd, datganiadau ysgrifenedig ac ymddygiad fod yn gyfystyr ag ymddygiad o'r fath. [8]
2. Mae'r Ddeddf wedi cael ei defnyddio i ymdrin â'r math hwn o ymddygiad yn y gweithle. [5]
3. Yn wreiddiol, nod Deddf 1997 oedd ceisio atal y math hwn o ymddygiad. [8]

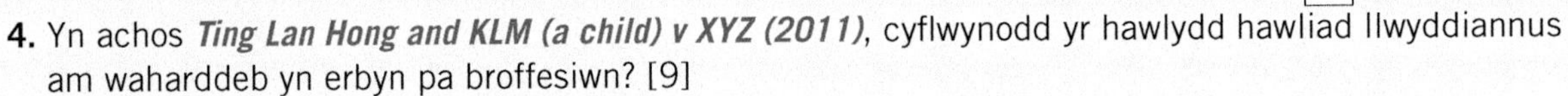

4. Yn achos ***Ting Lan Hong and KLM (a child) v XYZ (2011)***, cyflwynodd yr hawlydd hawliad llwyddiannus am waharddeb yn erbyn pa broffesiwn? [9]

### Ar Draws

5. Y math o gamwedd gafodd ei chreu gan ***Ddeddf Diogelwch rhag Aflonyddu 1997***. [8]
6. Y math o rwymedi mae'r hawlydd yn ei geisio. [7]
7. Mae ***adran 3(1)*** yn darparu ar gyfer cyflwyno hawliad mewn cyfraith sifil ar gyfer torri'r adran honno, a pha fath o doriad arall? [4,5]
8. Y term ar gyfer yr hyn na ddylai rhywun ei wneud, os yw'n gyfystyr ag aflonyddu ar rywun arall, ac os yw'n gwybod ei fod yn gyfystyr ag aflonyddu ar y llall, neu y dylai wybod hynny. [8]
9. Gellir gorfodi'r gwaharddiad yn yr adran hon yn sgil creu hyn. [6]

## 5.4 Cwestiynau cyflym

1. Beth yw'r ddau fath o ddifenwad?
2. Beth yw enllib?
3. Beth yw athrod?
4. Beth yw'r diffiniad sy'n cael ei dderbyn o achos ***Sim v Stretch***?
5. Pa ddwy hawl ddynol sy'n cael eu cydbwyso yn y maes hwn o'r gyfraith?
6. Pa fath o hawl yw ***Erthygl 8***?
7. A oes unrhyw amddiffyniadau ar gael ar gyfer difenwad?

# Geirfa

***actus reus*:** 'y weithred euog' sy'n angenrheidiol er mwyn cael diffynnydd yn euog o drosedd. Gall fod yn weithred wirfoddol, yn anwaith neu'n sefyllfa.

**achos datganedig:** apeliadau ar y sail bod gwall cyfreithiol wedi bod, neu bod yr ynadon wedi gweithredu y tu hwnt i'w hawdurdodaeth. Gall yr erlyniad a'r amddiffyniad ei ddefnyddio.

**achosi:** gwneud i rywbeth ddigwydd.

**achosiaeth (neu gadwyn achosiaeth):** cysylltu'r *actus reus* a'r canlyniad cyfatebol. Er mwyn sicrhau atebolrwydd troseddol, rhaid bod cadwyn achosiaeth ddi-dor. Mae dau fath o achosiaeth: cyfreithiol a ffeithiol.

**adolygiad barnwrol:** y broses o herio cyfreithlondeb penderfyniad, gweithred neu fethiant i weithredu ar ran corff cyhoeddus fel adran llywodraeth neu lys.

**adroddiad cyn dedfrydu:** mae hwn yn helpu'r llys i benderfynu a oes unrhyw ffactorau yn hanes y diffynnydd a all effeithio ar y ddedfryd.

**amddiffyniadau cyffredinol:** amddiffyniadau sy'n gymwys i unrhyw drosedd (â rhai eithriadau), yn wahanol i 'amddiffyniadau arbennig', sy'n gymwys i rai troseddau yn unig; er enghraifft, mae cyfrifoldeb lleihaedig ar gael ar gyfer llofruddiaeth yn unig.

**arfer:** rheolau ymddygiad sy'n datblygu mewn cymuned heb gael eu creu'n fwriadol.

**ataliad:** rhywbeth sy'n annog rhywun i beidio â chyflawni gweithred benodol.

**atebolrwydd caeth:** grŵp o droseddau, rheoleiddiol eu natur fel arfer, sy'n gofyn am brawf o *actus reus* yn unig heb fod angen *mens rea*.

**bargeinio ple:** mae'r diffynnydd yn pledio'n euog i drosedd lai difrifol yn gyfnewid am ddedfryd lai, er mwyn arbed amser y llys a gwneud canlyniad y treial yn haws ei ragweld.

**Brexit:** yr enw cyffredin sy'n cael ei roi ar ymadawiad Prydain o'r Undeb Ewropeaidd, ac sy'n cael ei ddefnyddio'n aml gan y cyfryngau wrth gyfeirio at faterion ynglŷn â'r trafodaethau.

**Bwrdd Parôl:** corff a sefydlwyd o dan Ddeddf Cyfiawnder Troseddol 1967 i gynnal cyfarfodydd gyda throseddwr er mwyn penderfynu a all gael ei ryddhau o'r carchar ar ôl treulio isafswm ei ddedfryd yno. Mae'r Bwrdd yn cynnal asesiad risg i benderfynu a yw'n ddiogel rhyddhau'r unigolyn yn ôl i'r gymuned. Os yw'n ddiogel, bydd yn cael ei ryddhau ar drwydded, gydag amodau ac o dan oruchwyliaeth agos.

**cadarnhawyd:** wedi'i benderfynu; penderfyniad y llys.

**camwedd:** camwedd sifil sy'n cael ei gyflawni gan unigolyn yn erbyn un arall, fel anaf a achosir drwy esgeuluster.

**camweddwr:** rhywun sydd wedi cyflawni camwedd.

**clwyfo:** torri dwy haen y croen, gan arwain fel arfer at waedu.

**contract dwyochrog:** contract rhwng dau barti lle mae'r naill a'r llall yn addo cyflawni gweithred yn gyfnewid am weithred y llall.

**contract unochrog:** cynnig sy'n cael ei wneud yn gyfnewid am weithred; er enghraifft, gwobr am eiddo coll.

**croesholi:** holi tyst yn y llys gan gwnsler ar ran yr ochr arall.

**Cwnsler y Frenhines (C.F.):** bargyfreithiwr uwch sydd wedi bod yn ymarferydd am o leiaf 10 mlynedd ac sy'n cael ei benodi i'r safle. Mae ganddo hawl i wisgo gŵn sidan, sy'n esbonio'r term 'cymryd sidan'.

**cyfraith gyffredin/cyfraith gwlad (hefyd cyfraith achos neu gynsail):** cyfraith sy'n cael ei datblygu gan farnwyr drwy benderfyniadau yn y llys.

**cyfreithiwr ar ddyletswydd:** cyfreithwyr sy'n gweithio mewn cwmnïau preifat, ond sydd wedi ennill contract gan yr Asiantaeth Cymorth Cyfreithiol i roi cyngor troseddol i bobl sydd wedi'u harestio. Bydd yr unigolyn yn y ddalfa yn cael cymorth gan bwy bynnag sydd ar ddyletswydd ar y diwrnod hwnnw.

**Cyfrin Gyngor:** y llys apêl olaf i'r rhan fwyaf o wledydd y Gymanwlad.

**cyhuddiad:** y penderfyniad y dylai rhywun a ddrwgdybir gael treial am drosedd honedig.

**cymhwysedd uniongyrchol:** pan fydd darn o ddeddfwriaeth yr UE yn rhwymo yn awtomatig ac yn dod yn rhan o gyfraith yr aelod-wladwriaeth cyn gynted ag y mae'n cael ei basio gan yr UE.

**cynigai:** yr unigolyn y gwneir cynnig iddo ac a fydd yn derbyn y cynnig wedyn.

**cynigiwr:** yr unigolyn sy'n gwneud cynnig.

**cynnig:** yng nghyfraith contract, cynnig sy'n cael ei roi gan unigolyn i un arall gyda'r bwriad iddo ddod yn gyfreithiol-rwym cyn gynted ag y bydd yr unigolyn arall yn ei dderbyn.

**cynsail berswadiol:** penderfyniad blaenorol nad oes rhaid ei ddilyn.

**cynsail farnwrol (cyfraith achosion):** ffynhonnell cyfraith lle gall penderfyniadau barnwyr yn y gorffennol lunio'r gyfraith i farnwyr y dyfodol ei dilyn.

**cynsail rwymol:** penderfyniad blaenorol y mae'n rhaid ei ddilyn.

**cynsail wreiddiol:** penderfyniad mewn achos lle nad oes penderfyniad cyfreithiol neu gyfraith y gall y barnwr ei ddefnyddio.

**datganiad anghydnawsedd:** cyhoeddir hwn o dan adran 4 Deddf Hawliau Dynol 1998, er mwyn rhoi grym i uwch farnwyr gwestiynu a yw deddfwriaeth yn cyd-fynd â hawliau dynol. Mae'r datganiad yn cael ei anfon i'r Senedd. Nid yw'n caniatáu i farnwyr ddileu cyfreithiau.

**datganoli:** trosglwyddo pŵer o'r llywodraeth ganolog i'r llywodraeth genedlaethol, ranbarthol neu leol (e.e. sefydlu Llywodraeth Cymru, Cynulliad Gogledd Iwerddon a Senedd yr Alban).

**datgeliad:** y rheidrwydd ar yr amddiffyniad a'r erlyniad i ddatgelu'r holl dystiolaeth berthnasol i'r ochr arall.

**dedfryd:** y gosb sy'n cael ei rhoi i rywun sydd wedi ei gael yn euog o drosedd. Gall fod yn gyfnod yn y carchar, yn ddedfryd gymunedol, neu'n ddedfryd neu ddatrysiad ataliedig.

**Deddf Seneddol (statud):** ffynhonnell deddfwriaeth sylfaenol sy'n dod o gorff deddfwriaethol y DU.

**deddfwriaeth ddirprwyedig (deddfwriaeth eilaidd neu is-ddeddfwriaeth):** cyfraith sy'n cael ei llunio gan gorff gwahanol i'r Senedd ond gydag awdurdod y Senedd, fel sy'n cael ei nodi mewn deddfwriaeth sylfaenol.

**deddfwriaeth sylfaenol:** cyfraith sy'n cael ei llunio gan y corff deddfwriaethol, sef y Senedd yn y DU. Mae Deddfau Seneddol yn ddeddfwriaeth sylfaenol.

**derbyniol:** tystiolaeth ddefnyddiol nad oes modd ei gwahardd ar y sail ei bod yn ddibwys, yn amherthnasol neu'n torri rheolau tystio.

**dewisol:** dewis y llys yw rhoi iawndal neu beidio.

**diffynnydd:** yr unigolyn sy'n amddiffyn y weithred (e.e. yr unigolyn sydd wedi'i gyhuddo o drosedd).

**dim ennill, dim ffi:** cytundeb rhwng cyfreithiwr a chleient lle bydd y cleient yn talu'r ffioedd cyfreithiol dim ond os enillir yr achos.

**dirmyg llys:** trosedd y gellir ei chosbi â hyd at ddwy flynedd yn y carchar i unrhyw un sy'n anufuddhau neu'n anghwrtais i lys y gyfraith.

**disgybledd (sef tymor prawf):** prentisiaeth blwyddyn lle mae disgybl yn gweithio ochr yn ochr â bargyfreithiwr cymwys, sy'n cael ei alw'n ddisgybl–feistr.

**ditiadwy:** y troseddau mwyaf difrifol sy'n cael eu rhoi ar brawf yn Llys y Goron yn unig.

**ecwitïol:** bod yn deg.

**effaith ôl-weithredol:** cyfreithiau sy'n effeithio ar weithredoedd a gafodd eu gwneud cyn iddyn nhw gael eu pasio.

**effaith uniongyrchol:** dyma sy'n galluogi unigolion o aelod-wladwriaethau'r UE i ddibynnu ar gyfraith yr UE yn eu llysoedd cenedlaethol eu hunain, heb orfod mynd â'r achos i'r llysoedd Ewropeaidd.

**euogfarn:** mae'r diffynnydd wedi ei gael yn euog a bydd yr achos yn symud ymlaen at y cam dedfrydu.

**ffactor gwaethygol:** ffactor sy'n berthnasol i drosedd, ac sy'n effeithio ar y ddedfryd drwy ei chynyddu. Er enghraifft, pan fydd gan droseddwr euogfarnau blaenorol, neu os defnyddiwyd arf yn ystod y drosedd.

**ffactor lliniarol:** ffactor sy'n berthnasol i'r drosedd, ac sy'n effeithio ar y ddedfryd neu'r cyhuddiad drwy ei leihau. Er enghraifft, os hon yw trosedd gyntaf y diffynnydd, neu os yw'r diffynnydd wedi pledio'n euog.

**ffi ymgodi/ffi llwyddiant:** ffi ychwanegol mewn achos 'dim ennill, dim ffi', hyd at 100% o ffi sylfaenol y cynrychiolydd cyfreithiol, i'w dalu os enillir yr achos. Os na fydd yr achos yn cael ei ennill, ni fydd rhaid i'r collwr dalu unrhyw ffioedd.

**goddrychol:** rhagdybiaeth sy'n ymwneud â'r unigolyn dan sylw (sef y goddrych).

**gorchymyn diwygio deddfwriaethol:** Offeryn Statudol sy'n gallu diwygio Deddf Seneddol heb yr angen am Fesur seneddol.

**gwahaniad pwerau:** mae pŵer y wladwriaeth wedi'i rannu yn dri math, sef gweithredol, barnwrol a deddfwriaethol. Dylai pob math gael ei weithredu gan gyrff neu bobl wahanol.

**Gweithrediaeth:** y llywodraeth.

**gwrandawiad cyntaf (llys treial):** llys lle mae gwrandawiad cyntaf achos yn cael ei gynnal. Mae'n wahanol i lys apeliadau, sy'n gwrando ar achosion apêl.

**gwrandawiad gweinyddol cynnar:** yr ymddangosiad cyntaf yn y llys ynadon i bob diffynnydd sy'n cael ei amau o drosedd ynadol neu dditiadwy. Mae'r gwrandawiad hwn yn ystyried cyllid cyfreithiol, mechnïaeth a chynrychiolaeth gyfreithiol.

**gwrthrychol:** prawf sy'n ystyried beth byddai rhywun cyffredin, rhesymol arall wedi ei wneud neu ei feddwl, o'i osod yn yr un sefyllfa â'r diffynnydd.

**hawliau ymddangos:** yr hawl i ymddangos fel eiriolwr mewn unrhyw lys.

**hawlydd:** yr unigolyn sy'n dod â'r achos gerbron. Cyn 1 Ebrill 1999, roedd yr unigolyn hwn yn cael ei alw'n bleintydd neu'n achwynydd.

**hiliaeth sefydliadol:** pan fydd gweithrediadau neu bolisïau a gweithdrefn corff cyhoeddus neu breifat yn cael eu hystyried yn hiliol.

**hostel mechnïaeth:** hostel ar gyfer pobl sydd ar fechnïaeth ac sydd ddim yn gallu rhoi cyfeiriad sefydlog. Mae'n cael ei redeg gan y Gwasanaeth Prawf.

**iawndal:** dyfarniad ariannol sy'n ceisio digolledu'r parti diniwed am y colledion ariannol y mae wedi'u dioddef o ganlyniad i'r tor-contract.

***laissez-faire*:** term cyfraith contract sy'n nodi y dylai unigolyn gael rhyddid i lunio contract â'r ymyrraeth leiaf posibl gan y wladwriaeth neu'r farnwriaeth

**lleyg (person lleyg):** rhywun sydd heb gymwysterau cyfreithiol.

**lliniaru colled:** gostwng neu leihau colled.

**maleisus:** caiff hwn ei ddehongli i olygu 'gyda bwriad neu fyrbwylltra goddrychol'.

**mechnïaeth:** caniateir i'r diffynnydd fod yn rhydd yn hytrach na bod yn y carchar cyn ei wrandawiad llys, cyn belled â'i fod yn cytuno i amodau penodol, fel adrodd yn rheolaidd i swyddfa heddlu.

**meichiau:** swm o arian sy'n cael ei gynnig i'r llys gan rywun sy'n adnabod yr unigolyn a ddrwgdybir. Mae'r swm yn gwarantu y bydd yr un a ddrwgdybir yn dod i'r llys pan fydd angen.

***mens rea*:** y 'meddwl euog' sy'n angenrheidiol er mwyn cael diffynnydd yn euog o drosedd. Gall gynnwys bwriad, byrbwylltra neu esgeuluster.

***novus actus interveniens*:** gweithred ymyrrol sydd mor annibynnol ar weithred wreiddiol y diffynnydd nes ei bod yn llwyddo i dorri'r gadwyn achosiaeth. Gall fod atebolrwydd am y weithred gychwynnol.

***obiter dicta*:** pethau a ddywedir 'gyda llaw'. Nid yw'r rhain yn rhwymol a dim ond grym perswadiol sydd ganddynt.

**oedolyn priodol:** rhiant, gwarcheidwad neu weithiwr cymdeithasol sy'n gorfod bod yn bresennol pan fydd unigolyn ifanc o dan 17 oed yn cael ei gyfweld yn nalfa'r heddlu, neu mewn treial yn y llys ieuenctid. Ei rôl yw gwneud yn siŵr bod yr unigolyn ifanc yn deall y termau cyfreithiol, yn ymwybodol o'i hawliau ac yn cael cysur a sicrwydd.

***per incuriam*:** 'gwnaed trwy gamgymeriad'. Cyn Datganiad Ymarfer 1966, dyma oedd yr unig sefyllfa lle gallai Tŷ'r Arglwyddi fynd yn groes i'w benderfyniadau blaenorol.

**perthynas ddigon agos:** (yng nghyfraith camwedd) pa mor agos yw'r diffynnydd a'r dioddefwr yn gorfforol neu'n emosiynol.

**preifatrwydd contract:** athrawiaeth sy'n caniatáu i'r partïon siwio ei gilydd, ond nid yw'n caniatáu i drydydd parti siwio.

**prif holiad:** holi tyst yn y llys gan ei gwnsler ei hun, ar ran yr amddiffyniad neu'r erlyniad.

***ratio decidendi*:** 'y rheswm dros y penderfyniad'. Dyma elfen rwymol cynsail, ac mae'n rhaid ei dilyn.

**rhagdybiaeth:** man cychwyn i'r llysoedd, sy'n rhagdybio bod rhai ffeithiau yn wir oni bai fod mwy o dystiolaeth i'r gwrthwyneb i wrthbrofi'r rhagdybiaeth.

**rhagweladwy:** digwyddiadau y dylai'r diffynnydd fod wedi gallu eu rhagweld yn digwydd.

**rheol y 'rhes cabiau':** mae'n rhaid i fargyfreithiwr dderbyn gwaith mewn unrhyw faes lle mae'n gymwys i ymarfer, mewn llys lle bydd yn ymddangos fel arfer, ac ar ei gyfradd arferol.

**rheolaeth cyfraith:** dylai'r wladwriaeth lywodraethu ei dinasyddion yn unol â rheolau a gytunwyd.

**rhwymedi:** pan fydd llys yn rhoi dyfarndal o blaid y parti diniwed mewn achos sifil, er mwyn 'unioni'r cam'.

**rhyddfarn:** mae'r diffynnydd wedi ei gael yn ddieuog a bydd yn cael ei ryddhau.

**siambrau:** swyddfeydd lle mae grwpiau o fargyfreithwyr yn rhannu clercod (gweinyddwyr) a threuliau gweinyddu.

**sofraniaeth seneddol:** egwyddor Dicey sef bod gan y Senedd bŵer absoliwt a diderfyn, a bod Deddf Seneddol yn gallu dirymu unrhyw ffynhonnell arall o gyfraith.

***stare decisis*:** glynu wrth y penderfyniadau blaenorol.

**tenantiaeth:** lle parhaol i fargyfreithiwr mewn siambrau.

**tor-contract:** torri contract drwy beidio â dilyn ei delerau a'i amodau.

**tresmaswr:** ymwelydd heb ganiatâd nac awdurdod i fod ar dir y meddiannydd.

**Tribiwnlys Haen Gyntaf:** rhan o'r system gyfreithiol sy'n ceisio setlo cyfnod 'gwrandawiad cyntaf' anghydfodau cyfreithiol. Mae wedi ei rannu'n saith siambr neu faes arbenigol.

**troseddau neillffordd:** troseddau ar lefel ganolig (e.e. lladrad, ymosod gan achosi gwir niwed corfforol) sy'n gallu cael eu rhoi ar dreial 'y naill ffordd' neu'r llall – hynny yw, yn llys yr ynadon neu yn Llys y Goron.

**troseddau ynadol:** y troseddau lleiaf difrifol, sy'n mynd ar brawf yn y llys ynadon yn unig.

**Tŷ'r Arglwyddi:** enw Tŷ Uchaf y Senedd, sef y siambr ddeddfu. Roedd dryswch yn codi cyn sefydlu'r Goruchaf Lys, gan mai Tŷ'r Arglwyddi oedd yr enw ar y llys apêl uchaf hefyd.

**tystiolaeth ail-law:** nid rhywbeth mae'r tyst yn ei wybod yn bersonol, ond rhywbeth a ddywedwyd wrtho.

***ultra vires* gweithdrefnol:** dyma lle nad yw'r gweithdrefnau a sefydlwyd yn y Ddeddf alluogi i wneud yr offeryn statudol wedi cael eu dilyn (e.e. roedd angen ymgynghori ond ni ddigwyddodd hynny). Ystyr llythrennol: 'tu hwnt i'r pwerau'.

***ultra vires* sylweddol:** lle bydd deddfwriaeth ddirprwyedig yn mynd y tu hwnt i'r hyn a fwriadodd y Senedd.

**Uwch Dribiwnlys:** mae'n gwrando ar apeliadau o'r Tribiwnlys Haen Gyntaf, ac mewn rhai achosion cymhleth, yn gweithredu awdurdodaeth cam cyntaf.

**ymholi dirgel:** yr hen broses benodi, lle byddai gwybodaeth am farnwr posibl yn cael ei chasglu'n anffurfiol, dros amser, gan fargyfreithwyr a barnwyr blaenllaw.

**ymwreiddiedig:** darn o gyfraith hen a sefydledig sy'n anodd ei newid, neu'n annhebygol o newid (e.e. Bil Hawliau UDA). Does dim cyfreithiau ymwreiddiedig yn y DU.

**Ysbytai'r Brawdlys:** Rhaid i fargyfreithwyr ymuno â'r Deml Fewnol, y Deml Ganol, Ysbyty Gray neu Ysbyty Lincoln. Mae'r Ysbytai, neu'r Neuaddau, yn darparu llety ac addysg ac yn hyrwyddo gweithgareddau.

# Mynegai

Malp 23·12·2020